AKAL/DICCIONARIOS PARA LA ENSEÑANZA
5

ALICIA RAMOS
ANA SERRADILLA

DICCIONARIO AKAL
DEL ESPAÑOL
COLOQUIAL

1.492 EXPRESIONES Y MÁS...
(con sus equivalencias en inglés)

Maqueta: RAG
Diseño de cubierta: Sergio Ramírez

© Alicia Ramos y Ana Serradilla, 2000
© Ediciones Akal, S. A., 2000
Sector Foresta, 1
28760 Tres Cantos
Madrid - España
Tel.: 91 806 19 96
Fax: 91 804 40 28
ISBN: 84-460-1449-1
Depósito legal: M. 22.328-2000
Impreso en MaterPrint, S. L.
Colmenar Viejo (Madrid)

Índice

1. INTRODUCCIÓN 8

2. EXPRESIONES VERBALES 13

3. EXPRESIONES CON PREPOSICIÓN 301

4. OTROS DICHOS POPULARES 313

5. ACTIVIDADES 317

6. ÍNDICE DE EXPRESIONES VERBALES 331

7. ÍNDICE DE EXPRESIONES VERBALES EN INGLÉS 345

8. ÍNDICE DE OTRAS EXPRESIONES EN INGLÉS
   8.1. Expresiones preposicionales 380
   8.2. Otros dichos populares · 383

9. BIBLIOGRAFÍA 384

dada en Noruega, puede parecer una película fría, pero merece la pena. El siempre eficaz Donald Ro-

Los famosos «Apache» siguen haciendo el «indio»

El Tour de Flandes que se disputa hoy verá caras más largas de las habituales en las horas previas a su comienzo. Michele Bartoli, ven-

Está, en una palabra, genial. Toni Cantó rompe la tela y saca la película de sus casillas: no él personalmente, pobre, sino el personaje imposible que asoma por su pintarrejeada cara como un disparate, en una secuencia disparatada, un hilo suelto marca de la casa motivado por la inclinación de Almodóvar a no prescindir de los retales.

ciudadano, de su primer álbum Golosinas, porque dio el cuartelazo a las canciones de su mismo, a la educación adolescente.

En política tampoco es oro todo lo que reluce

No obstante, Yáñez sigue siendo la «mano derecha» de Borrell, que nunca le ha desautorizado, al menos de forma pública.

Por si, después de ver «Dragon», se ha quedado con ganas de saber qué pasó después, aquí tiene una muestra, ya que el protagonista de la película es el hijo del mítico Bruce Lee, Brandon Lee.

«el ciudadano vive hoy mejor que nunca», frase que reducida a su expresión verdadera significa «yo hoy vivo de puta madre».

claqués: los militares de matarifes. Tengo la mosca tras la oreja, pienso que en esta guerra, **Aznar** y su Gobierno nos pasan por la quilla, nos dan por popa; parecemos tontos del bote a la deriva. La torpeza de algunos políticos nos puede llevar al naufrago.

Naturalmente, la película es un recital de Bette Davis, que a pesar de rodearse con actores de la talla de Peter Lawford o Karl Malden no consigue sacar adelante este filme, que no pasa de discreto.

terminados principios morales –y no sólo históricos– que el pecado puede saltarse a la torera e incluso con descarado cinismo. Uno de los más sólidos cimientos éticos de la ejemplar transición política española fue el de rechazar de plano la falacia de que el fin justifica los medios, la ley tiene que respetar de-

EN NOVIEMBRE COGERÁS EL AVIÓN COMO EL QUE NO QUIERE LA COSA

las críticas generalizadas contra la defensa de un Real Madrid que se ha convertido en un coladero.

Aunque no es hombre que ansíe la jubilación, antes de separarse de su esposa Murdoch parecía tener atados todos los cabos de su sucesión. En caso de muerte o de enfermedad que le incapacitara, estaba previsto que Anna, quien ya forma parte del Consejo de Administración, le sustituyera en la presidencia mientras se decidía cual de sus hijos era el heredero más apto. El colapso del matrimonio dio al traste con esos planes.

«Es un personaje que da pie a muchas consideraciones sobre la conjura de las luchas por el poder, y sobre la soledad que acompaña al fracaso», apunta el autor,

POR eso ha estado muy bien la huelga de los pilotos, que son más papistas que el Papa, y que han recordado a este mundo, desde sus alturas del Sepla, que hay que hacer más penitencia. ¿Modo de hacerlo? A través de la huelga, del retraso, de la cancelación del vuelo.

Serra: «España es una nación como la copa de un pino»

era el prototipo de caballero vienes, rígido, chapado a la antigua.

el albañil de su tierra, cuando regresó a casa a gatas y la mujer le acusó de oler a vino.

Mijatovic y Savio. Saben que uno de los dos tiene que bajar a echar una mano atrás». Roberto Carlos no se cortó.

El escándalo que se ha organizado por la huelga de pilotos de líneas aéreas podría hacer pensar a los más candorosos que, por fin, nuestra sociedad ha decidido poner el cascabel al gato de las huelgas, y presionar para que se establezca de una buena vez una legislación que no atropelle los derechos de los consumidores, que no tienen nada que ver con los conflictos entre empleadores y empleados.

O sea, que para «normalizar el paso de la Verja», lo primero es decir a los ingleses que la quiten. Ellos la pusieron, ellos deben quitarla si quieren de verdad resolver el problema. Todo lo que no sea eso, es caer en su trampa.

¿Sabrán los nuevos líderes de la sociedad civil estar a la altura de las circunstancias?

¡Viva Chile libre! Si el primer día de su estancia oficial en Chile, Don Juan Carlos dio la talla —inmensa talla— de un jefe de Estado europeo, democrático y constitucional, en la segunda jornada, en su comparecencia ante el Congreso Nacional de la República estuvo sencillamente grandioso.

Expresiones como éstas forman parte de nuestra cultura y todos los días en los periódicos, en la calle, en la televisión, en las escuelas, en el trabajo... las escuchamos y las pronunciamos. Aprender nuestra lengua es asimilar el valor de estas frases. Sin su comprensión y uso adecuados no llegarás realmente a captar nuestra esencia ni a hablar como un español.

Introducción

El propósito del presente volumen es doble. Por una parte, hemos pretendido crear un diccionario de expresiones idiomáticas del español actual que sirva como material de apoyo para el estudiante español, que necesita conocer más a fondo su idioma y que, a la vez, se siente interesado en aprender cómo se pueden expresar tales modismos en inglés. Por otra parte, nuestra intención ha sido poner a disposición del estudiante de español como lengua extranjera una colección de modismos y otras locuciones, con sinónimos e ideas afines, que sirva tanto de manual de consulta como de fuente primaria de adquisición de un léxico variado y práctico.

El lector –sea hispanohablante o sea anglohablante– se dará cuenta, en poco tiempo, de la utilidad de este libro porque atesora, en forma breve y clara, cuantas expresiones populares o coloquiales necesita adquirir, utilizar, consultar y puntualizar. Tarea que enriquecerá su competencia comunicativa y le facilitará el vocabulario para desarrollar su destreza oral y escrita.

Se ha prestado especial interés a presentar una variedad múltiple de expresiones de uso actual y frecuente, y se ha procurado coordinar las expresiones que comparten el mismo concepto para dar una idea amplia de su significado.

El *Diccionario Akal del español coloquial. 1.492 expresiones en español actual... y más* ofrece al estudiante un libro eminentemente práctico y útil, con el deseo de dotarle de un léxico que le ayude a ampliar su capacidad comunicativa de ámbito global.

En esta obra se reúnen los siguientes elementos:

– Una colección de expresiones, modismos y locuciones de uso frecuente en la actualidad, cuyo empleo o significado ofrece al estudiante alguna dificultad, tanto en la lengua oral como escrita, y que raramente aparece en los libros de gramática.
– Cada expresión se presenta con su significado y un ejemplo que recrea el uso práctico de la lengua y permite al estudiante desarrollar sus habilidades lingüísticas esenciales para mejorar su competencia comunicativa.

– Se detallan las expresiones con el mismo registro usadas hoy en España en la expresión oral, escrita y en los medios de comunicación.

– Se incluye la traducción o equivalencia al inglés de las expresiones por ser éste el idioma de mayor uso internacional y porque, en la actualidad, es la lengua que más interés despierta entre los españoles.

– Se incorpora, asimismo, una batería de ejercicios, con material real, para que el estudiante compruebe sus progresos en la asimilación y el manejo de estas expresiones.

– Se completa la obra con dos índices. En el primero se muestran todas las expresiones españolas que se analizan en la obra, mientras que en el segundo se presenta una lista de todas las expresiones en inglés con su equivalencia en español. Ambos índices están ideados para facilitar una consulta rápida de la obra, tanto por el lector de habla hispana como por el de habla inglesa.

Finalmente, queremos manifestar nuestro agradecimiento a cuantas personas han colaborado para conseguir que esta obra haya podido realizarse: a Javier Sacristán, por su constante ayuda en todos los asuntos relacionados con la informática; a Joe Erato y Jay Sims, por sus interesantes puntualizaciones respecto a las expresiones inglesas y, sobre todo, a Marjory Hutchison, por su minuciosa revisión de las equivalencias al inglés. También tenemos que agradecer a los responsables de Saint Louis University Campus de Madrid las facilidades y los medios técnicos que han puesto en todo momento a nuestra disposición. A todos ellos, a nuestros compañeros y a nuestras familias, que nos han apoyado durante todo el tiempo en el que ha estado fraguándose este manual, muchas gracias.

Se abre ahora para vosotros –lectores españoles y extranjeros– un libro que esperamos que os sirva de ayuda en vuestro camino por el aprendizaje de una faceta del español absolutamente indispensable para la comunicación. Y como muestra de lo que queremos decir respecto a la importancia del conocimiento de estas expresiones, véase la anécdota con la que ilustramos el comienzo de esta obra, anécdota de la que, en realidad, todos podemos ser protagonistas algún día.

NOTA: Los giros marcados con un asterisco (*) hacen referencia a expresiones vulgares. En el caso de las expresiones seguidas de las siglas «UK», su uso es exclusivo de Gran Bretaña.

La primera semana de Mark en Madrid

Mark –estudiante norteamericano, veinte años– ha llegado a España hace una semana; tras cinco años de asistir a clases de español, primero en el colegio y después en la universidad, y de haber realizado un *master* de «cultura y civilización españolas» durante tres meses, se considera totalmente capacitado para hablar como lo haría un auténtico español. Bueno, deberíamos decir «se consideraba» porque en esta última semana todos sus esquemas se han venido abajo.

Su primera sorpresa la tuvo al bajar del avión cuando se dirigió a un taxista y muy amablemente le dijo:

—*Hola, señor, buenos días, soy un estudiante norteamericano y voy a vivir cuatro meses en Madrid, ¿Podría usted conducirme a la Residencia Serrano?*

Obviamente, y según había estudiado durante todos estos años, el taxista habría debido responder:

—*Buenos días. ¿Cómo estás? Naturalmente que puedo llevarte a la dirección que me has indicado.*

Pero en lugar de esa respuesta, Mark se encontró con lo siguiente:

—*Buenas, ¿qué hay? ¿Por dónde cae esa residencia? Seguro que está en el quinto pino y no hay tu tía que dé con ella.*

¡Horror! O el taxista no era español o era un maleducado que no comprendía que debía hablar como en su libro. Rápidamente Mark empezó a pensar:

¿Cuáles son las cosas buenas? ¿Cae, cae? ¿Se habrá caído la residencia? ¿Habrá habido un terremoto en Madrid y no me han avisado? ¿Cuántos pinos hay en Madrid? ¿Miden las distancias por pinos? ¡Qué atrasados están! ¿Y quién será esa tía que tiene que darnos algo? ¡Oh! Creo que tengo algún problema.

Después de dar algunas vueltas por todo Madrid, Mark llegó finalmente a la residencia, ya más tranquilo al no observar los efectos de ningún terremoto, pero aún con cierto nerviosismo.

Al entrar en la residencia, se encontró con otros estudiantes españoles y pensó:

¡Por fin! Jóvenes universitarios cultos con los que podré comunicarme.

Sus problemas, sin embargo, no habían terminado. Se le acercó un chico de su edad y le espetó:

—*¿Qué pasa tío? ¿Tú eres el nuevo? Vamos, date prisa en elegir tu habitación, que si no te va a pillar el toro. No pongas esa cara; seguro que hacemos buenas migas, te aviso de que yo hablo por los codos y que a veces me voy por las ramas, pero soy buena gente. ¡Ah!, por si las moscas, lo mejor es que cierres tu puerta con llave, porque aquí hay mucho chorizo.*

Mark no podía creerse lo que le estaba sucediendo. Subió corriendo las escaleras para ponerse a salvo de los toros que, según su nuevo compañero, debían de estar brincando alegremente por los pasillos de la residencia. Una vez que se encerró en su habitación empezó a buscar las moscas que también debían de ser muy abundantes y seguro que enormes, ya que tanto le habían advertido. Aunque luego lo pensó mejor: ese chico debía de estar loco, él le había visto hablar por la boca, como todos los demás, pero quizá era ventrílocuo y era verdad que hablaba por los codos; pero *¿qué podía esperarse de una persona que se andaba por las ramas y que quería hacer migas? Además el chorizo era una comida muy apetecible y no entendía por qué tenía que defenderse de él. Los chorizos no andan, ¿o sí?*

Las complicaciones continuaron, evidentemente, para Mark durante la primera semana. En la residencia le prohibieron llegar a las tantas, pero su problema era que ni siquiera sabía dónde estaban «las tantas». También le prohibieron dejar su cuarto manga por hombro, pero él siempre había pensado que las mangas llegaban hasta el hombro y no sabía qué hacer. Cuando le dijeron que aquí había que meter los codos, echar los hígados y que no se hiciera el sueco porque si no se iba a enterar de lo que vale un peine, estuvo a punto de ponerse a llorar: en esa residencia querían que se rompiera los huesos y las vísceras, que cambiara de nacionalidad y que, como castigo, le informarían sobre el precio de los peines.

Todo esto era demasiado para Mark, que creía haber llegado a un país de enfermos mentales. Entonces se paró a reflexionar, antes de hacer sus maletas. *¿No será que no les entiendo bien? ¿Es posible que la gente no hable como en mis libros? La verdad es que yo tampoco hablo en inglés como en las gramáticas que estudiaba de pequeño. ¡Oh, es eso! La gente habla como quiere y no como espero yo que hablen.*

Este descubrimiento le llevó a Mark a tener otra perspectiva de lo que es una lengua y a comprender que no sabía tanto como pensaba. Ahora ya está más relajado, sobre todo desde que le han explicado lo del toro, lo de los hígados y lo de los suecos. La vida en España no será tan difícil para él, aunque aún le quedan algunas dudas respecto a ese compañero al que, por el momento, no ha visto andar por las ramas y sigue mirando con recelo a las moscas españolas.

La experiencia de Mark es, desgraciadamente, la que tienen muchos de los extranjeros que llegan a un nuevo país. Con este libro pretendemos ayudarles a que sus primeros momentos no sean tan difíciles y a que aprendan algunas de las expresiones que pueden serles de gran utilidad en su comunicación diaria.

LAS AUTORAS

EXPRESIONES VERBALES

A

Abrir la mano

Ser permisivo, aligerar el grado de exigencia para la obtención de algo **(to be generous, to be lenient)**

El profesor **abrió la mano** *con las notas y todos aprobaron*

Aburrirse como una ostra

Aburrirse mucho **(to be bored to death)**

Me **aburro como una ostra** *en clase de matemáticas*

Acabar como el rosario de la aurora

Terminar una relación o una situación con un enfrentamiento de todas las partes implicadas; acabar algo con una gran discusión **(to end up in tears)**

Si seguís discutiendo, esto **va a acabar como el rosario de la aurora**

Aflojar la mosca

Pagar dinero, generalmente, a disgusto **(to cough up)**

Tenéis que **aflojar la mosca** *para comprar el regalo de Luis*

EXPRESIONES SIMILARES[1]
Rascarse el bolsillo
Soltar la mosca
(No) soltar un duro

Agarrarse a un clavo ardiendo

Aprovechar cualquier medio, por desagradable que sea, para salir de un apuro o peligro **(to clutch at a straw, to grasp at straws)**

---

[1] Deseamos aclarar que el concepto de «**expresiones similares**» no implica necesariamente la sinonimia. Se incluyen en estos bloques aquellas expresiones que pertenecen al mismo ámbito semántico, aunque su significado no sea el mismo.

María se agarra a un clavo ardiendo; cree que aún hay posibilidad de salvarle

Aguantar carros y carretas

Soportar pacientemente contrariedades, trabajos y humillaciones **(to take it lying down, to put up with it)**

En ese trabajo Alicia está aguantando carros y carretas

EXPRESIONES SIMILARES
Aguantar el chaparrón

Aguantar el chaparrón

Soportar pacientemente contrariedades y humillaciones **(to take it lying down/like a man), (to take it on the chin – UK)**

Juan no tuvo más remedio que aguantar el chaparrón cuando su jefe le amonestó por llegar siempre tarde

EXPRESIONES SIMILARES
Véase **Aguantar carros y carretas**

Aguar la fiesta

Turbar o estropear un proyecto, reunión, etc. **(to be a partypooper), (to be a wet blanket – UK)**

Manolo nos aguó la fiesta cuando nos dijo que no podría venir con nosotros a la excursión

EXPRESIONES SIMILARES
Dar al traste con algo

Ahogarse en un vaso de agua

No soportar los pequeños problemas; tener poca resistencia para soportar los momentos difíciles **(to make a mountain out of a molehill)**

María se ahoga en un vaso de agua; le han dicho que el vestido no le queda bien y se ha puesto a llorar

Ahuecar el ala

Marcharse, irse, largarse **(to go away, to run away, to flee, to take to one's heels, to take off)**

*Cuando llegó la policía los ladrones **ahuecaron el ala***

EXPRESIONES SIMILARES
Véase **Echar balones fuera**

Ajustar las clavijas

Reprender, regañar a alguien o decirle las quejas que se tienen de él **(to scold, to grumble at, to give someone a talking to/a lecture/a telling off)**

*Vas a tener que **ajustarle las clavijas** a tu hijo por su mal comportamiento*

EXPRESIONES SIMILARES
Ajustar las cuentas
Apretar las clavijas

Ajustar las cuentas

Reprender, regañar a alguien o decirle las quejas que se tienen de él **(to have a bone to pick with someone)**

*Ya **te ajustaré las cuentas** cuando te vea*

EXPRESIONES SIMILARES
Véase **Ajustar las clavijas**

Andar a gatas

Andar a cuatro patas, con las rodillas y las manos sobre el suelo **(to crawl, to go on all fours)**

*El bebé ya ha aprendido a **andar a gatas***

Andar a la greña

Estar dos o más personas en desacuerdo y siempre dispuestas a promover disputas **(to be at odds and ends, to have a heated argument, to get at each other)**

*María y Juan se quieren pero siempre **andan a la greña***

EXPRESIONES SIMILARES
Estar a la greña
Llevarse a matar

> Llevarse como el perro y el gato
> Llevarse mal con alguien
> (No) querer cuentas con alguien

Andar a la pesca de algo

Estar una persona a la búsqueda de algo **(to fish out, to fish around for, to be after something)**

*No sé lo que quiere Alberto, pero estoy segura de que **anda a la pesca de algo***

Andar como Pedro por su casa

Conocer bien un lugar y estar en él con total libertad **(to feel comfortable/at ease/as if someone owns the place/as if someone was born here)**.

Anda** por la Universidad **como Pedro por su casa

EXPRESIONES SIMILARES
Estar a sus anchas
Estar como pez en el agua
Estar en su salsa

Andar con algo entre manos

Estar alguien involucrado en algún proyecto **(to handle or manage something, to be involved in, to have some plan in mind)**

*En este momento **andamos con un negocio muy importante entre manos***

EXPRESIONES SIMILARES
Traerse entre manos

Andar con pies de plomo

Actuar con mucha cautela o prudencia ante una situación delicada **(to walk on eggshells, to watch one's step)**

*Mario es muy susceptible, así que debemos **andar con pies de plomo***

EXPRESIONES SIMILARES
Andarse con tiento
Ir con pies de plomo
Tener tacto

Andar de cabeza

Estar muy preocupado por un exceso de problemas que parecen tener una difícil solución (to go crazy, to be out of one's mind with worry)

Ando de cabeza con tantos problemas

EXPRESIONES SIMILARES
Andar de cráneo
Ir de cabeza
Llevar de cabeza
Quitar el sueño
Traer a maltraer
Traer de cabeza
Traer por la calle de la amargura

Andar de cráneo

Estar muy preocupado por un exceso de problemas que parecen tener una difícil solución (to be out of one's mind with worry, to go crazy)

Me parece que andas de cráneo desde que viniste aquí

EXPRESIONES SIMILARES
Véase **Andar de cabeza**

Andar manga por hombro

No tener orden ni disciplina; encontrarse un lugar muy desordenado (to be a mess/like a pigsty)

Es muy desordenado y su casa siempre anda manga por hombro

EXPRESIONES SIMILARES
Estar empantanado
Estar patas arriba
Ir manga por hombro
Ser una leonera

Andar metido en líos

Estar comprometido o involucrado en situaciones difíciles de resolver (to be in a mess)

Luis anda siempre metido en líos por su mala cabeza

███████████ **Andar(se) con ojo**

Conducirse con precaución **(to watch out, keep an eye open)**

Ándate con ojo, porque la situación es peligrosa

███████████ **Andarse con rodeos**

Decir algo sin la claridad necesaria, yendo a lo secundario antes de tratar lo fundamental **(to beat around the bush)**

No se atrevía a decir la verdad y ***se andaba con rodeos***

EXPRESIONES SIMILARES
Andarse por las ramas
Dar rodeos
Irse por las ramas
Irse por los cerros de Úbeda
Marear la perdiz

███████████ **Andarse con tiento**

Actuar con mucha cautela o prudencia ante una situación delicada **(to watch one's step, to be careful)**

Se anduvieron con tiento *para no preocupar a su madre*

EXPRESIONES SIMILARES
Véase **Andarse con pies de plomo**

███████████ **Andarse por las ramas**

Derivar hacia cuestiones secundarias, sin atender directamente lo fundamental **(to beat around the bush)**

En vez de ir al grano, prefirió ***andarse por las ramas***

EXPRESIONES SIMILARES
Véase **Andarse con rodeos**

███████████ **Apear(se) del burro**

Claudicar de una actitud hasta entonces firme y porfiada o conseguir que otra persona lo haga **(to recognize one's mistake, to come down off one's high horse, to climb down)**

Cuando mi padre toma una decisión no hay forma de ***apearle del burro***

EXPRESIONES SIMILARES
Bajar del burro
(No) ceder (ni) un ápice
Cerrarse en banda
(No) dar el brazo a torcer
Mantenerse en sus trece
Meter entre ceja y ceja
Ponerse entre ceja y ceja
Seguir en sus trece
Ser duro de mollera

▰▰▰▰▰ Apretar las clavijas a alguien

Tratar con severidad a alguien para que cumpla con su deber o para obtener lo que se pretende de él **(to put the screws on)**

Eres muy desobediente y voy a tener que ***apretarte las clavijas***

EXPRESIONES SIMILARES
Véase **Ajustar las clavijas**

▰▰▰▰▰ Aprobar por los pelos

Superar un examen con un resultado muy ajustado pero suficiente **(to barely pass, to scrape through, to pass by the skin of one's teeth)**

Mi hermano ha estudiado mucho, pero ***ha aprobado*** *el examen* ***por los pelos***

▰▰▰▰▰ Armar jaleo

Provocar un altercado, un gran alboroto, hacer mucho ruido **(to raise hell, the devil, to raise a stink, to make a fuss, to have a cow, to cause a scene)**

Lucía ***armó*** *mucho* ***jaleo*** *cuando le robaron el bolso*

EXPRESIONES SIMILARES
Armarse la de San Quintín
Armarse la marimorena
Armarse un lío

▰▰▰▰▰ Armarse la de San Quintín

Producirse una riña, altercado, alboroto de grandes proporciones **(to raise hell, the devil, to raise a stink)**

Allí ***se armó la de San Quintín***

EXPRESIONES SIMILARES
Véase **Armar jaleo**

Armarse la marimorena

Producirse una riña, altercado, alboroto de grandes proporciones **(to raise hell, to kick up a row, to hit the roof)**

Al llegar sus padres se armó la marimorena

EXPRESIONES SIMILARES
Véase **Armar jaleo**

Armarse un lío

1. Producirse una riña, altercado, alboroto de grandes proporciones **(to raise hell)**
2. Confundirse, equivocarse una persona **(to get confused/mixed up)**

Me armé un lío increíble con tus hermanos gemelos

EXPRESIONES SIMILARES
Véase **Armar jaleo**

(No) arrendarle las ganancias a alguien

No desear estar en la situación de alguien que ha obrado de manera que va a sufrir consecuencias negativas **(to be glad you are not in someone else's shoes)**

No te arriendo las ganancias si decides casarte con él

Arrimar el ascua a su sardina

Dirigir las cosas en provecho propio sin mirar por el interés de los demás **(to turn something to one's advantage, to look after/out for number one)**

Ése es muy listo y sabe arrimar el ascua a su sardina

EXPRESIONES SIMILARES
Barrer para adentro
Barrer para casa
Llevar el agua a su molino

▬▬▬▬ Arrojar por la borda

Estropear, arruinar un proyecto **(to throw overboard)**

Arrojó por la borda el trabajo de muchos años por su mala cabeza

EXPRESIONES SIMILARES
Echar por la borda
Echar por tierra
Tirar por la borda

▬▬▬▬ Atar cabos

Relacionar datos o noticias de distintas procedencias, con los que se aclara o se descubre algo **(to tie up loose ends/threads)**

He conseguido descubrir la verdad atando cabos

▬▬▬▬ Atar los perros con longanizas

Se dice con ironía del que actúa de forma espléndida o demostrando excesivamente abundancia o riquezas **(to live off the fat of the land)**

No te creas que en los países ricos se atan perros con longanizas

B

Bailar el agua a alguien

Tratar de serle grato, halagándolo o dándole en todo la razón **(to butter somebody up, to soft-soap somebody)**

*Lo que le gusta a mi jefe es tener siempre a alguien que **le baile el agua***

EXPRESIONES SIMILARES
Véase **Dar coba**

Bailar en la cuerda floja

Estar en una situación muy arriesgada de la que se puede salir malparado **(to swim with the tide, to take a chance)**

*Creo que si te metes en ese negocio estarás **bailando en la cuerda floja***

Bajar los humos

Conseguir que alguien se dé cuenta de que no es el más importante del mundo **(to take somebody down a peg or two)**

*Tu amigo se cree muy importante, ¡ya va siendo hora de que alguien le **baje los humos**!*

Bajar(se) de las nubes

Volver a la realidad después de haber estado inmerso en fantasías **(to come down to earth)**

*Deberías **bajar de las nubes** y enfrentarte al problema*

Bajar(se) del burro

Claudicar de una actitud hasta entonces firme y porfiada o conseguir que otra persona lo haga **(to come down off one's high horse)**

*Felipe ha dicho que no se va a casar y no hay forma de **bajarlo del burro***

EXPRESIONES SIMILARES
Véase **Apear(se) del burro**

Bajarse los pantalones

Ceder, humillarse ante alguien (to grovel, to give in, to eat humble pie)

*El gobierno tuvo que **bajarse los pantalones** para conseguir los votos de la oposición*

EXPRESIONES SIMILARES
Entrar por el aro Pasar por el aro

Barrer para adentro

Comportarse de una manera interesada o egoísta buscando sólo el beneficio propio (to feather one's own nest, to look after oneself)

*María siempre está **barriendo para adentro** en lugar de pensar en los demás*

EXPRESIONES SIMILARES
Véase **Arrimar el ascua a su sardina**

Barrer para casa

Comportarse de una manera interesada o egoísta buscando sólo el beneficio propio (to look after oneself)

*Todos somos egoístas y **barremos para casa***

EXPRESIONES SIMILARES
Véase **Arrimar el ascua a su sardina**

Beber como un cosaco

Beber alcohol de forma excesiva (to drink like a fish)

*Julio **bebe como un cosaco**, pero no suele emborracharse*

EXPRESIONES SIMILARES
Véase **Estar como una cuba**

Beber los vientos por alguien

Estar enamorado de alguien, desvivirse por alguien (to be crazy about somebody, to be head over heels for, to be stuck on someone)

Desde que la conoció, mi hermano **bebe los vientos por Elena**

EXPRESIONES SIMILARES
Estar colado por alguien
Hacer tilín
Tener sorbido el seso a alguien
Querer como a la niña de sus ojos

Brillar por su ausencia

No estar o haber alguien o algo en el lugar en el que se pensaba que podía o debía estar **(to be conspicuous by [one's] absence)**

En un día de sol las nubes **brillan por su ausencia**

Buscar las cosquillas a alguien

Provocarlo, hacerlo enfadar, buscar sus puntos débiles **(to tease someone, to wind them up)**

No **me busques las cosquillas** *porque me voy a enfadar*

EXPRESIONES SIMILARES
Buscar las vueltas a alguien
Hacer de rabiar

Buscar las vueltas a alguien

Provocarlo, hacerlo enfadar, buscar sus puntos débiles **(to touch a sore spot)**

Luis sabe **buscarle las vueltas** *a su padre*

EXPRESIONES SIMILARES
Véase **Buscar las cosquillas a alguien**

Buscarle tres pies al gato

Buscar o ver complicaciones donde no las hay **(to split hairs)**

La situación no es tan compleja, así que no **le busques tres pies al gato**

C

No caber ni un alfiler

No tener capacidad un lugar para albergar más cosas o personas **(to be wall-to-wall, to be no room to swing a cat)**

*Es un restaurante tan popular que en los fines de semana **no cabe ni un alfiler***

EXPRESIONES SIMILARES
Véase **Estar de bote en bote**

Caer bien/mal

1. Caer bien/mal (la ropa) a alguien (favorecer/sentar mal la ropa a alguien): **(to fit well/bad, to suit well/bad, to look well/bad on one [clothes])**
2. Caer bien/mal a alguien (resultar simpático/antipático): **(to like someone, not to like someone)**
3. Caer bien/mal (comida) a alguien (sentar bien/mal): **(to agree/disagree with one's stomach)**

*Las personas que no respetan a los demás no me **caen bien***

EXPRESIONES SIMILARES (CAER MAL)
Caer fatal
Caer gordo
Dar cien patadas

EXPRESIONES SIMILARES (CAER BIEN)
Estar a partir un piñón
Hacer buenas migas
Llevarse bien
Quedar bien
Sentar bien
Ser uña y carne

Caer chuzos de punta

Llover muy fuerte **(to rain cats and dogs, to rain buckets)**

*Llévate el paraguas, que **están cayendo chuzos de punta***

> **EXPRESIONES SIMILARES**
> Llover a cántaros

Caer de pie

Tener mucha suerte **(to land on one's feet, to be lucky)**

Ese hombre cae siempre de pie. ¡Vaya suerte que tiene!

> **EXPRESIONES SIMILARES**
> Véase **Estar de suerte**

Caer en desgracia

Perder los favores de alguien que hasta el momento los había proporcionado **(to fall from grace, to be out of favor)**

Antonio cayó en desgracia y su jefe no volvió a contar con él

> **EXPRESIONES SIMILARES**
> Véase **Tener la negra**

Caer en la cuenta

Percatarse de algo que no se comprendía antes **(to get the point)**

No había caído en la cuenta de que hoy era nuestro aniversario

Caer en la red

Caer bajo la influencia de alguien, normalmente de forma involuntaria **(to fall for, to be taken in, to be fooled)**

Óscar sabe manejar a la gente y todos caen en la red

Caer en la tentación

No poder resistirse ante una situación tentadora **(to give/fall into temptation)**

Quise dejar el tabaco, pero volví a caer en la tentación

Caer en saco roto

Ser inútil, no tener consecuencias algo que debiera haberlas tenido **(to fall on deaf ears)**

*Tus consejos no **han caído en saco roto***

EXPRESIONES SIMILARES
Echar en saco roto
Hacer caso omiso
Hacer oídos sordos

Caer enfermo

Ponerse enfermo **(to get/become sick)**

Cayó enfermo *tras pasar una hora bajo la lluvia*

No caer esa breva

No tener la suerte que se pretende **(to have a stroke of luck, not to be so/that lucky)**

*Espero que mañana me toque la lotería, pero **no caerá esa breva***

Caer fatal

Resultar antipático a alguien **(not to stand someone, not to bear, to dislike)**

*Me **caen fatal** los chicos presumidos*

EXPRESIONES SIMILARES
Véase **Caer bien/mal**

Caer gordo

Resultar antipático a alguien, disgustarle **(to dislike someone, to rub somebody the wrong way, can't stand someone), (to get someone's goat – UK)**

*Marcos me **cae gordo** porque siempre está presumiendo*

EXPRESIONES SIMILARES
Véase **Caer bien/mal**

Caer por su (propio) peso

Ser algo obvio por sí mismo, sin necesidad de más demostraciones **(to be obvious or self-evident, to stick out like a sore thumb)**

*La verdad **cae por su propio peso***

> **EXPRESIONES SIMILARES**
> (No) dejar lugar a dudas

Caérsele a alguien el alma a los pies

Sufrir una gran desilusión o desengaño **(to tear someone's heart out, to feel one's heart sink, to have one's world cave in)**

Se me cayó el alma a los pies cuando vi los destrozos del temporal

> **EXPRESIONES SIMILARES**
> Véase **Caérsele a alguien la casa encima**

Caérsele a alguien el pelo

Meterse en problemas debido a una actuación inconveniente **(to be in trouble, to get it)**

Si no haces lo que te digo, se te va a caer el pelo

Caérsele a alguien la baba

Sentir mucho cariño o admiración por alguien **(to slaver at the mouth, to drool, to go soft)**

A Marta se le cae la baba cuando mira a su bebé

Caérsele a alguien la cara de vergüenza

Sentirse muy avergonzado **(to be ashamed of something)**

Debería caérsete la cara de vergüenza después de lo que has hecho

> **EXPRESIONES SIMILARES**
> Darle corte a alguien

Caérsele a alguien la casa encima

Sentirse alguien sobrepasado por las circunstancias e incapaz de continuar hacia adelante **(to be crushed or overwhelmed with trouble, to have the bottom drop out of one's world)**

Tras su divorcio pensaba que la casa se le caía encima

EXPRESIONES SIMILARES
Caérsele a alguien el alma a los pies
Venirse algo encima
Venirse abajo

■ Caérsele a alguien los anillos

Perder o disminuir la dignidad, jerarquía o clase social **(to lose one's reputation, to lose one's social standing, to lose face, to go down in people's eyes)**

No creo que se te caigan los anillos por lavar esos platos

■ Caerse de bruces

Caerse de frente **(to fall flat on one's face)**

Mario se tropezó con una piedra y se cayó de bruces

■ Calentarse la cabeza

Reflexionar, cavilar o pensar mucho sobre una cosa **(to beat one's brains out)**

No te calientes la cabeza, no merece la pena pensar más en ello

EXPRESIONES SIMILARES
Calentarse los cascos
Comerse el tarro
Darle vueltas a algo
Devanarse los sesos

■ Calentarse los cascos

Reflexionar, cavilar o pensar mucho sobre una cosa **(to beat one's brains out, to lose sleep over)**

Calentarse los cascos no va a solucionar el problema

EXPRESIONES SIMILARES
Véase **Calentarse la cabeza**

■ Cambiar de chaqueta

Cambiar de opinión o cambiar de partido **(to be two-faced, to change sides)**

Algunos políticos están siempre **cambiando de chaqueta**

■■■■■■■■ **Campar por sus respetos**

Actuar alguien a su antojo, con total independencia y sin atenerse a normas o disciplina alguna **(to act freely, to go it alone)**

María se ha dedicado a **campar por sus respetos** *y su madre ya no sabe qué hacer con ella*

■■■■■■■■ **Cantar las cuarenta**

Decirle a alguien las cosas francamente, cara a cara, acusarle de sus faltas; echarle una bronca **(to give somebody a piece of one's mind, to tell someone some home truths)**

Su padre le **cantó las cuarenta** *por llegar tarde a casa*

EXPRESIONES SIMILARES
Véase **Echar una bronca**

■■■■■■■■ **Cargar con el mochuelo**

Tener que afrontar algo fastidioso (culpa, trabajo...) que nadie quiere o de lo que los demás se desentienden **(to take the blame)**

Un compañero cometió el delito, pero a mí me tocó **cargar con el mochuelo**

EXPRESIONES SIMILARES
Cargar con el muerto
Echar el muerto
Echar la culpa
Pagar el pato
Pagar justos por pecadores
Pagar los platos rotos

■■■■■■■■ **Cargar con el muerto**

Tener que afrontar algo fastidioso (culpa, trabajo...) que nadie quiere o de lo que los demás se desentienden **(to take the blame, to pay for it)**

Unos tienen la culpa y otros **cargan con el muerto**

EXPRESIONES SIMILARES
Véase **Cargar con el mochuelo**

Cargar las tintas

Insistir en algo de forma excesiva o persistente **(to lay it on [thick])**

No conviene cargar las tintas en ese aspecto

No casarse con nadie

No dejarse influir por personas, con quienes se tiene una relación de amistad, a la hora de tomar una decisión sobre un asunto **(to get tied up with nobody, to be nobody's friend)**

María no se casa con nadie, compra el género a los que le ofrecen el mejor precio

Casarse de penalti

Casarse porque la chica está embarazada **(to have to get married, to have a shotgun wedding)**

Ángeles se casó de penalti a los dieciocho años

Cazarlas al vuelo

Comprender las cosas muy rápidamente **(to get, to understand something)**

Es un chico muy listo y las caza todas al vuelo

EXPRESIONES SIMILARES
Coger a la primera
Cogerlas al vuelo

(No) ceder (ni) un ápice

No moverse alguien ni un milímetro en sus propias convicciones **(not to give in/budge an inch, to stick to one's guns)**

No cederé ni un ápice en mis convicciones

EXPRESIONES SIMILARES
Véase **Apear(se) del burro**

Cerrar a cal y canto

Cerrar algo concienzudamente **(to close tightly)**

Cuando la gente se marcha de vacaciones, **cierra** *su casa* **a cal y canto**

Cerrar el pico

Callarse **(to shut one's mouth/one's trap)**

Cierra el pico *y escucha lo que voy a decirte*

EXPRESIONES SIMILARES
Véase **(No) decir esta boca es mía**

Cerrar filas

Estrechar la unión de los que forman una comunidad frente a un peligro o una situación adversa **(to close ranks, to unite against adversity)**

Todo el equipo **cerró filas** *en torno a su capitán*

Cerrarse en banda

Obstinarse alguien en un punto de vista, de manera que sea imposible hacerle cambiar de idea **(to dig one's heels in, to become obstinate, not to give in to)**

Cuando Antonio **se cierra en banda** *no hay modo de convencerlo*

EXPRESIONES SIMILARES
Véase **Apear(se) del burro**

Chupar del bote

Aprovechar la oportunidad de un cargo o situación para enriquecerse o vivir bien sin esfuerzo y trabajo **(to sponge on someone, to get on the gravy train)**

Hay algunos a los que no les gusta trabajar y sólo quieren **chupar del bote**

EXPRESIONES SIMILARES
Véase **Ser un cara**

Chuparse el dedo

Ser tonto, ingenuo, dejarse engañar **(to be gullible/naive, to be born yesterday)**

*Sé lo que estás haciendo, ¿te crees que **me chupo el dedo**?*

EXPRESIONES SIMILARES
Véase **Ser corto de entendederas**

Chupar rueda

Aprovecharse alguien del esfuerzo ajeno para conseguir un beneficio **(to set back and let others do the work, to be a leech)**

*Nunca toma la iniciativa, se limita a **chupar rueda***

EXPRESIONES SIMILARES
Dejarse llevar por la corriente

Codearse con alguien

Moverse en los mismos círculos, tratando como iguales a determinadas personas **(to rub elbows with, to hobnob with, to be on equal terms)**

*Desde que **te codeas con la aristocracia** te has olvidado de tus verdaderos amigos*

Coger a alguien con las manos en la masa

Sorprender a alguien justo en el momento en el que hace algo para lo que procura esconderse **(to catch somebody red-handed/in the act)**

*La policía detuvo al ladrón porque **lo cogió con las manos en la masa***

EXPRESIONES SIMILARES
Coger *in fraganti*

Coger a la primera

Comprender fácil y rápidamente **(to easily get/understand something, to catch on quickly)**

*Este estudiante **coge** las explicaciones **a la primera***

EXPRESIONES SIMILARES
Véase **Cazarlas al vuelo**

Coger de nuevas

No tener conocimiento previo de lo que se ve o se oye, por lo cual se produce sorpresa ante la noticia **(to be surprised, to be taken aback)**

La separación de esa pareja no me ha cogido de nuevas

Coger el hilo

Percatarse del tema del que se está hablando y poder seguir el discurso o conversación **(to get the thread of [a conversation], to grasp, to cotton on to)**

Es muy difícil coger el hilo de su explicación

Coger el toro por los cuernos

Afrontar un asunto difícil con valor y decisión **(to take the bull by the horns)**

En lugar de escapar, decidió coger el toro por los cuernos

Coger el tren en marcha

Llegar a tiempo, conseguir terminar algo a tiempo **(to be able to make it on time)**

Tuvimos que trabajar mucho pero cogimos el tren en marcha

Coger in fraganti

Coger a alguien justo en el momento en que hace algo para lo que procura esconderse **(to catch somebody red-handed/in the act)**

La policía cogió al ladrón in fraganti y lo detuvo al salir del banco

EXPRESIONES SIMILARES
Véase **Coger con las manos en la masa**

Coger onda

Entrar en sintonía con otras personas y entender el tema que se trata **(to follow, to get wind of something, to understand something)**

Sergio no coge onda, no se entera de nada

Coger por banda

Obligar a alguien a que nos preste atención, apropiarnos de su tiempo para que nos escuche o nos obedezca **(to force someone to pay attention)**

*Voy a **cogerte por banda** y voy a explicarte unas cuantas cosas*

Coger una perra

Enfadarse, enrabietarse **(to throw a tantrum)**

*El niño **cogió una perra** terrible cuando le quitaron su muñeco*

EXPRESIONES SIMILARES
Véase **Estar de mala uva**

Cogerlas al vuelo

Entender las cosas con una indicación o señal por muy ligera que sea **(to grasp/understand things quickly, to catch on quickly, to cotton on quickly)**

*Mi hermano **las coge al vuelo**; es un chico muy despierto*

EXPRESIONES SIMILARES
Véase **Cazarlas al vuelo**

Cogerle el gusto a algo

Aficionarse a algo **(to get a taste for)**

***Le he cogido el gusto a** viajar en tren*

Colgar los trastos

Abandonar la actividad o profesión que hasta ese momento se había desempeñado **(to doff the cassock, to give up a habit or hobby, to throw up, to hand in one's notice)**

*Mi amigo el profesor **ha colgado los trastos** de dar clase y se ha marchado a criar gallinas en una granja*

EXPRESIONES SIMILARES
Cortarse la coleta

Comer a cuerpo de rey

Comer muy bien **(to eat like a king/gourmet food)**

Te aconsejo ese restaurante porque se **come a cuerpo de rey**

Comer a dos carrillos

Comer mucho y con ansia **(to wolf down, to gobble, to eat like a horse/pig)**

Empezó a **comer a dos carrillos** *esos platos tan exquisitos*

EXPRESIONES SIMILARES
Véase **Tener buen saque**

Comer como una fiera

Comer mucho y con ansia **(to eat like a horse/pig)**

Cuando tiene hambre, Juan **come como una fiera**

EXPRESIONES SIMILARES
Véase **Tener buen saque**

Comer como una lima

Comer mucho y con ansia **(to eat like it was going out of fashion)**

Mi hermana **come como una lima**

EXPRESIONES SIMILARES
Véase **Tener buen saque**

Comer el coco a alguien

Convencer a alguien para que haga lo que nosotros queremos **(to brain-wash somebody, to talk someone into something, to bamboozle)**

Ángeles **le comió el coco** *a Juan y, al final, él le prestó dinero*

EXPRESIONES SIMILARES
Comer el tarro
Comer la moral

Comer la moral

1. Convencer a alguien para que haga lo que nosotros queremos **(to brainwash somebody)**
2. Conseguir que alguien se deprima **(to get someone down)**

*Luis consiguió **comerme la moral** con esas terribles historias*

EXPRESIONES SIMILARES
Véase **Comer el coco a alguien**

Comer la sopa boba

Vivir sin trabajar o a costa de otras personas **(to get on the gravy train, to sponge on)**

*Los que tienen mucha cara siempre están esperando para **comer la sopa boba***

EXPRESIONES SIMILARES
Véase **Ser un cara**

Comer(se) el tarro

1. Reflexionar, cavilar o pensar mucho sobre una cosa **(to contemplate, to reflect on)**
2. Convencer a alguien para que haga lo que nosotros queremos **(to brainwash somebody)**

*No **te comas el tarro** porque no vas a encontrar la solución*

EXPRESIONES SIMILARES
Véase **Comer el coco** y **Calentarse la cabeza**

Comerse las uñas

Encontrarse muy nervioso **(to bite one's nails)**

*Ese partido de fútbol está para **comerse las uñas***

EXPRESIONES SIMILARES
Véase **Estar que echa chispas**

███████████ **(No) comerse una rosca**

(No) conseguir tener relaciones amorosas **(not to score)**

Es tan aburrido que nunca se come una rosca

EXPRESIONES SIMILARES
Estar a dos velas
(No) vender una escoba

███████████ **(No) comulgar con ruedas de molino**

(No) creer alguna mentira muy patente ni hacer por obligación lo que otro pretende **([not] to be gullible, [not] to fall for something, [not] to dance to someone's tune)**

Yo no creo en lo que mis amigos dicen, pero ellos pretenden que comulgue con ruedas de molino

███████████ **Conocer de pe a pa**

Conocer algo de principio a fin **(to know from A to Z/inside and out)**

Conoce de pe a pa la gramática española

EXPRESIONES SIMILARES
Saber de pe a pa
Saber de sobra
Saber una burrada

███████████ **Conocer el percal**

Saber las características, incluso secretas, de alguien o algo **(to know what is going on, to know the ropes)**

No intentes mentirme porque conozco el percal

███████████ **Contar con pelos y señales**

Contar algo muy detalladamente **(to tell it as it is, to make no bones about something, to tell someone straight)**

Me contó con pelos y señales lo que hizo durante el fin de semana

███████████ **Correr como alma que lleva el diablo**

Correr precipitadamente como si se huyera de algo **(to run like a bat out of hell)**

Cuando vio al león **corrió como alma que lleva el diablo**

Correr con los gastos

Pagar la cuenta **(to foot the bill)**

El padre de la novia **corrió con los gastos** *de la boda*

Correr el bulo

Extender un rumor **(to spread the rumor, to gossip)**

Han corrido el bulo *de que María y Pablo se van a casar*

Correr el riesgo

Arriesgarse **(to run the gauntlet, to run/take the risk)**

No quiero **correr el riesgo** *de caerme por esa escalera*

EXPRESIONES SIMILARES
Jugarse el tipo
Jugarse la vida
Jugarse el todo por el todo
Jugárselo todo a una carta

Correr prisa

Ser algo urgente **(to be urgent)**

Corre *mucha* **prisa** *la entrega de esos documentos*

EXPRESIONES SIMILARES
Tener prisa

Correrse una juerga

Salir a divertirse, sobre todo con amigos, música y alcohol **(to paint the town red, to have a big night)**

Anoche **nos corrimos una gran juerga** *y hoy estamos muy cansados*

EXPRESIONES SIMILARES
Véase **Ir de marcha**

Cortar el bacalao

Sobresalir en un sitio o actividad, ser superior en algo, llevar la iniciativa **(to have the upper hand)**

*Aquí el único que **corta el bacalao** es el jefe*

EXPRESIONES SIMILARES
Véase **Tener la sartén por el mango**

Cortar el rollo

Terminar de hablar de un tema que se considera poco interesante o del que se ha hablado durante un período de tiempo excesivo **(to cut the crap/the cackle)**

***Corta el rollo**, que me estás aburriendo*

Cortar en seco

Terminar con un asunto de una forma tajante **(to bring/come to a halt)**

*Debemos **cortar en seco** el problema de la droga*

EXPRESIONES SIMILARES
Cortar por lo sano

Cortar por lo sano

Poner fin a una situación tajantemente, con un acto de energía **(to cut it out)**

*Lo mejor fue **cortar por lo sano** con su relación*

EXPRESIONES SIMILARES
Véase **Cortar en seco**

Cortarse la coleta

Abandonar la actividad o profesión que hasta ese momento se había tenido **(to give up a habit or hobby, to hang up one's gloves)**

*He decidido **cortarme la coleta** y no voy a volver a dedicarme al deporte*

EXPRESIONES SIMILARES
Véase **Colgar los trastos**

(No) cortarse un pelo

(No) avergonzarse nada a la hora de actuar o de hablar (**[not] to hold something/anything back**)

Dice todo lo que piensa, nunca se corta un pelo

Costar trabajo

Ser algo muy difícil de hacer (**to go against the grain, to be hard to do**)

Me cuesta mucho trabajo llegar a fin de mes

EXPRESIONES SIMILARES
Hacerse cuesta arriba

Costar un ojo de la cara

Ser muy caro (**to cost an arm and a leg, to cost the earth**)

Ese anillo de diamantes cuesta un ojo de la cara

EXPRESIONES SIMILARES
Costar un riñón

Costar un riñón

Ser muy caro (**to cost an arm and a leg, to cost the earth**)

Dar la vuelta al mundo cuesta un riñón

EXPRESIONES SIMILARES
Véase **Costar un ojo de la cara**

Crecer como la espuma

Crecer algo mucho y de forma muy rápida (**to grow quickly, to spread like wildfire**)

El rumor empezó a crecer como la espuma

EXPRESIONES SIMILARES
Crecer como un hongo/hongos
Subir como la espuma

Crecer como un hongo/hongos

Extenderse, crecer algo muy rápidamente **(to grow quickly, to spread like wildfire)**

*Los restaurantes de bocadillos están **creciendo como hongos***

EXPRESIONES SIMILARES
Véase **Crecer como la espuma**

Creer a pies juntillas

Creer firmemente en alguien o algo **(to firmly believe)**

***Cree a pies juntillas** todo lo que dicen sus padres*

Criar malvas

Estar muerto y enterrado **(to push up the daisies)**

*Su abuelo lleva ya más de diez años **criando malvas***

Cruzarle la cara a alguien

Darle una bofetada **(to slap someone)**

*Cuando Luis le insultó, Pablo **le cruzó la cara***

Cruzarse de brazos

No hacer nada, aunque la situación lo requiera **(to do nothing, to be idle, to stand back)**

*Frente a esta situación, Juana prefirió **cruzarse de brazos***

EXPRESIONES SIMILARES
Estar cruzado de brazos
Estar de brazos cruzados
Estar mano sobre mano
Lavarse las manos
Rascarse la barriga
Tocarse las narices
Tumbarse a la bartola

Cruzarse los cables

Volverse loco de forma transitoria **(to blow a fuse)**

Se le cruzaron los cables y le echó sal al café en vez de azúcar

EXPRESIONES SIMILARES
Véase **Estar que echa chispas**

Cubrir el expediente

Hacer alguien sólo lo indispensable para no ser castigado, regañado o censurado **(to do the minimum, to get by unnoticed)**

*Hay muchos que sólo trabajan para **cubrir el expediente***

EXPRESIONES SIMILARES
Salir del paso

Cubrirse las espaldas

Contar con una seguridad que garantice contra cualquier riesgo **(to take measures, to take precautions against, to cover one's back)**

*Es muy precavido y prefiere **cubrirse las espaldas** antes de emprender cualquier negocio*

Cumplir a rajatabla

Hacer lo que se debe hacer tal y como ha sido ordenado **(to carry out to the letter)**

*Este trabajador **cumple a rajatabla** la tarea que le han encomendado*

Curarse en salud

Prevenir eficazmente la posibilidad de un mal o responder alguien por anticipado a objeciones que se le puedan hacer **(to be on the safe side, to be better safe than sorry)**

*Yo **me curo en salud** diciéndote que esta relación no va a ser buena para ti*

D

Dar a (algún lugar)

Estar situada una cosa, mirar hacia ésta o la otra parte **(to face, to look out on, to give on to)**

Mi casa da a la avenida del Manzanares

Dar a luz

Parir **(to give birth)**

Beatriz dio a luz un niño precioso

(No) dar abasto

(No) producir o rendir lo necesario **([not] to be able to manage or handle something, [not] to cope with)**

En los días de rebajas los dependientes no dan abasto con tanto público

Dar al traste con algo

Echar a perder, estropear un proyecto **(to cast a cloud over, to spoil, to ruin)**

La tormenta dio al traste con la fiesta

EXPRESIONES SIMILARES
Véase **Aguar la fiesta**

Dar alas

Alentar, animar a hacer algo **(to encourage someone)**

Las palabras de su madre le dieron alas para continuar

Dar calabazas

Rechazar una petición o un requerimiento amoroso **(to turn somebody down)**

Él la quiere, pero ella siempre le da calabazas

Dar cancha

Conceder cierto grado de libertad a alguien en su actuación **(to give someone a break, to let someone breathe)**

¡Dame cancha, que me estás agobiando!

EXPRESIONES SIMILARES
Véase **Dar carta blanca**

Dar carpetazo

Dar por finalizado un asunto, de forma definitiva **(to lay aside, to consider
a matter closed)**

La Comisión investigadora dio carpetazo al asunto

Dar carta blanca

Dar total libertad para actuar **(to give a blank check/carte blanche/a free
rein)**

El jefe le dio carta blanca en ese asunto

EXPRESIONES SIMILARES
Dar cancha
Dar cuartelillo
Dar un cheque en blanco

Dar cien mil vueltas a alguien en algo

Ser muy superior a alguien en algo **(to run circles around, to be way
ahead of, to beat someone hands down)**

En matemáticas yo le doy cien mil vueltas a mi hermano

EXPRESIONES SIMILARES
Véase **Dar sopas con honda**

Dar cien patadas

Molestar muchísimo algo a alguien **(to get annoyed with/at something, to
rile, to get someone's back up, to make someone sick)**

Me **dan cien patadas** los hipócritas

EXPRESIONES SIMILARES
Véase **Caer mal**

Dar ciento y raya

Demostrar que se supera a otro en conocimiento, destreza, experiencia, etc. **(to run circles around, to beat someone hands down, to be way ahead of)**

María se cree muy lista, pero Irene le **da ciento y raya**

EXPRESIONES SIMILARES
Véase **Dar sopas con honda**

Dar coba

Adular, emplear halagos fingidos de forma insistente **(to butter somebody up, to soft-soap, to kiss up, to brown nose)**

Aunque siempre estaba **dándole coba** a su jefe, no consiguió el ascenso

EXPRESIONES SIMILARES
Bailar el agua a alguien
Dorar la píldora
Hacer la pelota
Hacer la rosca
*Ser un lameculos
Ser un pelota

Dar cuartelillo

Conceder cierto grado de libertad a alguien en su actuación, dar permiso **(to give permission, to let someone off the hook, to give someone some leeway)**

María le **da cuartelillo a su novio** para que salga los viernes con sus amigos

EXPRESIONES SIMILARES
Véase **Dar carta blanca**

Dar cuentas

Dar explicaciones de algo que se ha hecho **(to account for, to give an explanation of)**

Al final todos tenemos que **dar cuentas** de nuestras acciones

Dar de lado

Marginar, rehuir a alguien (to give somebody the cold shoulder), (to send someone to Coventry – UK)

*A ese pobre chico todos le **dan de lado***

EXPRESIONES SIMILARES
Dar la espalda
Hacer el vacío
Negarle a alguien el pan y la sal
Volver la espalda

Dar de sí

Estirarse, rendir o producir más (to stretch)

*El jersey me **ha dado de sí***

Dar duros a cuatro pesetas

Vender algo por debajo de su valor (to give things away at a loss, to give someone something for nothing)

*No te fíes de esa oferta, ¿no ves que nadie **da duros a cuatro pesetas?***

Dar ejemplo

Hacer algo que pueda servir de modelo positivo para alguien (to set an example)

*Tienes que portarte bien para **dar ejemplo** a tu hermano pequeño*

(No) dar el brazo a torcer

Mantenerse alguien firme en su postura sin reconocer la razón de otro (to stick to one's guns)

*María es muy cabezota y nunca **da el brazo a torcer***

EXPRESIONES SIMILARES
Véase **Apear(se) del burro**

Dar el do de pecho

Hacer un esfuerzo extraordinario para conseguir algo **(to make a supreme effort to achieve something, to make a Herculean effort, to pour/put one's heart into something, to give of one's best)**

Dio el do de pecho en su último trabajo

Dar el golpe

Llamar la atención, sobresalir, generalmente por exceso **(to set the town on fire, to be sensational, to be a hit/a showstopper)**

Con ese vestido rojo darás el golpe en la fiesta

Expresiones similares
Dar la nota
Dar la campanada
Montar el número
Ponerse en evidencia

Dar el pego

Aparentar algo que no es **(to look real/like the real thing)**

Esa pulsera no es de oro, pero da el pego

Dar el pésame

Expresar las condolencias a los familiares de alguien que ha muerto **(to send or express one's condolences)**

Le dimos el pésame por el fallecimiento de su padre

Dar en el blanco

Acertar o descubrir algo **(to hit the target, hit the bulls-eye)**

Con esa respuesta has dado en el blanco

Expresiones similares
Dar en el clavo
Dar en la diana

Dar en el clavo

Acertar o descubrir algo **(to hit the nail on the head/the target)**

Nunca sé lo que quieres, es muy difícil dar en el clavo contigo

EXPRESIONES SIMILARES

Véase **Dar en el blanco**

Dar en la diana

Acertar o descubrir algo **(to hit the target, to score)**

Manuel ***dio en la diana*** *con esa intervención*

EXPRESIONES SIMILARES

Véase **Dar en el blanco**

Dar en la nariz

Tener una sospecha **(to have a hunch)**

Me ***da en la nariz*** *que ese tipo no tiene buenas intenciones*

EXPRESIONES SIMILARES

Véase **Estar con la mosca detrás de la oreja**

Dar esquinazo

Conseguir librarse de alguien a quien no se quiere ver o con quien no se quiere estar **(to dodge, to get rid of, to give the slip)**

¡Qué difícil es ***dar esquinazo*** *a algunos pesados!*

Dar gato por liebre

Engañar haciendo pasar una cosa por otra mejor **(to buy a pig in a poke)**

Pensé que compraba un coche estupendo, pero ***me dieron gato por liebre***

EXPRESIONES SIMILARES

Dársela con queso
Engañar como a un chino
Llevarse al huerto a alguien
Vender la moto a alguien

Dar gas

Acelerar **(to accelerate, to go fast, to speed)**

Le gusta ***dar gas*** *cuando va en el coche*

No dar golpe

No hacer nada, aunque se tuviera la obligación de hacerlo **(to do nothing, to live the life of Riley, not to lift a finger, not to pull one's weight)**

No das nunca golpe. ¡Haz algo!

EXPRESIONES SIMILARES
No dar ni golpe
No dar ni clavo
No dar un palo al agua
No pegar palo al agua
No pegar sello
No mover ni un dedo

Dar guerra

Molestar, causar problemas o dificultades **(to annoy, to trouble, to cause difficulties)**

Los niños pequeños dan mucha guerra

EXPRESIONES SIMILARES
Véase **Dar la tabarra**

Dar gusto

Ser agradable, placentero **(to give pleasure)**

Da gusto verlo así, tan recuperado de su enfermedad

Dar juego

Ser útil **(to be useful)**

Hay expresiones que dan mucho juego

Dar la barrila

Molestar o fastidiar con cosas, palabras o acciones inoportunas **(to be a nuisance, to bother someone)**

No me des más la barrila, ¡vete!

EXPRESIONES SIMILARES
Véase **Dar la tabarra**

▓▓▓▓▓▓ Dar la boleta

Echar, principalmente de un trabajo o corporación **(to give somebody the gate, to show somebody the door, to give somebody the bum's rush/the sack, to kick somebody out)**

Le han dado la boleta porque no hacía nada en su trabajo

EXPRESIONES SIMILARES
Dar pasaporte
Echar a la calle
Poner de patitas en la calle
Poner en la calle

▓▓▓▓▓▓ Dar la callada por respuesta

No responder, dejar intencionadamente de contestar **(to remain silent, to keep quiet, not to mention anything)**

Cuando le preguntaron por su antigua novia dio la callada por respuesta

▓▓▓▓▓▓ Dar la campanada

Llamar la atención, sobresalir, generalmente por exceso **(to cause a sensation, to be the center of all eyes)**

Marta dio la campanada con ese vestido tan escotado

EXPRESIONES SIMILARES
Véase **Dar el golpe**

▓▓▓▓▓▓ Dar la cara

Afrontar algo con valentía y decisión **(to face it [something or somebody])**

Si lo has hecho tú, debes dar la cara

EXPRESIONES SIMILARES
Hacer frente

▓▓▓▓▓▓ *Dar la coña

Molestar o fastidiar con cosas, palabras o acciones inoportunas **(to be a pain in the ass, to annoy someone)**

¡Deja ya de dar la coña!

EXPRESIONES SIMILARES
Véase **Dar la tabarra**

Dar la espalda

Marginar a alguien, negarle cualquier tipo de apoyo **(to turn one's back)**

*Todos los aficionados **dieron la espalda** al entrenador después de su fracaso*

EXPRESIONES SIMILARES
Véase **Dar de lado**

Dar la gana a alguien

Apetecerle algo a alguien, sentir deseos de algo **(to feel like doing something)**

*No **me da la gana** salir contigo*

EXPRESIONES SIMILARES
Salir de las narices

Dar la lata

Molestar o fastidiar con cosas, palabras o acciones inoportunas **(to be a nuisance, to annoy, to irritate, to pester)**

*Mi hermano Enrique es un pesado y siempre me **está dando la lata***

EXPRESIONES SIMILARES
Véase **Dar la tabarra**

Dar la mano

Estrechar la mano a modo de saludo **(to shake hands)**

*Se **dieron la mano** al conocerse*

Dar la mano y tomarse el brazo

Abusar de alguien que nos ofrece su ayuda, exigiéndole más de lo que inicialmente se había acordado **(to give an inch and to take a yard)**

Es mejor que no ofrezcas tu ayuda a María, porque es de esas personas a las que si le das la mano se toma el brazo

Dar la matraca

Molestar o fastidiar con cosas, palabras o acciones inoportunas, ser pesado **(to annoy someone, to go/be on about something)**

Otra vez está Pepe dando la matraca con el tema de su trabajo

EXPRESIONES SIMILARES
Véase **Dar la tabarra**

Dar la murga

Molestar o fastidiar con cosas, palabras o acciones inoportunas, ser pesado **(to pester, not to leave someone in peace, to give someone a hard time, to annoy someone)**

Los niños estuvieron toda la tarde dándole la murga a su madre para que los llevara al parque

EXPRESIONES SIMILARES
Véase **Dar la tabarra**

Dar la nota

Llamar la atención por un comportamiento inoportuno o inconveniente **(to draw attention)**

María, vas a dar la nota con ese vestido rojo

EXPRESIONES SIMILARES
Véase **Dar el golpe**

Dar la paliza

Molestar o fastidiar con cosas, palabras o acciones inoportunas, ser pesado **(to bore the parts off someone, to annoy someone, to bother someone)**

Juan siempre nos da la paliza hablándonos de su novia

EXPRESIONES SIMILARES
Véase **Dar la tabarra**

Dar la puntilla

Rematar, causar definitivamente la ruina de una persona o cosa **(to stick a knife/dagger into, to finish off)**

*Tras su enfermedad, su mujer le **ha dado la puntilla** al pedirle el divorcio*

Dar la razón

Estar de acuerdo con alguien, considerar que su postura es la adecuada **(to side with, to agree with)**

*Te **daré la razón** cuando la tengas*

Dar la tabarra

Molestar o fastidiar con cosas, palabras o acciones inoportunas, ser pesado, incordiar **(to bother someone, to be a nuisance, to annoy someone, to bore someone)**

*María siempre **me está dando la tabarra** con su trabajo*

EXPRESIONES SIMILARES
Dar la barrila
*Dar la coña
Dar la lata
Dar la matraca
Dar la murga
Dar la vara
Ser un pelma

Dar la talla

Cumplir lo requerido para algo **(to be prepared for, to be good enough for)**

*No **da la talla** para ese puesto*

EXPRESIONES SIMILARES
Estar a la altura

Dar la vara

Molestar o fastidiar con cosas, palabras o acciones inoportunas, ser pesado **(to annoy someone, to be a nuisance, to be a pain in the neck/ass)**

*¡Cambia ya de tema y deja de **dar la vara**!*

> **EXPRESIONES SIMILARES**
> Véase **Dar la tabarra**

Dar la vena

Sentir un impulso repentino e irrazonable que puede dar lugar a un comportamiento alocado **(to feel like doing something crazy)**

*Le **dio la vena** y se compró un coche deportivo*

> **EXPRESIONES SIMILARES**
> Dar la ventolera

Dar la ventolera

Sentir un impulso repentino e irrazonable que puede dar lugar a un comportamiento alocado **(to feel like doing something crazy)**

*Cuando le **da la ventolera**, Pepe hace cosas muy raras*

> **EXPRESIONES SIMILARES**
> Véase **Dar la vena**

Dar la vuelta

Hacer girar o cambiar de posición una cosa **(to turn around)**

*¿Crees que podrás **darle la vuelta** al coche?*

Dar la vuelta a la tortilla

Cambiar por completo una situación **(to turn things around)**

*No desprecies a Juan porque todavía puede **dar la vuelta a la tortilla** y convertirse en tu jefe*

Dar las gracias

Agradecer **(to thank someone)**

*Te **doy las gracias** por todo lo que has hecho por mí*

Dar las horas

Marcar un reloj las horas mediante diversos tipos de sonido **(to strike the clock/hour)**

*Ese reloj **da las horas** con música*

Dar las luces

Hacer señales con las luces de un vehículo **(to dim/flash the lights)**

*Le **dio las luces** porque la Guardia Civil estaba cerca*

Dar las tantas

Hacerse muy tarde **(to get late)**

*Nos pusimos a hablar y nos **dieron las tantas***

EXPRESIONES SIMILARES
Dar las uvas

Dar las uvas

Hacerse muy tarde **(to get late, to become late)**

*Si no vas más rápido nos **van a dar las uvas***

EXPRESIONES SIMILARES
Véase **Dar las tantas**

Dar largas

Hacer que pase el tiempo sin dar la respuesta o sin hacer lo que nos han pedido pero sin negarnos a hacerlo; posponer algo que se debe hacer **(to put someone or something off)**

*LLeva un mes **dándome largas** pero no me da lo que le he pedido*

Dar lástima

Producir pena, tristeza **(to feel sad/sorry for)**

*Me **dan lástima** los niños sin hogar*

Dar lo mismo

Aceptar alguien una opción o la contraria **(to be OK with someone/as broad as it is long, to be six of one and half a dozen of the other)**

*Me **da lo mismo** que vengas o no*

EXPRESIONES SIMILARES
Véase **Dar igual**

Dar mala espina

Incitar algo a pensar que va a ocurrir una cosa mala o desagradable **(to cause suspicion or apprehension, to look fishy to someone)**

*A Juan **le da mala espina** ese negocio*

EXPRESIONES SIMILARES
Véase **Estar con la mosca detrás de la oreja**

Dar menos una piedra

Ser una cosa mejor que nada **(to be better than nothing)**

*Sólo nos han dado cien mil pesetas por el coche pero **menos da una piedra***

No dar ni clavo

No hacer nada, aunque se tuviera la obligación de hacerlo **(to do nothing, to be idle, not to lift a finger)**

*Ha dejado de estudiar y ahora **no da ni clavo***

EXPRESIONES SIMILARES
Véase **No dar golpe**

No dar ni golpe

No hacer nada, aunque se tuviera la obligación de hacerlo **(to do nothing, to be idle)**

*Mi hijo **no da ni golpe**, es muy vago*

EXPRESIONES SIMILARES
Véase **No dar golpe**

Dar palos de ciego

Actuar a tientas y con escasa efectividad **(to shoot in the dark)**

*La policía no tiene pistas y anda **dando palos de ciego** para encontrarlo*

Dar para el pelo

Dar una paliza, no necesariamente física **(to hear about it)**

*Como sigas molestándome, te voy a **dar para el pelo***

EXPRESIONES SIMILARES
Véase **Dar una paliza**

Dar pasaporte

Expulsar a alguien de su puesto de trabajo **(to give somebody the gate/sack, to kick somebody out)**

*A Ricardo le **han dado pasaporte** en la empresa donde trabajaba*

EXPRESIONES SIMILARES
Véase **Dar la boleta**

Dar pie

Ofrecer ocasión o motivo para una cosa **(to give rise to)**

*Yo no te **he dado pie** para que sigas adelante*

No dar pie con bola

No hacer nada correctamente, equivocarse continuamente **(to do nothing right, correctly; to make one mistake after another)**

*Cuando me acabo de despertar no **doy pie con bola***

EXPRESIONES SIMILARES
No dar una a derechas
No hacer nada a derechas

Dar plantón

No presentarse a una cita **(to stand someone up)**

*Juan me **dio plantón** el sábado*

EXPRESIONES SIMILARES
Dejar a alguien plantado

■ Dar (poca/mucha) importancia

(No) considerar algo como importante ([poca] **to make light of,** [mucha] **to make a big deal about something)**

*La gente **da poca importancia** al hecho de fumar en el metro*

■ Dar por descontado

No tener ninguna duda con respecto a algo **(to take for granted)**

*Luis **daba por descontado** que María acudiría a la cita*

EXPRESIONES SIMILARES
Véase **Dar por sentado**

■ Dar por hecho

Considerar que algo ya ha sido realizado **(to take for granted, to be as good as done)**

*He **dado por hecho** que tú sabías la noticia*

EXPRESIONES SIMILARES
Véase **Dar por sentado**

■ Dar por sentado

Suponer que algo está fuera de duda o de discusión **(to take for granted)**

*El profesor **dio por sentado** que todos sabíamos los verbos*

EXPRESIONES SIMILARES
Dar por descontado
Dar por hecho

■ Dar que hablar

Ocupar la atención pública durante algún tiempo **(to set tongues wagging, to make people talk)**

*María está **dando que hablar** con su actitud tan liberal*

Dar que pensar

Dar ocasión o motivo para reflexionar sobre un tema determinado **(to give one food for thought, to set someone thinking)**

Lo que me dijo mi padre me **dio que pensar**

Dar rienda suelta

Permitir que surja libremente alguna manifestación, estado de ánimo, etc. **(to give vent to one's indignation, wrath; to give free rein to)**

A veces es necesario **dar rienda suelta** *a nuestras emociones*

Dar rodeos

Decir algo sin la claridad necesaria, yendo a lo secundario antes de tratar lo fundamental **(to beat about the bush)**

Como no se atrevía a decirle la verdad a su padre, comenzó a **dar rodeos**

EXPRESIONES SIMILARES
Véase **Andarse con rodeos**

Dar sablazos

1. Sacar dinero a alguien con habilidad y sin intención de devolverlo **(to touch someone for a loan)**
2. Cobrar demasiado por algo que se considera que no tiene tanto valor **(to sponge on, to be sponging on somebody, to rip someone off)**

No vayas a ese restaurante porque **dan unos sablazos** *impresionantes*

EXPRESIONES SIMILARES
Pegar una clavada

Dar sopas con honda

Superar a otro abrumadoramente **(to lead somebody up the garden path)**

Óscar **daba sopas con honda** *a todos sus contrincantes*

EXPRESIONES SIMILARES
Dar cien mil vueltas a alguien en algo
Dar ciento y raya
Dar un baño a alguien

Dar tiempo al tiempo

Confiar en que el paso del tiempo haga realidad lo esperado **(to wait and see)**

Demos tiempo al tiempo y ya veremos cómo evoluciona el enfermo

Dar un baño a alguien

Vencer, superar a alguien demostrando que existe una superioridad manifiesta **(to beat somebody, to grind someone into the dust, to win out)**

El Real Madrid le dio un baño al Barcelona: le metió 5 a 0

EXPRESIONES SIMILARES
Véase **Dar sopas con honda**

Dar un bote

Dar un salto, un brinco, debido, normalmente, a una impresión o a una emoción intensa como miedo o alegría **(to jump up)**

Alicia dio un bote cuando se cayó el espejo

EXPRESIONES SIMILARES
Pegar un bote

Dar un braguetazo

Casarse con una mujer de un nivel económico muy superior **(to marry a rich woman)**

José ha dado un braguetazo casándose con una rica heredera

Dar un cheque en blanco

Dar total libertad para actuar **(to give a blank check)**

Me han dado un cheque en blanco para solucionar el problema

EXPRESIONES SIMILARES
Véase **Dar carta blanca**

Dar un corte

Avergonzar a alguien diciéndole algo que no se esperaba y obligándole a claudicar de una actitud pretenciosa **(to cut someone off/down to size)**

*Es un creído y se merece que le **den un buen corte***

EXPRESIONES SIMILARES
Pegar un corte

Dar un margen de confianza

Darle a alguien el beneficio de la duda **(to give somebody the benefit of the doubt)**

*Creo que Javi no está actuando bien, pero vamos a **darle un margen de confianza***

No dar un palo al agua

No hacer nada, aunque se tuviera la obligación de hacerlo **(to live a life of Riley, to do nothing)**

*Me encanta **no dar un palo al agua** en vacaciones*

EXPRESIONES SIMILARES
Véase **No dar golpe**

Dar un portazo

Cerrar una puerta con mucha fuerza **(to slam the door)**

*Se marchó **dando un portazo** porque estaba muy enfadado*

Dar un telefonazo

Llamar por teléfono **(to give somebody a ring)**

*Cuando decidáis dónde vamos, **me dais un telefonazo***

EXPRESIONES SIMILARES
Dar un toque

Dar un toque

Avisar a alguien, llamarlo por teléfono **(to give somebody a call/a ring)**

*Si vais a salir, **dame un toque***

Véase **Dar un telefonazo**

No dar una a derechas

No hacer nada con acierto, equivocarse continuamente **(to do nothing right, to make one mistake after another)**

Hoy tengo un mal día y **no doy una a derechas**

Véase **No dar pie con bola**

Dar una cabezada

Dormir una pequeña siesta **(to take a nap, to have forty winks, to nod off)**

Voy a **dar una cabezada** *porque tengo mucho sueño*

Véase **Echarse la siesta**

Dar una calada

Aspirar el humo de un cigarrillo; permitirle a alguien que fume de nuestro cigarrillo **(to have a puff/a trag)**

Dame una calada *de tu cigarro*

Dar una de cal y otra de arena

Alternar cosas diversas o contrarias, unas buenas y otras malas, para contemporizar **(to blow hot and cold)**

En ninguna situación todo es perfecto, siempre nos **dan una de cal y otra de arena**

Dar una paliza

Golpear a alguien insistentemente **(to beat somebody, to batter someone)**

Le **dieron una paliza** *entre varios y lo dejaron medio muerto*

EXPRESIONES SIMILARES
Dar para el pelo
Enterarse de lo que vale un peine
Moler a palos

Dar voces

Gritar **(to shout, to make a row)**

*No sé qué ocurre allí, hay gente **dando voces***

EXPRESIONES SIMILARES
Hablar a voz en grito

Dar(le) corte a alguien

Dar vergüenza **(to embarrass)**

*Es un chico muy vergonzoso y le **da corte** hablar en público*

EXPRESIONES SIMILARES
Véase **Caérsele a alguien la cara de vergüenza**

Darle igual (a alguien)

Aceptar alguien una opción o la contraria **(to be OK with someone)**

*Me **da igual** el color del coche, lo que me importa es el motor*

EXPRESIONES SIMILARES
Dar lo mismo

Darle vueltas a algo

Cavilar, reflexionar, meditar en algo **(to think over and over)**

*Estoy **dándole vueltas** al asunto, pero no sé cómo solucionarlo*

EXPRESIONES SIMILARES
Véase **Calentarse la cabeza**

Darse a valer

Valorarse uno mismo, positivamente, ante los demás para que éstos reconozcan los méritos y le respeten **(to make oneself of worth, to sell oneself)**

*Tienes que **darte a valer**; los demás van a pensar que no tienes personalidad*

Darse a la fuga

Huir, escapar **(to escape, to run away, to take off)**

*Los ladrones **se dieron a la fuga***

Darse aires

Presumir, alardear de algo que se tiene, considerarse muy importante **(to put on airs)**

*Se cree muy importante y siempre **está dándose aires***

EXPRESIONES SIMILARES
Darse bombo
Darse importancia
Darse pisto
Echarse faroles
Mirar por encima del hombro
Subirse los humos a la cabeza
Tener aires de grandeza
Tener humos
Tener muchas ínfulas

Darse bombo

Presumir, alardear de algo que se tiene, considerarse muy importante **(to praise oneself)**

*Es muy presumido y le gusta **darse bombo***

EXPRESIONES SIMILARES
Véase **Darse aires**

Darse con un canto en los dientes

Conformarse con el resultado de algo que podía haber acabado peor **(to thank one's lucky stars, to be grateful)**

***Me doy con un canto en los dientes** si consigo aprobar esta asignatura*

EXPRESIONES SIMILARES
Véase **Estar de suerte**

▰▰▰▰▰▰ Darse cuenta

Comprender, entender, notar **(to realize, to notice)**

Me he dado cuenta de que ese árbol se está cayendo

▰▰▰▰▰▰ Dar(se) de alta

1. Reincorporarse a su trabajo tras recibir un informe médico positivo **(to be discharged (a patient) from the hospital, to declare [a patient] cured)**
2. Ingresar en una asociación **(to join an organization, to become a member)**

Después de tres meses de enfermedad, a Manolo le han dado de alta

▰▰▰▰▰▰ Dar(se) de baja

1. Por enfermedad: cesar en el ejercicio de una profesión, de forma definitiva o transitoria, por motivos de salud **(to be on sick leave)**
2. De una asociación o suscripción: dejar de pertenecer a una sociedad o corporación **(to stop being a member)**

Se ha dado de baja en el club de golf

EXPRESIONES SIMILARES
Estar de baja

▰▰▰▰▰▰ Darse de cara con alguien/algo

Encontrarse algo o a alguien frente a frente **(to bump, to run into someone or something)**

Cuando salí de mi casa me di de cara con mi padre

EXPRESIONES SIMILARES
Darse de narices

▰▰▰▰▰▰ Darse de narices

Encontrarse a alguien frente a frente, normalmente de forma inesperada **(to run slap into, to bang into)**

Iba por la calle y me di de narices con Óscar

EXPRESIONES SIMILARES
Véase **Darse de cara con alguien**

▄▄▄▄▄▄▄ Darse el lote

1. Darse un hartazgo de algo **(to stuff oneself)**
2. Magrear, sobar a alguien **(to make out)**

*Marisa y José **estaban dándose el lote** en el coche*

EXPRESIONES SIMILARES
Véase **Pelar la pava**

▄▄▄▄▄▄▄ Darse importancia

Tratar de impresionar a los demás por considerarse superior **(to throw one's weight around/about)**

*Se **da mucha importancia** desde que lo nombraron director*

EXPRESIONES SIMILARES
Véase **Darse aires**

▄▄▄▄▄▄▄ Darse la vuelta

Girarse una persona **(to turn over)**

*El bebé **se dio la vuelta** mientras dormía*

▄▄▄▄▄▄▄ Darse pisto

Presumir, alardear de algo que se tiene, considerarse muy importante **(to praise oneself)**

*Pepe es un don nadie, pero siempre está **dándose pisto***

EXPRESIONES SIMILARES
Véase **Darse aires**

▄▄▄▄▄▄▄ Darse por vencido

Reconocer alguien que estaba en un error y considerarse vencido; negarse alguien a continuar luchando por algo **(to give up)**

*El escalador **se dio por vencido** antes de llegar a la cima*

EXPRESIONES SIMILARES
Tirar la toalla

Darse prisa

Actuar con rapidez **(to hurry up)**

Si no ***te das prisa*** *no llegaremos a tiempo*

Darse un aire

Parecerse a alguien **(to look like, to resemble, to favor, to take after)**

María ***se da un aire*** *a su abuela*

EXPRESIONES SIMILARES
Véase **Salir clavado a alguien**

Darse un batacazo

Darse o recibir un golpe violento al chocar con algo o caerse, tener un accidente aparatoso **(to thud, to bang into, to slam into)**

Me ***di un batacazo*** *debido al hielo*

EXPRESIONES SIMILARES
Darse un tortazo
Pegarse un tortazo

Darse un morreo

Darse un beso apasionado **(to make out, to neck)**

La pareja ***estaba dándose un morreo*** *en el parque*

EXPRESIONES SIMILARES
Véase **Pelar la pava**

Darse un muerdo

Darse un beso apasionado **(to neck, to make out)**

El chico ***le dio un muerdo*** *a su novia*

EXPRESIONES SIMILARES
Véase **Pelar la pava**

▓▓▓▓ Dar(se) un tortazo

1. Darse o recibir un golpe violento al chocar con algo o caerse, tener un accidente aparatoso **(to thud, to bang into, to slam into)**
2. (Sin uso reflexivo) dar un golpe o bofetada a alguien **(to slap someone, to hit someone)**

Se dio un tortazo terrible con el coche

EXPRESIONES SIMILARES
Véase **Darse un batacazo**

▓▓▓▓ Darse un tute

Hacer un gran esfuerzo, trabajando intensamente en algo durante cierto tiempo **(to wear oneself out with hard work, to go all out)**

Nos hemos dado un tute para limpiar la casa

EXPRESIONES SIMILARES
Darse una paliza
Darse una panzada
Pegarse un atracón
Ponerse hasta las cejas
Ponerse morado

▓▓▓▓ Darse una paliza

1. Darse un hartazgo de algo **(to wear oneself out with hard work, to kill yourself, to go flat out)**
2. Magrear, sobar a alguien **(to make out)**

Os habéis dado una paliza para terminar el trabajo a tiempo

EXPRESIONES SIMILARES
Véase **Darse un tute**
Pelar la pava

▓▓▓▓ Darse una panzada

Darse un hartazgo de algo **(to wear oneself out with hard work)**

En época de exámenes los estudiantes se dan una panzada de estudiar

EXPRESIONES SIMILARES
Véase **Darse un tute**

Dar(se) una vuelta

Dar un pequeño paseo **(to go for a walk)**

*Vamos a **dar una vuelta** por el parque*

Dársela con queso

Engañar, burlarse de alguien **(to deceive someone, to trick someone, to buy a pig in a poke, to take somebody for a ride)**

*Ten cuidado, que no **te la den con queso** al comprar un coche de segunda mano*

EXPRESIONES SIMILARES
Véase **Dar gato por liebre**

Dárselas de listo

Considerarse alguien más inteligente de lo que es en realidad **(to brag about of being clever)**

*Luis **se las da de listo**, pero en realidad no lo es*

(No) decir esta boca es mía

No decir absolutamente nada **(not to open one's mouth, to keep one's mouth shot)**

*Se fue sin **decir esta boca es mía***

EXPRESIONES SIMILARES
Cerrar el pico
No decir ni pío

No decir ni pío

No decir absolutamente nada **(to keep one's mouth shot, not to say anything)**

*Hay ocasiones en las que es mejor **no decir ni pío***

EXPRESIONES SIMILARES
Véase **(No) decir esta boca es mía**

Defender a capa y espada

Defender algo, principalmente opiniones, con mucho celo y ardor **(to defend/protect one's beliefs all the way, to defend... to the hilt/to the death)**

*Yo **defiendo a capa y espada** mis convicciones*

Dejar a alguien en la estacada

Abandonar a alguien en una situación apurada **(to ditch someone, to stand someone up, to let somebody down)**

*Cuando vieron la situación difícil, **dejaron** a Juan **en la estacada***

Dejar a alguien plantado

No acudir a la cita convenida, no prestar la ayuda o colaboración acordada o que se espera **(to stand someone up, to walk out on somebody)**

*Luisa **ha dejado plantado** a su novio*

EXPRESIONES SIMILARES
Véase **Dar plantón**

Dejar a merced

Abandonar algo o a alguien a su suerte **(to abandon)**

***Dejaron** la barca **a merced** de las olas*

*Dejar con el culo al aire

Dejar a alguien en una posición embarazosa **(to leave someone with egg on his/her face)**

*La prensa consiguió **dejar con el culo al aire** a ese político*

(No) dejar de la mano

(No) abandonar a alguien a quien hasta el momento se le estaba prestando ayuda **([not] to stop helping someone)**

*No **le dejes de la mano** ahora que te necesita*

███████ **Dejar en paz**

No inquietar, perturbar ni molestar **(to leave somebody alone)**

¡Déjame en paz! No quiero volver a verte

███████ **No dejar lugar a dudas**

Ser evidente **(to leave no room for)**

Sus palabras no han dejado lugar a dudas

EXPRESIONES SIMILARES
Véase **Caer por su propio peso**

███████ **Dejar mucho que desear**

Ser algo poco deseable **(to leave much to be desired)**

*Vamos a tener que expulsarte del colegio porque tu actitud **deja mucho que desear***

███████ **No dejar ni a sol ni a sombra**

No abandonar a alguien bajo ninguna circunstancia **(to harass, to hound)**

*Julio no **deja ni a sol ni a sombra** a su novia*

███████ **Dejar patidifuso**

Conseguir que alguien se sorprenda desmesuradamente **(to leave someone stunned/astounded/open mouthed)**

***Dejaron patidifuso** a Juan al darle aquella noticia*

███████ **Dejar por los suelos**

Hacer que alguien llegue a una situación lamentable **(to leave somebody in bad shape)**

*Esta enfermedad me **ha dejado por los suelos***

███████ **No dejar títere con cabeza**

Atacar, censurar todo o a todos **(to destroy, to upset)**

*Empezó a hablar del gobierno y no **dejó títere con cabeza***

■ **Dejarse engañar**

Permitir alguien que los demás le engañen **(to let/allow oneself be deceived)**

Es tonto y siempre se deja engañar

■ **Dejarse la piel (a tiras)**

Esforzarse, hacer todo lo posible para conseguir algo que resulta difícil **(to fight tooth and nail, to go through hell and high water)**

Voy a dejarme la piel a tiras para conseguir ese ascenso

EXPRESIONES SIMILARES
Véase **Echar toda la carne en el asador**

■ **Dejarse llevar por la corriente**

Adoptar una postura cómoda de no oponerse a la marcha espontánea de las cosas o a lo que hacen los otros **(to be easy going, to go with the crowd)**

Tiene poca personalidad y siempre se deja llevar por la corriente

EXPRESIONES SIMILARES
Véase **Chupar rueda**

■ **Descubrir el mediterráneo**

Decir, como gran novedad, algo que ya todo el mundo conoce **(not need to say, needless to say)**

Decir hoy que en España hay mucho turismo es descubrir el Mediterráneo

■ **Despacharse uno a gusto**

Desahogarse diciendo o haciendo algo sin reprimirse **(to speak one's mind, to tell somebody off)**

Joaquín estaba muy enfadado y se despachó a gusto contra todo el mundo

■ **Despedirse a la francesa**

Despedirse de una reunión sin decir nada a nadie **(to go off/leave without saying a word, to take French leave)**

Prefirió no decir nada a nadie y despedirse a la francesa

Desternillarse de risa

Reírse estrepitosamente (**to split one's sides with laughter**)

Me desternillé de risa con ese chiste

EXPRESIONES SIMILARES
Véase **Mondarse de risa**

Devanarse los sesos

Reflexionar, cavilar o pensar mucho sobre una cosa (**to rack one's brains**)

Por más que me devano los sesos no doy con la solución

EXPRESIONES SIMILARES
Véase **Calentarse la cabeza**

Disfrutar de lo lindo

Divertirse mucho (**to have a great time, to enjoy greatly**)

Disfrutamos de lo lindo viendo ese partido tan bueno

EXPRESIONES SIMILARES
Véase **Pasarlo bien**

No doler prendas

No ahorrar esfuerzos en cualquier asunto, no importarle a alguien alabar la superioridad de otro o reconocer un error propio (**to be generous, to be open-handed**)

No le dolieron prendas a la hora de alabar a su rival

Dorar la píldora

Alabar a alguien; decir algo suavizándolo para evitar que cause malestar a otra persona (**to butter somebody up, to softer the blow**)

Ese estudiante está dorándole la píldora a su profesor

EXPRESIONES SIMILARES
Véase **Dar coba**

Dormir a pierna suelta

Dormir profundamente **(to sleep soundly)**

*En esa cama tan cómoda es fácil **dormir a pierna suelta***

EXPRESIONES SIMILARES
Dormir como un lirón
Dormir como un tronco
Dormir de un tirón
Estar frito
Quedarse frito
Quedarse roque

Dormir como un lirón

Dormir profundamente **(to sleep deeply, to sleep like a log, to sleep like a top)**

*Pepe **duerme como un lirón***

EXPRESIONES SIMILARES
Véase **Dormir a pierna suelta**

Dormir como un tronco

Dormir profundamente **(to sleep like a log/top)**

*No pude despertarlo porque **dormía como un tronco***

EXPRESIONES SIMILARES
Véase **Dormir a pierna suelta**

Dormir de un tirón

Dormir toda la noche sin despertarse ni una sola vez **(to sleep in one session/at a stretch/right through)**

*El bebé **duerme** ya **de un tirón** hasta las nueve de la mañana*

EXPRESIONES SIMILARES
Véase **Dormir a pierna suelta**

Dormir la mona

Dormir después de haber ingerido bebidas alcohólicas en exceso **(to sleep it off [a hangover])**

*Después de tantos whiskys se echó a **dormir la mona***

Dormirse en los laureles

Abandonarse o cesar en un esfuerzo después de haber conseguido un triunfo **(to rest on one's laurels)**

*Si **te duermes en los laureles**, no tendrás buenas notas*

E

Echar a la calle

Expulsar a alguien, principalmente de un trabajo o corporación **(to get the boot, to kick out someone, to fire someone)**

Le echaron a la calle después de diez años de servicios

EXPRESIONES SIMILARES
Véase **Dar la boleta**

Echar a suertes

Decidir algo a través de un procedimiento de azar como un sorteo **(to draw lots/straws)**

Vamos a echarnos a suertes quién se lleva el viaje

Echar balones fuera

Descargarse alguien de sus culpas, pasando la responsabilidad a otros **(to pass the buck)**

Los políticos echan balones fuera cuando se complica la situación

EXPRESIONES SIMILARES
Ahuecar el ala
Escurrir el bulto
Pasarse la patata caliente

Echar chispas

Estar muy enfadado, indignado o colérico **(to fume with anger)**

José echaba chispas cuando le robaron el coche

EXPRESIONES SIMILARES
Véase **Estar que echa chispas**

Echar con cajas destempladas

Expulsar a alguien de un lugar de manera desconsiderada **(to throw someone out on one's ear)**

*Le **echaron con cajas destempladas** del local*

Echar cuentas

Calcular el coste de algo **(to calculate the cost of something)**

*Después de las vacaciones tenemos que **echar cuentas***

Echar cuento

Exagerar, mentir en cuanto a la realidad de lo que se dice o se hace **(to exaggerate, to make a big thing out of nothing)**

*Sólo se ha roto la pierna, pero le **echa mucho cuento***

EXPRESIONES SIMILARES
Echar teatro
Tener más cuento que Calleja
Tener mucho cuento

Echar de menos

Añorar, sentir nostalgia **(to miss)**

***Echo de menos** a mis hermanos, que viven en Sevilla*

Echar el bofe

Esforzarse, trabajando muy duramente para conseguir algo que resulta difícil **(to work oneself hard, to push oneself)**

***Echaron el bofe** para llegar a tiempo*

EXPRESIONES SIMILARES
Véase **Echar toda la carne en el asador**

Echar el gancho

Sujetar a alguien para cualquier cosa, en sentido material o figurado **(to hook someone)**

*María consiguió **echar el gancho** a Manuel y, al final, se casaron*

Echar el guante

Arrestar, capturar a alguien **(to catch, to arrest)**

La policía echó el guante al ladrón

Echar el muerto

Culpar a alguien de algo de lo que puede no ser responsable **(to blame it on somebody else, to pin something on somebody)**

El culpable es él, pero me ha echado a mí el muerto

EXPRESIONES SIMILARES
Véase **Cargar con el mochuelo**

Echar el ojo

Fijarse en algo con la intención de tenerlo, comprándolo, robándolo, etc. **(to glance, to have an eye on)**

He echado el ojo a ese jersey que está en el escaparate

Echar el resto

Esforzarse, hacer todo lo posible para conseguir algo que resulta difícil **(to do one's utmost, to stake all)**

Lo obtendré aunque tenga que echar el resto

EXPRESIONES SIMILARES
Véase **Echar toda la carne en el asador**

Echar en cara

Restregar **(to cast/throw something in a person's teeth, to rub it in)**

Me echaron en cara que no había trabajado lo suficiente

Echar en saco roto

Olvidar, no hacer caso de algo **(to forget)**

Casi todos echaron en saco roto sus consejos

> **EXPRESIONES SIMILARES**
> Véase **Caer en saco roto**

Echar flores

Alabar a alguien, diciéndole cosas bonitas y agradables **(to flatter/praise)**

*No le **eches** tantas flores, que se va a ruborizar*

> **EXPRESIONES SIMILARES**
> Echar piropos

Echar la casa por la ventana

Derrochar, gastar inmoderadamente en una situación concreta **(to over spend, to spend every cent you have)**

***Echó la casa por la ventana** en la boda de su hija*

> **EXPRESIONES SIMILARES**
> Tirar la casa por la ventana

Echar la culpa

Culpar a alguien de algo de lo que puede no ser responsable **(to blame it on somebody else)**

*Yo no he hecho nada, así que no me **eches la culpa***

> **EXPRESIONES SIMILARES**
> Véase **Cargar con el mochuelo**

Echar las campanas al vuelo

Dar publicidad prematura a una noticia que se considera positiva **(to proclaim/announce joyfully, to set the bells ringing)**

*Es una buena noticia, pero aún es pronto para **echar las campanas al vuelo***

Echar las cartas

Intentar adivinar el porvenir de alguien mediante naipes **(to read one's cards)**

*Fue a ver a una bruja para que le **echara las cartas***

Echar leña al fuego

Avivar la gravedad, la intensidad, etc., de algo **(to fan the flames, to make things worse, to add fuel to the fire)**

Ya hemos sufrido bastante; no eches más leña al fuego

Echar los hígados

Esforzarse, trabajando muy duramente para conseguir algo que resulta difícil **(to strive to get, to pull all the stops out, to put one's back into it)**

Echaremos los hígados, pero conseguiremos terminarlo

EXPRESIONES SIMILARES
Véase **Echar toda la carne en el asador**

Echar mal de ojo

Echar sobre alguien un maleficio que puede ejercer una influencia negativa **(to give the evil eye)**

La gitana les echó mal de ojo porque no le dieron limosna

Echar mano de algo/alguien

Servirse de algo o alguien que puede sernos útil **(to get a hold of)**

Echó mano del diccionario para saber el significado de esa palabra

Echar margaritas a los puercos

Dar algo bueno a alguien que no sabe valorarlo **(to cast pearls before swine)**

Darte a ti caviar es como echar margaritas a los puercos

Echar piropos

Decir cosas bonitas o de aspecto sexual a una persona **(to flatter someone)**

Luisa es feminista y no soporta que le echen piropos por la calle

EXPRESIONES SIMILARES
Véase **Echar flores**

Echar por la borda

Estropear algo, hacer que fracase (to **throw overboard**)

Su enfermedad echó por la borda el proyecto de Juan de irse de vacaciones

EXPRESIONES SIMILARES
Véase **Arrojar por la borda**

Echar por tierra

Destrozar, arruinar un proyecto (**to wreck, to ruin, to destroy**)

Con sus palabras echó por tierra todas mis ilusiones

EXPRESIONES SIMILARES
Véase **Arrojar por la borda**

Echar raíces

Asentarse de forma definitiva en un lugar (**to put down roots, to settle down**)

Me gustaría echar raíces en esta ciudad

Echar rayos y centellas

Estar enfadado, colérico (**to be furious, to be fuming, to hit the roof**)

A mi padre le han despedido y ahora echa rayos y centellas

EXPRESIONES SIMILARES
Véase **Estar que echa chispas**

Echar sapos y culebras

Decir disparates, proferir insultos con ira (**to talk abusively**)

Lleva todo el día echando sapos y culebras contra los ladrones de su coche

EXPRESIONES SIMILARES
Véase **Estar que echa chispas**

Echar teatro

Exagerar, mentir en cuanto a la realidad de lo que se dice o se hace **(to over react, to exaggerate, to act)**

*¡No **eches tanto teatro**! No te ha pasado nada*

EXPRESIONES SIMILARES
Véase **Echar cuento**

Echar toda la carne en el asador

Esforzarse, hacer todo lo posible para conseguir algo que resulta difícil **(to risk everything on one stake, to put all one's eggs in one basket)**

*Javier **echó toda la carne en el asador** para obtener ese trabajo*

EXPRESIONES SIMILARES
Dejarse la piel (a tiras)
Echar el bofe
Echar el resto
Echar los hígados
Poner toda la carne en el asador
Poner todo de su parte
Romperse los cuernos
Sudar la gota gorda
Sudar tinta

Echar una bronca

Reñir, regañar a alguien **(to tell somebody off)**

*Los padres **echaron una bronca** a su hijo por llegar tarde*

EXPRESIONES SIMILARES
Cantar las cuarenta
Echar una regañina
Echar un rapapolvo
Leer la cartilla a alguien
Llamar a capítulo
Meter un puro

Echar una cabezada

Quedarse dormido unos momentos **(to fall asleep, to take a nap)**

*Voy a **echar una cabezada** antes de salir*

> **EXPRESIONES SIMILARES**
> Véase **Echarse la siesta**

Echar una cana al aire

Permitirse ocasionalmente una diversión o aventura alguien que normalmente vive sin ellas **(to paint the town red, to let one's hair down)**

*De vez en cuando sale con sus amigos a **echar una cana al aire***

> **EXPRESIONES SIMILARES**
> Véase **Ir de marcha**
> **Pelar la pava**

Echar una mano

Ayudar a alguien a hacer algo **(to help someone, to give a helping hand)**

***Échame una mano** para mover este armario*

> **EXPRESIONES SIMILARES**
> Véase **Echar un capote**

Echar una mirada atrás

Volver la vista hacia el pasado **(to look back)**

*Siento nostalgia cuando **echo una mirada atrás***

Echar una ojeada

Mirar algo sin detenimiento, de forma superficial **(to take a look, to glance at)**

*¿**Habéis echado una ojeada** a las novedades discográficas?*

> **EXPRESIONES SIMILARES**
> Echar un vistazo

Echar una regañina

Reñir, regañar a alguien **(to give somebody a good dressing down)**

*El jefe le **echó una regañina** a Pedro por extraviar los documentos*

EXPRESIONES SIMILARES
Véase **Echar una bronca**

Echar un capote

Ayudar a alguien en un momento oportuno **(to give/lend somebody a hand)**

*No sabía cómo seguir, pero Juan **me echó un capote** y todo salió bien*

EXPRESIONES SIMILARES
Echar una mano
Tender una mano
Venir en ayuda

Echar un mano a mano

Echar un pulso **(to arm wrestling)**

***Echaron un mano a mano** para ver quién era el mejor*

*Echar un polvo

Hacer el amor **(to screw, to make love, to get lucky)**

*Llegaron sus padres cuando **estaban echando un polvo***

EXPRESIONES SIMILARES
Véase **Pelar la pava**

Echar un rapapolvo

Reprender, regañar severamente a alguien **(to haul somebody over the coals)**

*Le **echaron un rapapolvo** por estropear la televisión*

EXPRESIONES SIMILARES
Véase **Echar una bronca**

Echar un trago

Tomar una copa **(to have a drink)**

*¿Qué te parece si **echamos un trago** en este bar?*

EXPRESIONES SIMILARES
Véase **Estar como una cuba**

Echar un vistazo

Mirar algo sin detenimiento, de forma superficial **(to take a look, to look around)**

*Voy a **echar un vistazo** por la librería*

EXPRESIONES SIMILARES
Véase **Echar una ojeada**

Echarle cara

1. Actuar de manera desvergonzada y con poco respeto ante una situación **(to act freely)**
2. Actuar con decisión y valor **(to act with courage)**

***Le echó cara** al asunto y consiguió lo que quería*

EXPRESIONES SIMILARES
Echarle valor
Plantar cara

Echarle valor

Actuar valientemente en una situación determinada **(to be brave)**

*Hay que **echarle valor** para salir hoy a navegar*

EXPRESIONES SIMILARES
Véase **Echarle cara**

Echarse a perder

1. Decaer alguien de las prendas y virtudes que tenía **(to go bad)**
2. Estropearse, arruinarse **(to spoil, to ruin)**

*Luis **se ha echado a perder** por las malas compañías*

Echarse atrás

Retractarse, desdecirse de un trato o una promesa **(to back out/off, to retract)**

A la hora de la verdad, algunos se echaron atrás

Echarse faroles

Alabarse, adularse a uno mismo **(to boast, to talk big)**

Ramón se cree un genio y se echa faroles continuamente

EXPRESIONES SIMILARES
Véase **Darse aires**

Echarse la siesta

Dormir un rato, sobre todo después de comer **(to take a nap)**

Voy a echarme la siesta después de comer

EXPRESIONES SIMILARES
Dar una cabezada
Echar una cabezada

Echarse una amiga/un amigo

Hacer una nueva amistad; a veces, también, echarse un nuevo amante **(to initiate/to begin a new relationship, to get a girlfriend/boyfriend, to find a friend)**

Durante las vacaciones David se echó una amiga

EXPRESIONES SIMILARES
Véase **Pelar la pava**

Empinar el codo

Ingerir con exceso bebidas alcohólicas **(to over drink, to get drunk), (to bend one's elbow too much – UK)**

Cuando Juan empina el codo dice muchas tonterías

> **Expresiones similares**
> Véase **Estar como una cuba**

Encoger(se) el corazón

Provocar algo que uno se sienta asustado o amenazado **(to break one's heart)**

Ver tanta hambre en el mundo me encoge el corazón

Engañar como a un chino

Engañar completamente a una persona **(to deceive someone, to trick someone)**

Le engañaron como a un chino al venderle un televisor estropeado

> **Expresiones similares**
> Véase **Dar gato por liebre**

Enmendar la plana a alguien

Señalar y corregir los defectos en lo que alguien ha hecho o dicho **(to set someone on the right path)**

No sabes más que yo, así que no me enmiendes la plana

Enseñar los dientes

Demostrar que uno es capaz de resistir o atacar a otra persona **(to bare one's teeth [menacingly])**

Luis enseña los dientes cuando le hablan de su antiguo jefe

No entender ni jota

No entender absolutamente nada **(not to understand anything, not to have a clue)**

No entiendo ni jota de matemáticas

Enterarse de lo que vale un peine

Comprender lo que uno debe hacer después de recibir una paliza, no necesariamente física (se utiliza como amenaza) **(to get it)**

Si no vienes ahora mismo aquí, ¡te vas a enterar de lo que vale un peine!

EXPRESIONES SIMILARES
Véase **Dar una paliza**

Enterrar el hacha

Dar por terminado un enfrentamiento, lucha o discusión **(to bury the hatchet)**

*Parece que el Gobierno y la oposición **han enterrado el hacha***

EXPRESIONES SIMILARES
Hacer las paces

Entrar a saco

Entrar en un sitio violentamente y sin contemplaciones **(to sack, to pillage)**

***Entraron a saco** en la tienda y se llevaron todo lo que había*

No entrar ni salir en algo

No intervenir o influir en algo **(not to give a hoot/damn about something, not to care about)**

*Yo **no entro ni salgo** en este asunto; no es mi problema*

EXPRESIONES SIMILARES
Véase **Estar al margen**

Entrar por el aro

Ceder, aceptar algo en contra de su voluntad **(to come to heel)**

*No nos apetecía ir a ver esa película, pero Pepe nos hizo **entrar por el aro***

EXPRESIONES SIMILARES
Véase **Bajarse los pantalones**

Escurrir el bulto

Evadir un trabajo, riesgo o compromiso **(to avoid danger or risk, to find a way out)**

Los cobardes siempre **escurren el bulto** *ante el peligro*

EXPRESIONES SIMILARES
Véase **Echar balones fuera**

Estar a años luz

Estar muy lejos en el espacio o en el tiempo (**to be far away, to be light years ahead of**)

En materia de tecnología, los japoneses **están a años luz** *de otros países*

Estar a dos velas

1. No tener dinero (**to be broke, to be penniless**)
2. No conseguir tener relaciones amorosas (**not to score**)

Me he comprado un coche y ahora **estoy a dos velas**

EXPRESIONES SIMILARES
1. Estar sin blanca Estar tieso Quedarse a dos velas 2. Véase **No comerse una rosca**

Estar a la altura

Tener el nivel requerido para hacer algo (**to be up to, to have the level**)

Felipe tenía miedo de no **estar a la altura** *del puesto que le ofrecían*

EXPRESIONES SIMILARES
Véase **Dar la talla**

Estar a la greña

Estar dos o más personas en desacuerdo y siempre dispuestas a promover disputas (**to be at odds and ends/at loggerheads, to have a heated argument**)

Los dos hermanos se querían mucho, pero siempre **estaban a la greña**

EXPRESIONES SIMILARES
Véase **Andar a la greña**

■■■■■■■■ **Estar a la orden del día**

Ocurrir a diario **(to be the order of the day, to happen frequently or daily)**

En estos tiempos los accidentes están a la orden del día

■■■■■■■■ **Estar a la que salta**

Estar dispuesto a aprovechar cualquier oportunidad, generalmente para mejorar de posición económica **(to wait in the wings)**

Es tan ambicioso que siempre está a la que salta

■■■■■■■■ **Estar a las duras y a las maduras**

Aceptar tanto los aspectos positivos como los negativos de una determinada situación **(to take the rough with the smooth, to take the lumps with the good)**

En una relación hay que estar a las duras y a las maduras

■■■■■■■■ **Estar a lo que caiga**

Estar preparado para aprovechar cualquier oportunidad que surja **(to be ready for anything, to be ready to take advantage of an opportunity)**

Yo no tengo un plan fijo, estoy a lo que caiga

EXPRESIONES SIMILARES
Estar a verlas venir

■■■■■■■■ **Estar a partir un piñón**

Tener una relación, de amistad o de amor, excelente **(to be intimate friends with, to be as thick as thieves)**

Últimamente a José y a Marta les va muy bien, están a partir un piñón

EXPRESIONES SIMILARES
Véase **Caer bien**

■■■■■■■■ **Estar a punto de**

Encontrarse una situación justo en el momento antes de iniciarse **(to be about to)**

¡Date prisa, que el tren está a punto de salir!

Estar a rabiar

Estar muy irritado, crispado o enfadado **(to boil with anger)**

Estoy a rabiar porque nada me sale bien

EXPRESIONES SIMILARES
Véase **Estar que echa chispas**

Estar a régimen

Seguir una dieta para adelgazar **(to be on a diet)**

Está a régimen para perder los kilos que le sobran

EXPRESIONES SIMILARES
Ponerse a dieta

Estar a solas

Estar sin compañía **(to be alone)**

A veces es positivo estar a solas para poder pensar

Estar a sus anchas

Estar desahogadamente, con libertad y satisfacción **(to feel comfortable/at ease, to be happy as Larry)**

Manuel está a sus anchas en su nuevo trabajo

EXPRESIONES SIMILARES
Véase **Andar como Pedro por su casa**

Estar a verlas venir

Estar a la expectativa **(to be ready to take advantage of an opportunity)**

No saben qué hacer y ahí están todos a verlas venir

EXPRESIONES SIMILARES
Véase **Estar a lo que caiga**

Estar achispado

Estar un poco borracho **(to be tipsy)**

Con dos cervezas, Juan ya está achispado

EXPRESIONES SIMILARES
Véase **Estar como una cuba**

Estar agobiado

Estar muy cansado o sentirse muy presionado por las circunstancias **(to be overwhelmed/exhausted/stressed out)**

Estoy muy agobiado por culpa del trabajo

Estar al caer

Estar a punto de llegar **(to be about to arrive/to come/to show up)**

Luisa no tardará mucho; está al caer

Estar al cabo de la calle

Estar al tanto, enterado de un asunto con información suficiente **(to be on the ball)**

Un buen periodista debe estar al cabo de la calle

EXPRESIONES SIMILARES
Estar al día
Estar al loro
Estar al tanto
Estar con el pie en el estribo

Estar al día

Tener información actualizada de un determinado tema **(to be up to date)**

No estoy al día en las investigaciones farmacéuticas

EXPRESIONES SIMILARES
Véase **Estar al cabo de la calle**

███████████ **Estar al habla**

Estar hablando por teléfono **(to be on the line)**

Espere un momento, por favor; el señor Pérez está al habla con su abogado

███████████ **Estar al loro**

Estar atento a todo lo que ocurre alrededor **(to be on the ball)**

Si no quieres perder la oportunidad tienes que estar al loro

> EXPRESIONES SIMILARES
> Véase **Estar al cabo de la calle**

███████████ **Estar al margen**

No intervenir en el asunto de que se trata **(to stay out of something, to be left out, not to get involved)**

María prefirió estar al margen de esa discusión

> EXPRESIONES SIMILARES
> Véase **No entrar ni salir en algo**

███████████ **Estar al pie del cañón**

Ocuparse alguien de lleno y con constancia en un asunto; estar alguien siempre atento a sus obligaciones o su trabajo **(to be totally involved in one's work, to never be off duty)**

David es un gran trabajador que siempre está al pie del cañón

███████████ **Estar al quite**

Estar preparado para defenderse o para salir en defensa de alguien **(to be ready to defend someone)**

Estaba al quite y no lograron sorprenderle

███████████ **Estar al tanto**

Estar enterado de un asunto con información suficiente **(to be on the ball)**

Estaba al tanto de la actualidad económica

EXPRESIONES SIMILARES
Véase **Estar al cabo de la calle**

Estar alumbrado

Estar borracho **(to be tipsy/merry)**

Después de dos o tres copas **estaba** *bastante* **alumbrado**

EXPRESIONES SIMILARES
Véase **Estar como una cuba**

Estar buena/bueno

1. Ser una persona físicamente muy atractiva **(to be physically very attractive)**
2. Tener un sabor agradable una comida **(to taste good)**

¡Qué **bueno está** *ese chico!*

EXPRESIONES SIMILARES
Véase **Estar como un tren**

Estar chalado

Estar loco, actuar o pensar de modo extravagante **(to be nuts/batty/off the wall)**

Pilar **está chalada,** *¡lleva abrigo en verano!*

EXPRESIONES SIMILARES
Véase **Estar como una cabra**

Estar chapado a la antigua

Estar muy apegado a las costumbres antiguas **(to be old fashioned)**

Su padre **estaba chapado a la antigua** *y no le permitía salir por la noche*

Estar chiflado

Estar loco, actuar o pensar de modo extravagante **(to be weak/soft in the head, not be quite all there, to be potty, to be batty)**

Está *verdaderamente* **chiflado***; se pasa el día hablando con su paraguas*

> **EXPRESIONES SIMILARES**
> Véase **Estar como una cabra**

█████████ **Estar chupado**

1. Ser algo muy fácil **(to be as easy as a pie, to be a piece of cake)**
2. Estar alguien muy delgado **(to be skinny [a person])**

El examen de inglés **estaba chupado**

> **EXPRESIONES SIMILARES**
> 1. Véase **Ser coser y cantar**
> 2. Estar en los huesos
>   Quedarse como un fideo
>   Quedarse en los huesos

█████████ **Estar colado por alguien**

Estar enamorado de alguien, desvivirse por alguien **(to be in love with, to be stuck on someone)**

Ramón **está colado por** *Nuria, pero ella no le hace caso*

> **EXPRESIONES SIMILARES**
> Véase **Beber los vientos por alguien**

█████████ **Estar colgado**

Estar atontado, alelado (se dice también cuando alguien está bajo los efectos de una droga) **(to be stunned, to be stupefied)**

¡Reacciona, tío! Parece que **estás colgado**

█████████ **Estar como los chorros del oro**

Estar algo muy limpio y reluciente **(to be sparkling clean)**

A mi madre le gusta limpiar, por eso mi casa siempre **está como los chorros del oro**

█████████ **Estar como para parar un tren**

Ser físicamente muy atractivo **(to be gorgeous/very attractive/a knock out/drop-dead gorgeous)**

Esa chica está como para parar un tren

EXPRESIONES SIMILARES
Véase **Estar como un tren**

Estar como pez en el agua

Sentirse muy cómodo en un lugar o en una situación **(to feel at ease, to be in one's element/totally at home)**

En un laboratorio estoy como pez en el agua

EXPRESIONES SIMILARES
Véase **Andar como Pedro por su casa**

Estar como sardinas en lata

Estar muy apretados en un lugar por falta de espacio **(to be packed like sardines)**

En el metro de Tokio la gente está como sardinas en lata

EXPRESIONES SIMILARES
Véase **Estar de bote en bote**

Estar como una balsa de aceite

Estar una persona o una situación muy calmada **(to be dead calm)**

La situación se había calmado y todo estaba como una balsa de aceite

EXPRESIONES SIMILARES
Estar como una seda

Estar como una cabra

Estar loco, actuar o pensar de modo extravagante **(to be nuts/crazy, to be as mad as a hatter)**

Óscar está como una cabra; ahora hace colección de fotos de Drácula

EXPRESIONES SIMILARES
Estar como una chota

> Estar como una regadera
> Estar como un cencerro
> Estar chalado
> Estar chiflado
> No estar en sus cabales
> Estar ido
> Estar loco de atar
> Estar pasado de vueltas
> Estar pirado
> Estar zumbado
> Faltar un tornillo
> Ser un cabeza loca
> Tener cabeza de chorlito
> Tener la cabeza llena de pájaros
> Volver(se) majareta

Estar como una chota

Estar loco, actuar o pensar de modo extravagante **(to be nuts, to be round the bend)**

Óscar **está como una chota** *desde que se dio ese golpe en la cabeza*

EXPRESIONES SIMILARES
Véase **Estar como una cabra**

Estar como una cuba

Estar muy borracho **(to be drunk, to be loaded)**[2]

Enrique bebe mucho y siempre **está como una cuba**

EXPRESIONES SIMILARES
Beber como un cosaco
Echar un trago
Empinar el codo
Estar achispado
Estar alumbrado
*Estar pedo
Hacer eses
Ponerse a tono
Ponerse ciego

---

[2] Se incluyen en esta lista aquellas expresiones relacionadas con la ingestión de alcohol, aunque no en todos los casos se refieran a un abuso del mismo; así, es evidente que hay una sustancial diferencia de grado entre **echar un trago**, **tener un punto** o **estar como una cuba**.

Ponerse tibio
Tener un punto
Tener una copa de más
Tener una curda de campeonato
Tener una tajada
Tener una trompa

Estar como una moto

Estar alguien acelerado **(to be nervous/excited/hyper)**

¡Tranquilo, hombre! Estás como una moto

EXPRESIONES SIMILARES
Estar espídico
Ir a tope

Estar como una regadera

Estar loco, actuar o pensar de modo extravagante **(to be nuts/crazy, to be as mad as a hatter)**

Alfredo tiene unas ideas demasiado extrañas; yo creo que está como una regadera

EXPRESIONES SIMILARES
Véase **Estar como una cabra**

Estar como una seda

Estar muy dócil, calmado, sumiso **(to be calm)**

Juan está como una seda desde que han terminado sus problemas económicos

EXPRESIONES SIMILARES
Véase **Estar como una balsa de aceite**

Estar como una tapia

Estar muy sordo **(to be deaf as a post)**

Repíteselo más fuerte porque está como una tapia

EXPRESIONES SIMILARES
Estar medio sordo
Ser duro de oído

Estar como un cencerro

Estar loco, pensar o actuar de forma extravagante **(to be nuts/crazy)**

Los fans de algunos cantantes **están como un cencerro**

EXPRESIONES SIMILARES
Véase **Estar como una cabra**

Estar como un flan

Estar muy nervioso **(to be shaky)**

Antes de comenzar un examen **estoy como un flan**

Estar como un tren

Ser muy atractivo/a físicamente **(to be gorgeous)**

Carlos es muy guapo, **está como un tren**

EXPRESIONES SIMILARES
Estar bueno
Estar como para parar un tren
Estar de miedo
Estar de buen ver
*Estar de puta madre
Estar de rechupete
Estar para chuparse los dedos
*Tener un polvo

Estar con el agua al cuello

Encontrarse en una situación muy apurada **(to be up to the neck)**

He tenido unos gastos inesperados y ahora **estoy con el agua al cuello**

EXPRESIONES SIMILARES
Estar con la soga al cuello

■ **Estar con el pie en el estribo**

Estar preparado para actuar en cualquier momento **(to be ready to do something)**

Si quieres progresar en esta sociedad, tienes que estar con el pie en el estribo

EXPRESIONES SIMILARES
Véase **Estar al cabo de la calle**

■ **Estar con la antena puesta**

Espiar las conversaciones de los que están cerca; ser cotilla **(to be nosy)**

Tengo una vecina que está siempre con la antena puesta

■ **Estar con la mosca detrás de la oreja**

Sentir recelo o sospecha por algo **(to have a chip on one's shoulder, to get hot under the collar)**

Su mujer le dijo que iba de compras con una amiga, pero él estaba con la mosca detrás de la oreja

EXPRESIONES SIMILARES
Dar en la nariz
Dar mala espina
Estar mosca
Estar mosqueado
Oler a chamusquina

■ **Estar con la soga al cuello**

Encontrarse en una situación apurada o verse amenazado por un peligro inminente **(to be in great risk/danger)**

En el trabajo estoy con la soga al cuello, me pueden despedir en cualquier momento

EXPRESIONES SIMILARES
Véase **Estar con el agua al cuello**

■ **Estar cruzado de brazos**

No hacer absolutamente nada **(to be idle, to stand there with one's arms crossed)**

En vez de **estar cruzado de brazos,** *podrías ayudarme a fregar los platos*

EXPRESIONES SIMILARES
Véase **Cruzarse de brazos**

Estar curado de espanto

No avergonzarse, escandalizarse o impresionarse por algo por estar ya acostumbrado a ello **(to be experienced, not to be surprised by anything)**

No me voy a escandalizar por nada que me digas; ya **estoy curado de espanto**

Estar de baja

Cesar en el ejercicio de una profesión, de forma definitiva o transitoria, por motivos de salud **(to be on sick leave/off work)**

Estoy de baja *porque me he roto una pierna*

EXPRESIONES SIMILARES
Véase **Dar(se) de baja**

Estar de bote en bote

Estar un lugar muy lleno de gente o de objetos **(to be packed, to be completely full [a place])**

Anoche la discoteca **estaba de bote en bote**

EXPRESIONES SIMILARES
No caber ni un alfiler
Estar como sardinas en lata
Estar hasta las trancas

Estar de brazos cruzados

Estar sin hacer nada **(to be idle, to be doing nothing)**

Prefiero **estar de brazos cruzados** *que ponerme a limpiar*

EXPRESIONES SIMILARES
Véase **Cruzarse de brazos**

Estar de broma

No actuar o hablar en serio; actuar de un modo divertido **(to be in a joking mood)**

Carlos siempre está de broma, es muy simpático

EXPRESIONES SIMILARES
*Estar de cachondeo Gastar una broma

Estar de buen ver

Ser muy atractivo físicamente **(to be good looking, to have a good bearing and appearance)**

La hija de mis amigos está de muy buen ver, por eso quiere ser modelo

EXPRESIONES SIMILARES
Véase **Estar como un tren**

*Estar de cachondeo

No actuar o hablar en serio; actuar de un modo divertido **(to be joking, to be kidding, to be fooling around)**

No te lo tomes a mal, que estamos de cachondeo

EXPRESIONES SIMILARES
Véase **Estar de broma**

Estar de capa caída

Estar en decadencia física, moral o económica **(to be down, to be in a bad way, to be on the downward path)**

Este cantante tuvo mucho éxito en los ochenta, pero ahora está de capa caída

Estar de cháchara

Mantener una conversación frívola **(to be chitchatting, to chat)**

Todos los días me gusta estar de cháchara un rato con la secretaria

EXPRESIONES SIMILARES
Estar de palique

Estar de enhorabuena

Vivir momentos de felicidad tras un acontecimiento afortunado **(to be fortunate, to have something to celebrate)**

*Hoy **estamos de enhorabuena** porque ha nacido nuestro primer nieto*

EXPRESIONES SIMILARES
Véase **Estar de suerte**

Estar de mal humor

Estar enfadado y con pocas ganas de relacionarse con los demás **(to be in a bad mood/temper)**

*Es mejor que hoy no le digas nada a Luis porque **está de mal humor***

EXPRESIONES SIMILARES
Véase **Estar de mala uva**

Estar de mal talante

Estar de mal humor, estar enfadado **(to be in a bad mood)**

*Cuando **está de mal talante** es mejor no molestarle*

EXPRESIONES SIMILARES
Véase **Estar de mala uva**

*Estar de mala leche

Estar de mal humor, estar enfadado **(to be in a bad mood, to get pissed, to get pissed off – UK)**

***Estaba de mala leche** porque le habían robado el coche*

EXPRESIONES SIMILARES
Véase **Estar de mala uva**

██████ **Estar de mala uva**

Estar de mal humor, estar enfadado **(to be in a bad mood, to be on bads terms, to be mad)**

Está de mala uva desde que perdió su dinero en el casino

EXPRESIONES SIMILARES
Coger una perra
Estar de mal humor
Estar de mal talante
*Estar de mala leche
Estar de malas pulgas
Estar de morros
Estar de uñas
Estar mosqueado
(No) estar para bromas
Ponerse hecho una furia
Tener cara de pocos amigos
Tener malas pulgas
Tener mal genio
*Tener mala leche

██████ **Estar de malas pulgas**

Estar de mal humor, estar enfadado **(to be in a bad mood)**

Por las mañanas suele estar de malas pulgas

EXPRESIONES SIMILARES
Véase **Estar de mala uva**

██████ **Estar de miedo**

1. Ser alguien muy atractivo **(to be handsome)**
2. Ser algo muy interesante **(to be something very interesting)**

He conocido a un chico que tiene los ojos verdes y está de miedo

EXPRESIONES SIMILARES
Véase **Estar como un tren**

██████ **Estar de moda**

Usarse o estilarse una prenda de vestir, tela, color, etc., o practicarse generalmente una cosa **(to be in fashion/the latest thing)**

Ahora **está de moda** *la minifalda*

EXPRESIONES SIMILARES
Estar en el candelero

▨▨▨▨ Estar de morros

Estar enfadado, de mal humor **(to be angry)**

María **estaba de morros** *porque su padre no le dejó salir con sus amigos*

EXPRESIONES SIMILARES
Véase **Estar de mala uva**

▨▨▨▨ Estar de palique

Estar de charla, hablar de temas intrascendentes **(to be chitchatting)**

Estuvieron de palique *toda la tarde en vez de trabajar*

EXPRESIONES SIMILARES
Véase **Estar de cháchara**

▨▨▨▨ Estar de paso

Estar en un lugar sólo durante un período breve de tiempo, sin intención de quedarse en él **(to be just passing through/by)**

Ya que **estoy de paso** *por Madrid, voy a aprovechar para visitar a mis amigos*

▨▨▨▨ Estar de permiso

Tener unas breves vacaciones en el trabajo **(to be on leave)**

Si **estuviérais de permiso** *esta semana podríamos hacer una excursión*

▨▨▨▨ *Estar de puta madre

Ser algo muy bueno, sabroso o interesante; ser alguien muy atractivo **(to be great, to be out of this world, to be damn good)**

Te aconsejo que vayas a ver esa película porque **está de puta madre**

EXPRESIONES SIMILARES
Véase **Estar como un tren**

Estar de rechupete

Ser algo muy bueno, sabroso o interesante; ser alguien muy atractivo **(to be delicious/jammy, to be finger-licking good)**

*Las manzanas de caramelo **están de rechupete***

EXPRESIONES SIMILARES
Véase **Estar como un tren**

Estar de suerte

Tener una época de buena suerte **(to be one's lucky day/week, etc.)**

*Hoy **estás de suerte:** te ha tocado un viaje al Caribe*

EXPRESIONES SIMILARES
Caer de pie
Darse con un canto en los dientes
Estar de enhorabuena
Estar en vena
Llegar y besar el santo
Nacer de pie
Tener buena pata
*Tener chorra
Tener más vidas que un gato
*Tener potra
Tener siete vidas
Tener suerte
Venir con un pan debajo del brazo

Estar de uñas

Estar enfadado o irritado con alguien y demostrar la crispación **(to show one's bad temper, to be in a bad mood)**

***Está de uñas** con sus hermanos por cuestiones de dinero*

EXPRESIONES SIMILARES
Véase **Estar de mala uva**

▓▓▓▓▓▓ Estar de vuelta de algo/de todo

Conocer bien la cosa de la que se trata por tener ya una experiencia previa de ella **(to be already aware of something, to know already, to have been through something)**

Pedro ya **está de vuelta de** *muchos de los problemas que le cuentan*

▓▓▓▓▓▓ Estar dejado de la mano de Dios

Estar abandonado o descuidado **(to be utterly abandoned/forsaken)**

Algunos pueblos españoles **están dejados de la mano de Dios**

▓▓▓▓▓▓ Estar donde Cristo dio las tres voces

Estar muy lejos, en un lugar remoto **(to be in the middle of nowhere, to be miles from anywhere, to be at the back of beyond, to be out in the sticks)**

Se han comprado un chalet que **está donde Cristo dio las tres voces**

EXPRESIONES SIMILARES
Estar donde Cristo perdió el gorro
Estar en el quinto pino

▓▓▓▓▓▓ Estar donde cristo perdió el gorro

Estar muy lejos, en un lugar remoto **(to be in the middle of nowhere, to be miles from anywhere)**

La dirección que me indicaste **estaba donde Cristo perdió el gorro**

EXPRESIONES SIMILARES
Véase **Estar donde Cristo dio las tres voces**

▓▓▓▓▓▓ No estar el horno para bollos

No ser conveniente hacer determinada cosa **(to be the wrong time/moment to do something, to ask for something)**

Será mejor que no insistas más porque **no está el horno para bollos**

▓▓▓▓▓▓ Estar empantanado

Estar un lugar sucio y desordenado **(to be messy and filthy/like a pigsty)**

Después de la fiesta la casa **estaba empantanada**

Véase **Andar manga por hombro**

■■■■■■ **Estar en alza**

Encontrarse algo o alguien en una posición ascendente (**to be on the rise/on the up and up**)

Hoy en día está en alza el body piercing

■■■■■■ **Estar en apuros**

Encontrarse en una situación problemática de la que es difícil salir (**to be in trouble, to be in hot water, to be in a spot**)

Si estás en apuros, no dudes en pedirme ayuda

■■■■■■ **Estar en ascuas**

Estar esperando intranquilo porque se desconoce cómo va a resolverse algún asunto (**to be on edge, to be nervous**)

Estoy en ascuas esperando el resultado de la votación

■■■■■■ **Estar en Babia**

Estar despistado, distraído o ajeno a aquello de lo que se trata (**to be wrapped up in one's own thoughts**)

Es un chico muy despistado, siempre está en Babia

EXPRESIONES SIMILARES
Estar en la inopia
Estar en la luna
Estar en las nubes
Estar ido
Ir a por uvas
Irse el Santo al cielo
Pensar en las musarañas

■■■■■■ **Estar en contra**

Adoptar una posición contraria a un tema o situación determinados (**to be against**)

Estoy en contra de las centrales nucleares

Estar en cueros

Estar desnudo **(to be naked)**

En las playas nudistas todos **están en cueros**

Estar en danza

Ser muy activo **(to be on the go, to be active)**

No paro ni un momento, **estoy en danza** *todo el día*

EXPRESIONES SIMILARES
Ir de aquí para allá
Ir dando tumbos
Ir de la Ceca a la Meca
Ir de un lado para otro

Estar en edad de merecer

Encontrarse en edad de tener novio/a o de casarse **(to be old enough to date, to be mature enough to get marry)**

¡A ver si sales más ahora que **estás en edad de merecer!**

Estar en el ajo

Estar uno al tanto de un asunto tratado reservadamente **(to be in the know)**

A él puedes contárselo porque también **está en el ajo**

Estar en el candelero

Disfrutar circunstancialmente de mucha fama o prestigio **(to be very popular, to be the name on everyone's lips)**

Parece que Alejandro Sanz **está** *ahora* **en el candelero**

EXPRESIONES SIMILARES
Véase **Estar de moda**

Estar en el quinto pino

Estar muy lejos, en un lugar remoto **(to be in the middle of nowhere, to be miles from anywhere)**

No me apetece nada ir a ese bar porque **está en el quinto pino**

EXPRESIONES SIMILARES
Véase **Estar donde Cristo dio las tres voces**

Estar en el séptimo cielo

Encontrarse en la gloria, sentirse muy a gusto en una situación **(to be on cloud nine)**

Cuando estoy junto a ti, **estoy en el séptimo cielo**

Estar en ello

Estar ocupándose de algún asunto en el que se está interesado **(to be in it, to be dealing with something)**

No se me olvida tu asunto; no te preocupes que **estoy en ello**

Estar en forma

Tener una buena forma física **(to be in good shape)**

Marcos corre cinco kilómetros todos los días para **estar en forma**

EXPRESIONES SIMILARES
Guardar la línea

Estar en la brecha

Emplearse con gran dedicación a un trabajo, empresa o a la defensa de un ideal o institución **(to be dedicated to do something)**

Estamos en la brecha *desde las cinco de la mañana*

EXPRESIONES SIMILARES
Seguir en la brecha

Estar en la inopia

Estar distraído, despistado **(to be wrapped up in one's own thoughts)**

El estudiante **estaba en la inopia** *mientras el profesor explicaba la lección*

Estar en la luna

Estar distraído, despistado **(to be day-dreaming)**

Me di cuenta de que estaba en la luna porque no me respondía

Estar en las mismas

No cambiar una situación, estar igual que antes **(to be in the same situation, to be back to square one)**

Si no colaboramos todos, estamos en las mismas

Estar en las nubes

Estar distraído, despistado **(to be wrapped up in one's own thoughts)**

Daniel está siempre en las nubes pensando en su novia

Estar en las últimas

Estar muriéndose una persona; estar terminándose una cosa **(to be on one's last legs)**

Mi abuelo ha sufrido un ataque al corazón y está en las últimas

Estar en los huesos

Estar muy delgado **(to be a bag of bones)**

Es increíble, María está en los huesos y todavía dice que quiere adelgazar más

> **EXPRESIONES SIMILARES**
> Véase **Estar chupado**

■■■■■■■■■ **Estar en mantillas**

Estar muy al principio de un asunto **(to be in embryo, to be in its infancy)**

La nueva sede del ayuntamiento está todavía en mantillas

> **EXPRESIONES SIMILARES**
> Estar verde

■■■■■■■■■ **Estar en medio como el jueves**

Estar en medio, generalmente obstaculizando o molestando a alguien o algo **(to be in the middle of/in the center of)**

Quítate de ahí, que estás en medio como el jueves

■■■■■■■■■ **Estar en paro**

Encontrarse sin trabajo **(to be unemployed), (to be on the dole – UK)**

Su hijo está en paro desde que acabó la carrera

■■■■■■■■■ **Estar en paz**

Estar empatadas dos personas, no deberse nada uno a otro **(to be even)**

Tú me regalaste un libro, ahora yo te doy un disco, así que ya estamos en paz

■■■■■■■■■ **Estar en su salsa**

Estar muy cómodo, muy a gusto en una situación o en un lugar **(to be comfortable, to feel at home)**

Estoy en mi salsa en las discotecas

> **EXPRESIONES SIMILARES**
> Véase **Andar como Pedro por su casa**

■■■■■■■■■ **No estar en sus cabales**

Tener las facultades mentales mermadas **(not to be all there, not to be in one's right mind)**

Por las tonterías que dice, parece que **no está en sus cabales**

EXPRESIONES SIMILARES
Véase **Estar como una cabra**

▣ Estar en vena

Estar inspirado; tener una racha de buena suerte **(to be on a lucky streak, to be inspired)**

Voy a aprovechar, ahora que **estoy en vena**, *para jugar a la ruleta*

EXPRESIONES SIMILARES
Véase **Estar de suerte**

▣ Estar entre la espada y la pared

Estar en la obligación de decidirse por una cosa o por otra, sin escapatoria ni medio alguno de eludir el conflicto **(to have one's back to/against the wall, to be between the devil and the deep blue sea, to be between a rock and a hard place)**

Estoy entre la espada y la pared: *quiero irme a ver el fútbol, pero mi jefe me ha pedido que me quede a trabajar*

EXPRESIONES SIMILARES
Ser arma de doble filo

▣ Estar entre la vida y la muerte

Estar en una situación muy grave o delicada, casi a las puertas de la muerte **(to be between life and death, to have one's life hang by a thread)**

Está entre la vida y la muerte *debido a un accidente de coche*

EXPRESIONES SIMILARES
Véase **Estar hecho polvo**

▣ Estar entre Pinto y Valdemoro

Estar indeciso **(to be hesitant)**

Estoy entre Pinto y Valdemoro, *no sé por cuál decidirme*

Estar espídico

Estar acelerado y muy tenso **(to be hyper, to be tense)**

*Tranquilo, chico, relájate, que **estás espídico***

EXPRESIONES SIMILARES
Véase **Estar como una moto**

Estar forrado

Ser muy rico, tener mucho dinero **(to have money, to be wealthy/loaded)**

*Ellos viven muy bien porque su padre **está forrado***

EXPRESIONES SIMILARES
Véase **Pegarse la gran vida**

Estar frente a frente

Estar cara a cara dos personas **(to be face to face)**

*Dime la verdad ahora que **estamos frente a frente***

Estar frito

1. Estar harto de algo **(to be fed up, to be sick of)**
2. Estar profundamente dormido **(to be deeply asleep)**

***Estoy frito** de tanto trabajar*

EXPRESIONES SIMILARES
Véase **Estar hasta el gorro**
Dormir a pierna suelta

Estar fuera de lugar

Ser inconveniente en una situación determinada **(to be out of place)**

*José ha venido sin corbata a la fiesta y **está** totalmente **fuera de lugar***

Estar fuera de onda

No estar al tanto, no estar suficientemente informado sobre un tema, desconocer una situación **(to be out of it/out of touch with)**

*Después de diez años lejos de su país, Pablo está **fuera de onda** en materia política*

Estar hasta el gorro

Estar harto de algo **(to be sick of, to be fed up)**

***Estoy hasta el gorro** de tus problemas, ¡déjame en paz!*

EXPRESIONES SIMILARES
Estar frito
Estar hasta la coronilla
Estar hasta las narices
*Estar hasta los cojones

Estar hasta la coronilla

Estar harto de algo **(to be fed up)**

*Ya **estoy hasta la coronilla**. No aguanto más*

EXPRESIONES SIMILARES
Véase **Estar hasta el gorro**

Estar hasta las narices

Estar harto de algo **(to be fed up, to have it up to here with something)**

*María se ha divorciado porque **estaba hasta las narices** de ser maltratada*

EXPRESIONES SIMILARES
Véase **Estar hasta el gorro**

Estar hasta las trancas

Estar un lugar muy lleno de gente o de objetos **(to be chockfull/packed/completely full)**

*No pudimos entrar en el bar porque **estaba hasta las trancas***

EXPRESIONES SIMILARES
Véase **Estar de bote en bote**

■■■■■■■ *Estar hasta los cojones

Estar harto de algo **(to be pissed with something, to be totally fed up)**

*Manolo **está hasta los cojones** de solucionarle la vida a Juan*

EXPRESIONES SIMILARES
Véase **Estar hasta el gorro**

■■■■■■■ Estar hecha una foca

Estar una persona muy gorda **(to be extremely fat, to look like a cow)**

*Nuria **está hecha una foca** y no le cabe la ropa del año pasado*

■■■■■■■ Estar hecho de rabos de lagartija

Ser muy nervioso **(to have ants in one's pants)**

*Este niño no para un momento; parece que **está hecho de rabos de lagartija***

EXPRESIONES SIMILARES
Véase **Estar que echa chispas**

■■■■■■■ Estar hecho polvo

Estar alguien destrozado física o mentalmente o muy cansado; estar algo destrozado o en muy mal estado **(to be worn out/dead tired)**

*Paloma **está hecha polvo** después de tantos exámenes*

EXPRESIONES SIMILARES
Estar en las últimas
Estar entre la vida y la muerte
Estar hecho trizas
Estar hecho una braga
Estar hecho unos zorros
*Estar jodido
Estar para el arrastre
No estar para esos trotes
Estar por los suelos
Estar hecho añicos
Estar pendiente de un hilo
(No) poder con el alma
Tener la vida en un hilo

■■■■■■■ **Estar hecho trizas**

Estar alguien destrozado física o mentalmente o muy cansado; estar algo destrozado o en muy mal estado **(to be a wreck, to be destroyed)**

Luis **está hecho trizas** *por la mala noticia que le han dado*

EXPRESIONES SIMILARES
Véase **Estar hecho polvo**

■■■■■■■ **Estar hecho un brazo de mar**

Estar muy elegante, ir vestido con lujo y armonía **(to dress in full armor, to dress up)**

Enrique **está hecho un brazo de mar** *con ese traje gris*

EXPRESIONES SIMILARES
Véase **Ir de punta en blanco**

■■■■■■■ **Estar hecho un lío**

No entender algo con claridad o no saber cómo resolver una situación compleja **(to be mixed up/in a mess)**

No sé qué hacer, **estoy hecho un lío**

EXPRESIONES SIMILARES
Tener un lío

■■■■■■■ **Estar hecho un sol**

Estar alguien radiante y bien vestido y arreglado **(to look radiant/cute)**

La niña **estaba hecha un sol** *con su vestidito blanco*

EXPRESIONES SIMILARES
Véase **Ir de punta en blanco**

■■■■■■■ ***Estar hecho una braga**

Estar algo o alguien en un estado lamentable **(to be done for/worn out/exhausted/like a limp rag, to feel like shit)**

Anoche casi no dormí y hoy **estoy hecho una braga**

EXPRESIONES SIMILARES
Véase **Estar hecho polvo**

Estar hecho una sopa

Estar empapado, muy mojado **(to be soaking wet)**

Salimos cuando más llovía y ahora ***estamos hechos una sopa***

Estar hecho unos zorros

Estar algo o alguien en un estado lamentable **(to be exhausted/finished/worn out)**

Vístete mejor, que ***estás hecho unos zorros***

EXPRESIONES SIMILARES
Véase **Estar hecho polvo**

Estar ido

Estar distraído, ausente **(to be crazy/absent-minded/loony)**

José ***está*** *siempre* ***ido****, parece que vive en su propio mundo*

EXPRESIONES SIMILARES
Véase **Estar en Babia**

*Estar jodido

Estar muy molesto **(to be fucked up)**

Estoy jodido *por culpa del dolor de muelas*

EXPRESIONES SIMILARES
Véase **Estar hecho polvo**

Estar limpio de polvo y paja

Ser todo legal, sin ningún punto oscuro **(to be legal/above board)**

Aquí somos muy legales, todo ***está limpio de polvo y paja***

Estar listo

Estar preparado **(to be ready)**

*Podemos empezar; ya **está lista** la comida*

Estar loco de alegría

Estar extremadamente feliz **(to be extremely happy)**

***Estamos** todos **locos de alegría** por el nacimiento de nuestro hijo*

Estar loco de atar

Haber perdido totalmente las facultades mentales **(to be out of one's mind)**

*Mario **está loco de atar,** va con pantalón corto en invierno*

EXPRESIONES SIMILARES
Véase **Estar como una cabra**

Estar mano sobre mano

Estar ocioso, sin hacer nada **(to be idle)**

*¿Vas a **estar** toda la tarde **mano sobre mano** o vas a hacer algo?*

EXPRESIONES SIMILARES
Véase **Cruzarse de brazos**

Estar más claro que el agua

Ser evidente **(to be crystal clear)**

*No sé cómo no entiendes esto, si **está más claro que el agua***

EXPRESIONES SIMILARES
Véase **Parecer un libro abierto**

Estar medio sordo

Ser duro de oído, no oír correctamente **(to be hard of hearing)**

*Háblale más alto porque **está medio sordo***

Véase **Estar como una tapia**

■■■■■■■ **Estar mosca**

Sentir recelo o sospecha por algo **(to have a chip on one's shoulder)**

Luis está mosca; no se cree que Julio y yo sólo estuviéramos hablando

Véase **Estar con la mosca detrás de la oreja**

■■■■■■■ **Estar mosqueado**

1. Sentir recelo o sospecha por algo **(to have a chip on one's shoulder)**
2. Estar enfadado **(to be mad)**

Estoy mosqueado con mi hermano porque se ha puesto mi jersey nuevo

Véase **Estar de mala uva**
Estar con la mosca detrás de la oreja

■■■■■■■ **Estar muerto de hambre**

Tener mucha hambre **(to be starving/famished/dying of hunger)**

Vamos pronto a comer porque estoy muerto de hambre

■■■■■■■ **Estar nadando en dinero**

Ser muy rico **(to be rolling in money/loaded)**

No sé por qué te preocupas tanto por el futuro, si estás nadando en dinero

Véase **Pegarse la gran vida**

■■■■■■■ **Estar ojo avizor**

Estar alerta **(to be on one's toes)**

Debes estar ojo avizor en ese nuevo trabajo

No estar para bromas

No tener ganas de prestar atención a cosas banales; estar de mal humor **(not to be in a good mood)**

No me vengas con tonterías, que hoy no estoy para bromas

EXPRESIONES SIMILARES
Véase **Estar de mala uva**

Estar para el arrastre

Estar muy cansado, estar destrozado **(to be at the end, to be done for, to be finished)**

Cuando llega el viernes estoy para el arrastre

EXPRESIONES SIMILARES
Véase **Estar hecho polvo**

Estar para chuparse los dedos

Estar muy sabroso un alimento; ser muy atractiva físicamente una persona **(to be finger licking-good, to be tasty)**

Mi madre ha hecho una paella que está para chuparse los dedos

EXPRESIONES SIMILARES
Véase **Estar como un tren**

No estar para esos trotes

Considerarse alguien viejo para hacer ya determinadas actividades que requieren un esfuerzo físico; estar muy cansado **(to be done for/exhausted/too old for that, to be past that)**

No puedo ir a escalar porque no estoy ya para esos trotes

EXPRESIONES SIMILARES
Véase **Estar hecho polvo**

Estar pasado de moda

No estilarse ya una prenda; no practicarse ya generalmente una cosa que, en otro tiempo, había sido muy popular **(to be out of fashion, not to be in fashion, to be old fashioned)**

Los pantalones de campana están pasados de moda

■■■■■■■■ **Estar pasado de vueltas**

Estar loco **(to be out of one's mind)**

Si te vas a la playa en diciembre es que estás pasado de vueltas

EXPRESIONES SIMILARES
Véase **Estar como una cabra**

■■■■■■■■ **Estar patas arriba**

Estar muy desordenado **(to be messed up/a total mess)**

La casa está patas arriba después de la fiesta de anoche

EXPRESIONES SIMILARES
Véase **Andar manga por hombro**

■■■■■■■■ ***Estar pedo**

Estar borracho **(to be drunk/loaded, to have a jag on), (to be pissed – UK)**

Ha bebido demasiado y está muy pedo

EXPRESIONES SIMILARES
Véase **Estar como una cuba**

■■■■■■■■ **Estar pegado**

No saber nada de un asunto o de una materia determinada **(to be a dunce, to be clueless)**

No puedo ayudarte porque en este tema yo también estoy pegado

EXPRESIONES SIMILARES
Véase **Estar pez**

■■■■■■■■ **Estar pendiente de un hilo**

Estar algo o alguien poco seguro o en una situación de mucho riesgo **(to hang by a thread, to be in the balance)**

La vida del enfermo está pendiente de un hilo

EXPRESIONES SIMILARES
Véase **Estar hecho polvo**

Estar pez

No saber nada de un asunto o de una materia determinada **(to be clueless, to be a dunce, not to have knowledge about something)**

Pepe está pez en matemáticas

EXPRESIONES SIMILARES
Estar pegado

Estar pirado

Estar loco **(to be out of one's mind, to be nuts/loony/screwy)**

Yo creo que Marta está pirada porque cada vez hace más tonterías

EXPRESIONES SIMILARES
Véase **Estar como una cabra**

Estar por las nubes

Ser algo muy caro **(to be very high/rocketing, to be sky-high [prices])**

El precio de la merluza está por las nubes

Estar por los suelos

Estar algo muy despreciado; estar alguien muy deprimido, hundido moralmente **(to be depressed/in a bad shape/a wreck)**

Alberto está por los suelos desde que lo dejó su novia

EXPRESIONES SIMILARES
Véase **Estar hecho polvo**

Estar pringado

Estar envuelto en un asunto generalmente turbio **(to take part, to be involved)**

Toda la familia está pringada en ese sucio asunto de drogas

Estar que arde

Estar una situación muy crispada o una persona muy nerviosa y enfadada **(to boil with anger, to be tense)**

*La situación **está que arde** y todos están nerviosísimos*

EXPRESIONES SIMILARES
Véase **Estar que echa chispas**

Estar que echa chispas

Estar crispado, nervioso o enfadado **(to boil with anger, to breathe the fire)**

*A Juan le destrozaron su coche y ahora **está que echa chispas***

EXPRESIONES SIMILARES
Comerse las uñas
Cruzarse los cables
Echar chispas
Echar rayos y centellas
Echar sapos y culebras
Estar a rabiar
Estar hecho de rabos de lagartija
Estar que arde
Estar que se sube por las paredes
Estar que trina
Poner(se) a cien
Poner de los nervios
Poner los nervios de punta
Sacar a alguien de sus casillas
Sacar de quicio
Ser un manojo de nervios
Volver tarumba

Estar que se sube por las paredes

Estar crispado, nervioso o enfadado **(to boil with anger/to be hopping mad)**

*José **está que se sube por las paredes** porque ha perdido su equipo*

EXPRESIONES SIMILARES
Véase **Estar que echa chispas**

Estar que trina

Estar crispado, nervioso o enfadado **(to be angry, to boil with anger)**

Está que trina por culpa de las travesuras de su hijo

EXPRESIONES SIMILARES
Véase **Estar que echa chispas**

Estar sembrado

Estar inspirado **(to be inspired)**

Chico, hoy estás sembrado, has acertado todas las respuestas

Estar sin blanca

Estar sin dinero **(to be broke/penniless)**

Mis amigos están sin blanca porque han gastado todo su dinero en regalos

EXPRESIONES SIMILARES
Véase **Estar a dos velas**

Estar tieso

No tener dinero **(to be penniless, to have no money)**

Préstame algo de dinero para ir al cine, que estoy tieso

EXPRESIONES SIMILARES
Véase **Estar a dos velas**

Estar tirado

1. Ser algo muy barato **(to be a bargain, very cheap)**
2. Ser algo muy fácil **(to be as easy as pie, to be a piece of cake)**

Aprender español está tirado

EXPRESIONES SIMILARES
Véase **Ser coser y cantar**

Estar todo el pescado vendido

Haber hecho uno todo lo que estaba en su mano **(to do every possible thing)**

Ya sólo nos queda esperar, está todo el pescado vendido

Estar traído por los pelos

Ser algo poco adecuado en una situación, no guardar relación con ella **(to be another ballgame, to have no relevance)**

*Ese tema **está traído por los pelos,** no cuadra aquí*

Estar verde

Estar poco maduro **(to be far from being ready, to be [still] wet behind the ears)**

*Este poema **está** todavía muy **verde,** hay que pulirlo más*

> **EXPRESIONES SIMILARES**
> Véase **Estar en mantillas**

Estar zumbado

Estar loco **(to be out of one's mind, to be loony/crazy)**

*¡Qué tonterías dices! **Estás zumbado***

> **EXPRESIONES SIMILARES**
> Véase **Estar como una cabra**

Estarle a uno bien empleado

Merecerse uno la desgracia o infortunio que le sucede **(to deserve a punishment)**

*Te han castigado, pero **te está bien empleado** por desobediente*

Estirar la pata

Morir **(to kick the bucket)**

*Si me das tantos disgustos, voy a **estirar la pata***

Estrechar lazos

Establecer relaciones más fuertes entre varias personas o instituciones **(to become close [friends], to get a closer relationship)**

*Las comunidades española y árabe han decidido **estrechar lazos***

F

Faltar el canto de un duro

Faltar muy poco para que suceda algo **(to be a close shave/a near miss/a narrow escape, to be touch and go)**

Ha faltado el canto de un duro para que chocáramos con ese camión

Faltar(le) un tornillo

Estar loco, hacer cosas extravagantes **(to have a screw loose, to have lost of one's marbles)**

Esas cosas no las hace alguien normal ¡a ti te falta un tornillo!

EXPRESIONES SIMILARES
Véase **Estar como una cabra**

Freír a críticas

Criticar a alguien sin cesar **(to roast somebody)**

Los políticos fríen a críticas a sus adversarios en las campañas electorales

EXPRESIONES SIMILARES
Véase **Poner a caldo**

Frotarse las manos

Sentir satisfacción por algo **(to rub one's hands together, to pat oneself on the back)**

Juan se está frotando las manos por el buen negocio que ha hecho

Fumar como un carretero

Fumar muchísimo **(to smoke like a chimney)**

¡Deja ya el cigarro, que fumas como un carretero!

EXPRESIONES SIMILARES
Fumar como una chimenea

Fumar como una chimenea

Fumar en exceso **(to smoke like a chimney)**

*Mi padre **fuma como una chimenea** desde que se jubiló*

EXPRESIONES SIMILARES
Véase **Fumar como un carretero**

G

Ganar terreno

Hacer progresos **(to make progress, to gain ground)**

*Aún no hemos conseguido una vacuna contra el SIDA, pero vamos **ganando terreno***

Ganarse algo a pulso

Conseguir algo gracias al propio esfuerzo **(to achieve something with great difficulties, to get something by one's own merit)**

***Se ha ganado a pulso** el puesto que ocupa en su empresa*

Ganarse la vida

Trabajar para conseguir vivir **(to make a living, to earn one's living)**

*María **se gana la vida** planchando en varias casas*

Ganarse una bronca

Lograr, debido a una actuación inconveniente, que otra persona nos riña **(to be hauled on the carpet)**

***Te vas a ganar una bronca** si no paras de echarme agua*

EXPRESIONES SIMILARES
Ganarse una regañina

Ganarse una regañina

Lograr, debido a una actuación inconveniente, que otra persona nos riña **(to be scolded/told off)**

*El niño **se ganó una regañina** por no obedecer a su madre*

EXPRESIONES SIMILARES
Véase **Ganarse una bronca**

Gastar una broma

Hacerle a alguien algo divertido para que los demás se rían, pero sin que la persona afectada se sienta ofendida **(to play a trick on somebody)**

Ricardo es un chico muy divertido y siempre **está gastando bromas** *a sus amigos*

EXPRESIONES SIMILARES
Véase **Estar de broma**

Guardar como oro en paño

Guardar algo con mucho cariño por el significado o el valor que posee **(to look after something as if it were pure gold)**

Guardaba como oro en paño *el rosario de su madre*

Guardar la línea

Mantenerse delgado y esbelto **(to keep in good shape)**

Come de forma apropiada para **guardar la línea**

EXPRESIONES SIMILARES
Véase **Estar en forma**

Guardar las distancias

Mantenerse cada uno con respecto a los demás en la actitud que corresponda a su categoría para evitar excesos de confianza **(to keep one's distance)**

Prefiero **guardar las distancias**, *no quiero que la gente se tome confianzas conmigo*

Guardarse un as/ases en la manga

Ocultar una serie de datos que después pueden ser de gran utilidad al descubrirlos **(to keep/have an ace/something up one's sleeve, to keep information aside)**

Es conveniente **guardarse ases en la manga** *en el mundo de los negocios*

Guiñar el ojo

Cerrar un ojo momentáneamente, quedando el otro abierto; se hace este gesto, normalmente, como señal de complicidad **(to wink)**

Alberto le ***guiñó el ojo*** *a María al pasar por su lado*

H

Haber gato encerrado

Existir algo oculto **(to be something going on)**

*Me temo que la situación no está muy clara. ¡Aquí **hay gato encerrado**!*

Haber moros en la costa

Haber personas o motivos para obrar con precaución o cautela **(the coast is not clear)**

*Puedes salir ya, no **hay moros en la costa***

Hablar a voz en grito

Hablar en voz muy alta **(to speak up/out loud)**

*Aquí hay mucho ruido, así que tendrás que **hablar a voz en grito** si quieres que te oiga*

EXPRESIONES SIMILARES
Véase **Dar voces**

Hablar como una cotorra

Hablar excesivamente **(to be a chatterbox, to talk non-stop)**

*Mi vecina de arriba **habla como una cotorra***

EXPRESIONES SIMILARES
Véase **Hablar por los codos**

Hablar en cristiano

Expresarse de manera clara y comprensible **(to speak clearly, to speak in an easy way to be understood)**

***Háblame en cristiano,** que no te entiendo*

EXPRESIONES SIMILARES
Hablar en plata
Llamar al pan pan y al vino vino

Hablar en plata

Decir las cosas tal y como son; hablar sin tapujos **(to tell it as it is)**

*A mí me **hablas en plata**, no quiero verdades a medias*

EXPRESIONES SIMILARES
Véase **Hablar en cristiano**

Hablar pestes y maravillas

Decir cosas horribles y cosas maravillosas de alguien **(to speak ill of/well of)**

*La gente **habla pestes y maravillas** de los políticos*

Hablar por los codos

Hablar sin parar, hablar mucho, enrollarse **(to be a chatterbox, to talk one's head off, to talk a mile a minute, to talk non-stop)**

*Los hombres **hablan** de fútbol **por los codos***

EXPRESIONES SIMILARES
Hablar como cotorras
Pegar la hebra

Hacer agua

Decaer algo, amenazando con llegar a la ruina **(to fail, to sink)**

*¿No ves que ese negocio no prosperará? **Hace agua** por todos sitios*

EXPRESIONES SIMILARES
Irse a pique

Hacer algo a la carrera

Hacer algo rápidamente, alocadamente, sin prestarle la atención necesaria **(to do something quickly)**

*Estuvieron toda la tarde sin hacer nada y al final tuvieron que **hacer el trabajo a la carrera***

Véase **Hacer algo al tuntún**

███████ **Hacer algo a pachas**

Hacer dos personas algo a medias **(to split the work)**

Este trabajo me parece muy complicado, ¿por qué no lo hacemos a pachas?

███████ **Hacer algo al tuntún**

Hacer algo al azar, alocadamente y sin medir las consecuencias **(to do something without paying attention/in a careless manner)**

Fíjate en lo que estás haciendo y no lo hagas al tuntún

Hacer algo a la carrera
Hacer algo como Dios le da a entender

███████ **Hacer algo como Dios le da a entender**

Actuar sin reflexionar, arreglándoselas cada uno como puede **(to do something carelessly)**

No le gusta planchar, así que lo hace como Dios le da a entender

Véase **Hacer algo al tuntún**

███████ **Hacer alguien una de las suyas**

Hacer cosas extravagantes, graciosas o censurables, que son propias de la persona que las hace, pero que escapan de la norma común **(to be up to one's old tricks)**

No sé qué estará tramando, pero creo que Ángel va a hacer una de las suyas

███████ **Hacer añicos**

Romper en pedazos, destrozar **(to break/tear to pieces, to shatter, to smash)**

Se me ha hecho añicos el jarrón al caerse

Hacerse papilla
Hacer polvo
Hacer trizas

Hacer borrón y cuenta nueva

Olvidar el pasado y comenzar de nuevo (**to start with a clean slate, to start from scratch, to begin from zero, to start from square one**)

José y Eva **hicieron borrón y cuenta nueva** *y continuaron su relación*

Hacer buenas migas

Congeniar, llevarse bien dos o más personas (**to get along with, to get on [well], to hit it off**)

Las dos niñas **han hecho buenas migas** *y siempre están juntas*

Véase **Caer bien**

Hacer burla

Mofarse, burlarse de alguien (**to mock, to make fun of**)

Los niños **hacían burla** *al pobre tonto del pueblo*

Hacer carrera

Progresar en una empresa (**to go up the ladder in a job**)

Luis **ha hecho carrera** *en esta empresa; empezó como botones y ha llegado a director*

Hacer caso

1. Obedecer (**to obey**)
2. Prestar atención (**to pay attention**)

Los alumnos no **hacían caso** *al profesor*

Hacer caso omiso

No prestar la mínima atención (**to fall on deaf ears, to turn a deaf ear**)

Los jóvenes suelen **hacer caso omiso** *de las advertencias de sus mayores*

EXPRESIONES SIMILARES
Véase **Caer en saco roto**

Hacer castillos en el aire

Fantasear, concebir demasiadas esperanzas o ilusiones sobre algo **(to build castles in the air)**

Es una chica muy fantasiosa que siempre **está haciendo castillos en el aire**

Hacer cola

Esperar ordenadamente el turno en una fila **(to wait in line, to make a line, to queue)**

Tenemos que **hacer cola** *para comprar las entradas*

Hacer de menos a alguien

Menospreciar a alguien **(to put someone down, to underestimate)**

Mi primo se enfadó muchísimo porque consideró que sus amigos **le habían hecho de menos** *al no invitarle a esa fiesta*

Hacer de rabiar

Conseguir que alguien se enfade **(to make someone mad, to tease someone)**

El niño **hace de rabiar** *a su hermanita tirándole de la coleta*

EXPRESIONES SIMILARES
Véase **Buscar las cosquillas a alguien**

Hacer de su capa un sayo

Obrar alguien según su propio albedrío y con total independencia **(to settle one's own affairs, to paddle one's own canoe)**

Fernando **hizo de su capa un sayo** *y se marchó a Japón*

Hacer de tripas corazón

Esforzarse por disimular el miedo, el dolor o cualquier otra impresión y sobreponerse para hacer algo que resulta repugnante o difícil **(to take one's courage in both hands, to pluck up one's courage)**

*Estaba muy triste, pero **hizo de tripas corazón** y siguió con su trabajo*

Hacer el agosto

Conseguir buenos resultados económicos con un negocio oportuno **(to make money fast, to make a fortune, to feather one's nest, to make a pile)**

*Abrió un puesto de refrescos en la playa e **hizo el agosto***

EXPRESIONES SIMILARES
Ponerse las botas
Sacar partido de algo
Sacar tajada
Sacarse un dinero

Hacer el canelo

Hacer el primo, ser tonto **(to make a fool of oneself)**

*Creo que **has hecho el canelo** esperándola porque ella no va a venir*

EXPRESIONES SIMILARES
Hacer el primo

Hacer el ganso

Comportarse de forma patosa, chistosa **(to fool around, to act funny)**

*No seas payaso y deja de **hacer el ganso***

EXPRESIONES SIMILARES
Hacer el indio
Hacer el payaso
Hacer el tonto

Hacer el indio

Comportarse de forma patosa, chistosa **(to fool around)**

*Ese chico es muy poco serio, se pasa todo el día **haciendo el indio***

EXPRESIONES SIMILARES
Véase **Hacer el ganso**

Hacer el payaso

Comportarse de forma patosa, chistosa **(to fool around)**

*A Jaime le encanta **hacer el payaso** delante de sus amigos*

EXPRESIONES SIMILARES
Véase **Hacer el ganso**

Hacer el primo

Actuar de forma excesivamente ingenua, hasta resultar tonto **(to play the fool)**

*Debemos ser buenos con los demás, pero no **hacer el primo***

EXPRESIONES SIMILARES
Véase **Hacer el canelo**

Hacer el tonto

Comportarse de forma patosa, chistosa **(to play the fool, to fool around)**

*Delante de las chicas Juan sólo sabe **hacer el tonto***

EXPRESIONES SIMILARES
Véase **Hacer el ganso**

Hacer el vacío

Aislar, marginar o rehuir a alguien **(to cold-shoulder, to ostracize)**

*Debido a su enfermedad, muchos **le hacen el vacío***

EXPRESIONES SIMILARES
Véase **Dar de lado**

Hacer eses

Ir hacia uno y otro lado; cuando se refiere a personas indica la forma de andar de los borrachos **(to weave, to sway, to stagger)**

*El coche patinó por el hielo y comenzó a **hacer eses***

Hacer examen de conciencia

Reflexionar cada uno sobre su propia actuación **(to ease one's conscience, to clear one's conscience)**

*Es bueno **hacer examen de conciencia** de vez en cuando para conocernos mejor a nosotros mismos*

Hacer frente

Enfrentarse a una situación normalmente complicada **(to face something or somebody)**

*Después de la quiebra de la empresa es posible que no podamos **hacer frente** a todas las facturas*

EXPRESIONES SIMILARES
Véase **Dar la cara**

Hacer gala

Presumir de algo, jactarse **(to take pride in, to show off)**

*Pedro **hizo gala** de sus grandes conocimientos en el examen*

Hacer gracia

Divertir **(to make someone laugh)**

*Me **hace gracia** ese humorista*

Hacer juego

Convenir o corresponderse una cosa con otra en orden, proporción o simetría **(to match, to coordinate clothing)**

*Esta blusa no **hace juego** con tu falda*

Hacer la calle

Ejercer la prostitución en la calle **(to become a prostitute, to be on the streets)**

*La pobre mujer se metió en la droga y acabó **haciendo la calle***

Hacer la cama a alguien

Tramar en secreto algo para causar daño a alguien **(to work secretly against someone)**

*Manuel le **ha hecho la cama a Pedro** y ha conseguido ocupar su puesto*

Hacer la carrera

Hacer estudios universitarios **(to do a major, to get a degree)**

***Hemos hecho la carrera** de Filología Española*

Hacer la corte

Cortejar, galantear **(to court, to be after someone)**

*Carlos llevaba un año **haciéndole la corte** a Marta y al final se han comprometido*

EXPRESIONES SIMILARES
Véase **Pelar la pava**

Hacer la pascua

Fastidiar, molestar **(to cook somebody's goose, to mess someone up)**

*Paco tiene muy mala idea y disfruta **haciéndole la pascua** a los demás*

EXPRESIONES SIMILARES
*Hacer la puñeta Hacer una faena Jugar una mala pasada

Hacer la pelota

Adular, halagar a alguien para obtener de él algún beneficio **(to soft-soap somebody, to toady to somebody, to butter somebody up)**

*Mi amigo le **hizo la pelota** a su profesor para que le pusiese buena nota*

EXPRESIONES SIMILARES
Véase **Dar coba**

*Hacer la puñeta

Fastidiar, molestar **(to make someone sick, to get irritated/vexed), (to piss someone off – UK)**

*Me **has hecho la puñeta** al avisarme con tan poco tiempo de que no podías venir a trabajar*

EXPRESIONES SIMILARES
Véase **Hacer la pascua**

Hacer la rosca

Adular, halagar a alguien para obtener de él algún beneficio **(to butter somebody up, to soft-soap somebody)**

*María **está haciendo la rosca** a su padre para que le deje ir a la fiesta*

EXPRESIONES SIMILARES
Véase **Dar coba**

Hacer la vista gorda

Fingir que uno no ha visto algo que debería reprender o corregir **(to look the other way)**

*No pienso **hacer la vista gorda** si os pillo copiando en el examen*

EXPRESIONES SIMILARES
Pasar por alto

Hacer las paces

Dar por terminado un enfrentamiento, lucha o discusión **(to make up after a quarrel, to bury the hatchet)**

*Aunque los hermanos se peleen mucho, siempre acaban **haciendo las paces***

Véase **Enterrar el hacha**

Hacer leña del árbol caído

Ensañarse contra alguien que ha tenido un fracaso **(to make things worse, to become cruel to/towards)**

No hagáis leña del árbol caído. ¿No veis que el pobre ya está bastante mal?

Hacer los deberes

Realizar los estudiantes la tarea que el profesor encomienda **(to do homework)**

Los estudiantes deben hacer los deberes todos los días

Hacer manitas

Tomarse las manos una pareja en actitud amorosa **(to hold hands)**

Los jóvenes hacían manitas en el parque

Véase **Pelar la pava**

Hacer mella

Causar efecto en uno la reprensión, el consejo o la súplica de otro **(to have an effect on a person; to harm/injure [reputation, career])**

Sus críticas no hicieron mella en él

Hacer mutis por el foro

Salir de la escena o de otro lugar sin hacerse notar **(to sneak out, to slip away)**

En vista de que nadie le prestaba atención, Pablo decidió hacer mutis por el foro

No hacer nada a derechas

No hacer nada con acierto, equivocarse continuamente **(not to do anything well)**

Hoy tengo un mal día y parece que **no hago nada a derechas**

EXPRESIONES SIMILARES
Véase **No dar pie con bola**

Hacer novillos

No asistir a clase un escolar **(to play hooky, to cut classes)**

Los niños prefieren **hacer novillos** *a ir a la escuela*

EXPRESIONES SIMILARES
Hacer pellas

Hacer oídos sordos

No prestar atención a lo que otro dice **(to pay no attention)**

Hicieron oídos sordos *a sus consejos*

EXPRESIONES SIMILARES
Véase **Caer en saco roto**

Hacer pellas

No asistir a clase un escolar **(to play hooky, to cut classes)**

En vez de ir a clase, decidieron **hacer pellas**

EXPRESIONES SIMILARES
Véase **Hacer novillos**

Hacer pinitos

Dar los primeros pasos en algún arte o ciencia **(to take one's first steps)**

Mi amiga Ángela **está haciendo sus pinitos** *en el mundo de la pasarela*

Hacer polvo

Romper en pedazos, destrozar **(to smash, to break/tear to pieces)**

Cuando se enfada, **hace polvo** *todo lo que se encuentra*

EXPRESIONES SIMILARES
Véase **Hacer añicos**

███████████ **Hacer pucheros**

Poner el gesto que precede al llanto **(to pout, to screw up one's face to cry)**

El niño comenzó a hacer pucheros porque su madre no le compró el caramelo que quería

███████████ **Hacer sábado**

Hacer una limpieza general en la casa **(to clean up)**

Hoy he tenido que hacer sábado porque todo estaba ya muy sucio

███████████ **Hacer sombra**

Ser causa una persona de que otra no sobresalga, por superarla en méritos o habilidades **(to overshadow, to outshine)**

Con su sabiduría, Manuel hacía sombra a todos los que le rodeaban

███████████ **Hacer tabla rasa**

Prescindir o desentenderse de algo **(to ignore entirely, to pretend to be unaware of)**

Hicimos tabla rasa de lo que nos había dicho él y comenzamos de nuevo el informe

███████████ **Hacer temblar los cimientos**

Conmocionar, hacer que se tambaleen hasta los principios más asentados de alguien o de un colectivo **(to shake up, to shake to the foundations)**

Ese escándalo hizo temblar los cimientos de la sociedad británica

███████████ **Hacer tilín**

Gustar mucho alguien o algo **(to begin to like somebody, to appeal, to be appealing)**

La verdad es que Alfonso empieza a hacerme tilín

EXPRESIONES SIMILARES
Véase **Beber los vientos por alguien**

Hacer trizas

Destrozar, romper en pedazos **(to smash, to shatter, to tear/pull to pieces)**

*José **hizo trizas** el jarrón de su abuela, al darle con el brazo*

EXPRESIONES SIMILARES
Véase **Hacer añicos**

Hacer un buen/mal papel

Actuar de una forma correcta/incorrecta en una situación concreta o en el teatro **(to do well/bad, to act well/bad, to play the roll well/bad)**

*Creo que **has hecho un buen papel** en el partido*

Hacer un día de perros

Hacer un tiempo desagradable con frío y lluvia **(to be filthy/nasty weather)**

*No deja de llover; **hace un día de perros***

Hacer un pan con unas tortas

Hacer un mal negocio **(to make/get a bad deal)**

*¡Pues **hacemos un pan con unas tortas** si compramos esa basura de coche!*

Hacer una faena

Jugar sucio con alguien; comportarse, en un momento determinado, mal con alguien **(to play a dirty trick on somebody)**

*Vaya **faena que me has hecho** al poner el coche en doble fila*

EXPRESIONES SIMILARES
Véase **Hacer la pascua**

Hacerse a la mar

Embarcarse para navegar **(to set sail, to set off, to sail)**

*Los pescadores **se hacen a la mar** al amanecer*

███████ **Hacerse a un lado**

Situarse en una posición alejada del centro **(to step aside, to make way)**

Háganse a un lado para dejar paso a la comitiva

███████ **Hacerse cargo**

Tomar la responsabilidad de algo **(to take charge of)**

*Voy a **hacerme cargo de** la organización de ese proyecto*

EXPRESIONES SIMILARES
Ponerse al frente

███████ **Hacerse cuesta arriba**

Hacerse algo muy difícil de comprender o de realizar **(to be too much for one to cope with, to go against the grain)**

*Se me **hace muy cuesta arriba** continuar mis estudios*

EXPRESIONES SIMILARES
Véase **Costar trabajo**

███████ **Hacerse de nuevas**

Pretender, fingir que no se sabe algo que sí se conocía **(to pretend not to know, to play the innocent)**

*No **te hagas de nuevas,** porque ya sabías que Marta iba a venir*

███████ **Hacerse de rogar**

Resistirse a hacer algo para que otros se lo pidan con insistencia **(to want to be coaxed, to play hard to get)**

*Elena quería salir con Juan, pero antes **se hizo de rogar***

███████ **Hacerse eco de algo**

Considerar que algo es notable y digno de atención y reflexión **(to devote a lot of time/space)**

*Toda la prensa **se ha hecho eco** de los desastres ocasionados por el huracán*

Hacerse el loco

Simular que se está distraído o no se entera de algo para no tener que contestar u obrar en consecuencia **(to play dumb)**

Antonio **se hace el loco,** *pero yo creo que me ha entendido perfectamente*

EXPRESIONES SIMILARES
Véase **Hacerse el sueco**

Hacerse el sordo

Simular que no se oye algo para no tener que contestar u obrar en consecuencia **(to play deaf)**

No **te hagas el sordo,** *que te estoy hablando a ti*

EXPRESIONES SIMILARES
Véase **Hacerse el sueco**

Hacerse el sueco

Disimular, hacer como que no se oye o no se ve algo que no interesa **(to play dumb, to play deaf, to pretend not to understand)**

Cuando le digo que me ayude, **se hace el sueco**

EXPRESIONES SIMILARES
Hacerse el loco
Hacerse el sordo
Hacerse el tonto

Hacerse el tonto

Simular que se está distraído o no se entera de algo para no tener que contestar u obrar en consecuencia **(to act dumb, to pretend not to understand)**

Marcos sabe muy bien cómo **hacerse el tonto** *cuando le interesa*

EXPRESIONES SIMILARES
Véase **Hacerse el sueco**

Hacerse la boca agua

Pensar con placer o deleite en una cosa, particularmente de comer **(to make the mouth water)**

Al ver esos pasteles se me hizo la boca agua

██████████ **Hacerse mala sangre**

Dar rabia, irritar **(to get irritated, to make someone mad)**

Se me hace mala sangre cuando veo que los políticos no solucionan el hambre en el mundo

██████████ **Hacerse papilla**

Romperse en pedazos, destrozarse **(to wreck, to smash, to break/tear to pieces)**

El coche se ha hecho papilla al estrellarse contra la pared

EXPRESIONES SIMILARES
Véase **Hacer añicos**

██████████ **Hacerse pupa**

Hacerse daño **(to get hurt)**

El niño se ha caído y se ha hecho pupa

██████████ **Hacerse un lío**

Embarullarse alguien diciendo o haciendo algo; no entender algo con claridad **(to get into a fix/jam)**

José estaba hablando, se hizo un lío y no supo cómo continuar

██████████ **Hilar muy fino**

Actuar con sumo cuidado, especialmente en asuntos delicados **(to talk/discuss very subtly, to act very carefully, to treat an issue carefully)**

Es un tema muy delicado y debemos hilar muy fino

██████████ **Hincharse las narices**

Enfadarse mucho **(to get annoyed/angry, to blow up)**

Si sigues diciéndome eso se me van a hinchar las narices

I

Importar un bledo

No interesar o preocupar lo más mínimo alguna cosa **(not to give a monkey's toss, not to give a hoot/damn about something, not to care a straw)**

Me importa un bledo que llores, no te lo voy a dar

EXPRESIONES SIMILARES
Importar un pepino
Importar un pimiento
Importar un rábano
Tener sin cuidado
Traer al fresco
Traer sin cuidado

Importar un pepino

No interesar o preocupar lo más mínimo alguna cosa **(not to give a hoot/damn about something)**

A Julio le importan un pepino las matemáticas

EXPRESIONES SIMILARES
Véase **Importar un bledo**

Importar un pimiento

No interesar o preocupar lo más mínimo alguna cosa **(not to give a hoot/damn about something)**

A muchas personas les importa un pimiento lo que les ocurra a los demás

EXPRESIONES SIMILARES
Véase **Importar un bledo**

Importar un rábano

No interesar o preocupar lo más mínimo alguna cosa **(not to give a hoot/damn about something)**

Me importa un rábano lo que hagas

EXPRESIONES SIMILARES
Véase **Importar un bledo**

Ir a la carrera

Ir muy rápidamente de un sitio a otro **(to be on the go)**

Voy todo el día a la carrera porque tengo que hacer mil cosas

EXPRESIONES SIMILARES
Ir al trote

Ir a la compra

Comprar los víveres y objetos necesarios para la vida diaria **(to go grocery shopping), (to do the week's shopping/a big shop – UK)**

Normalmente, vamos a la compra los viernes

Ir a la deriva

Ir sin rumbo fijo **(to drift)**

No tenemos directrices claras y el proyecto va a la deriva

No ir a la zaga

No ser inferior a alguien o algo, no ir detrás de alguien o algo **(to be as good as, to keep up with someone or something)**

Luis es muy inteligente, pero María no le va a la zaga

Ir a lo suyo

Actuar pensando sólo en el propio interés **(to look after one's own interest)**

Es un chico muy egoísta que siempre va a lo suyo

Ir a por uvas

Tener la mente alejada de lo que se está haciendo, pensar en las musarañas **(to let one's mind wander, to be absent-minded)**

Hijo, parece que vas a por uvas. ¡Espabila!

EXPRESIONES SIMILARES
Véase **Estar en Babia**

▬▬▬▬▬ Ir a tiro hecho

Hacer algo con deliberación y seguridad en el resultado **(to go to get something without hesitation, to go directly to do something)**

He ido a tiro hecho a la tienda porque ayer ya había visto la falda

▬▬▬▬▬ Ir a tope

1. Estar alguien muy acelerado **(to be always on the go, not to have a minute for oneself)**
2. Estar al límite **(to walk on thin ice)**

Elena lleva una vida muy ajetreada, siempre va a tope

EXPRESIONES SIMILARES
Véase **Estar como una moto**

▬▬▬▬▬ Ir al grano

Hablar de lo fundamental de un asunto, sin entretenerse en lo accesorio **(to get to the point)**

Me gusta la claridad, así que ve al grano

▬▬▬▬▬ Ir al trote

Ir muy rápido **(to be on the go)**

Tengo tanto que hacer que siempre voy al trote

EXPRESIONES SIMILARES
Véase **Ir a la carrera**

▬▬▬▬▬ Ir algo a misa

ser la verdad absoluta e indiscutible **(to be the truth/undeniable)**

un profesor muy autoritario y lo que él dice va a misa

Ir con pies de plomo

Actuar con mucha cautela o prudencia ante una situación delicada **(to walk on eggshells)**

*Debes **ir con pies de plomo** porque Laura es muy susceptible*

EXPRESIONES SIMILARES
Véase **Andar con pies de plomo**

Ir contra corriente

Actuar, ir en sentido contrario al de los demás **(to swim against the tide)**

*A María le gusta **ir contra corriente** y nunca viste a la moda*

Ir dando tumbos

Ir de un sitio a otro sin orden ni concierto **(to sway, to stagger)**

*Desde que le dejó su novia **va dando tumbos** por la vida*

EXPRESIONES SIMILARES
Véase **Estar en danza**

Ir de aquí para allá

Ser una persona muy activa y estar en continuo movimiento **(to go from here to there)**

*Se pasa todo el día **yendo de aquí para allá**, pero no hace nada*

EXPRESIONES SIMILARES
Véase **Estar en danza**

Ir de cabeza

Estar muy preocupado por un exceso de problemas que parecen tener una difícil solución **(to go crazy)**

***Voy de cabeza** con este negocio tan complicado*

EXPRESIONES SIMILARES
Véase **Andar de cabeza**

Ir de compras

Ir a mirar tiendas para comprar ropa u otros accesorios **(to go shopping)**

*Hemos quedado para **ir** a Londres **de compras***

Ir de cráneo

Tener muchos problemas, que parecen empeorarse por momentos **(to go crazy, to lose the place, to go down hill/from bad to worse)**

***Voy de cráneo** en mis estudios; no voy a aprobar ninguna*

EXPRESIONES SIMILARES
*Ir de culo
Ir de Guatemala a guatepeor
Ir de Herodes a Pilatos
Ir de mal en peor

*Ir de culo

Tener muchos problemas, que parecen empeorarse por momentos **(to go crazy)**

*Chico, es que **vas de culo** si pretendes salir con María*

EXPRESIONES SIMILARES
Véase **Ir de cráneo**

Ir de Guatemala a guatepeor

Pasar de una situación mala a otra peor **(to go from bad to worse, to go out of the frying pan into the fire)**

*Las cosas no iban muy bien, pero ahora parece que **he ido de Guatemala a guatepeor***

EXPRESIONES SIMILARES
Véase **Ir de cráneo**

Ir de Herodes a Pilatos

Pasar de una situación mala a otra peor **(to go from bad to worse, to go out of the frying pan into the fire)**

*Tienes mala suerte con los jefes; **has ido de Herodes a Pilatos***

> EXPRESIONES SIMILARES
> Véase **Ir de cráneo**

Ir de la Ceca a la Meca

Ir de una parte a otra, de aquí para allá **(to go from pillar to post)**

Para hacer cualquier papeleo hay que ir de la Ceca a la Meca

> EXPRESIONES SIMILARES
> Véase **Estar en danza**

Ir de mal en peor

Ir cada vez peor a medida que ocurren cambios **(to go from bad to worse)**

Ya no tengo esperanzas, la empresa va de mal en peor

> EXPRESIONES SIMILARES
> Véase **Ir de cráneo**

Ir de marcha

Salir con amigos a divertirse **(to go out to have fun, to paint the town red)**

Todos los viernes, María se va de marcha

> EXPRESIONES SIMILARES (CAER BIEN)
> Correrse una juerga
> Echar una cana al aire
> *Estar de cachondeo
> Ir de juerga
> Ir de picos pardos
> Tener (mucha) marcha

Ir de pesca

Ir a pescar o, figuradamente, ir a ligar **(to go fishing, to go out on the prowl)**

Muchos jóvenes van de pesca los viernes a la discoteca

Ir de picos pardos

Salir de juerga, ir de copas y diversión **(to go out on the town)**

En vez de **ir de picos pardos***, podrías quedarte a estudiar*

EXPRESIONES SIMILARES
Véase **Ir de marcha**

Ir de puerta en puerta

Llamar a todas las personas posibles para conseguir su socorro **(to go/ask for help, to go from door to door)**

Fue de puerta en puerta *buscando ayuda para su hija enferma*

Ir de punta en blanco

Ir muy acicalado, con sus mejores galas **(to dress up, to dress in full armor, to have a good bearing and appearance)**

A esa fiesta hay que **ir de punta en blanco**

EXPRESIONES SIMILARES
Estar hecho un brazo de mar
Estar hecho un sol
Ir de tiros largos
Ir hecho un pincel
Ir muy puesto

Ir de tiros largos

Ir muy elegantemente vestido **(to dress up/formally)**

Cuando Laura sale los sábados con su novio, **va de tiros largos**

EXPRESIONES SIMILARES
Véase **Ir de punta en blanco**

Ir de trapillo

Vestir de manera informal **(to dress casual)**

Ella siempre **va de trapillo***, esté donde esté*

Ir de un lado a otro

Ir de aquí para allá **(to go from one place to another)**

*Tuve que **ir de un lado a otro** hasta que solucioné mis papeles*

EXPRESIONES SIMILARES
Véase **Estar en danza**

Ir hecho un Adán

Vestir con desaliño o dejadez **(to dress carelessly/slovenly/untidily, to look a mess)**

*Métete bien la camisa, que **vas hecho un Adán***

EXPRESIONES SIMILARES
Ir hecho un adefesio
Ir hecho un gitano
Ir manga por hombro
Tener mala pinta

Ir hecho un adefesio

Vestir de forma ridícula o extravagante **(to dress weirdly, to wear a ridiculous costume/dress, to look like a scarecrow)**

*Luisa **iba hecha un adefesio** con ese vestido tan horrible*

EXPRESIONES SIMILARES
Véase **Ir hecho un Adán**

Ir hecho un gitano

Vestir con desaliño o dejadez **(to dress untidily/ungroomed, to look a mess)**

*No se preocupa de sus niños y los pobres **van** siempre **hechos unos gitanos***

EXPRESIONES SIMILARES
Véase **Ir hecho un Adán**

Ir hecho un pincel

Vestir de forma muy cuidada, ir muy elegante **(to dress neatly/nice and neat/stylish, to look smart)**

***Vas hecho un pincel.** ¿Es que estás buscando novia?*

Véase **Ir de punta en blanco**

Ir manga por hombro

1. Marchar algo con descuido y desorden;
2. estar algo falto de dirección y control **(to be messy)**

En mi casa todo va manga por hombro porque no tengo tiempo para nada

Véase 1. **Andar manga por hombro**
      2. **Ir hecho un Adán**

Ir muy puesto

Vestir de manera muy elegante **(to dress properly/with taste or style, to look smart)**

Es una reunión oficial a la que hay que ir muy puesto

Véase **Ir de punta en blanco**

Ir pisando huevos

Ir muy despacio **(to step on eggs, to drag one's feet, to walk slowly)**

Muchos conductores mayores van siempre pisando huevos

Ir por delante en el marcador

Ir ganando al rival provisionalmente **(to be ahead in the game)**

El Madrid fue por delante en el marcador durante casi todo el partido, pero al final ganó el Barcelona

Ir que chuta

Darse por satisfecho con lo que a uno le dan **(to have enough with something, to be content)**

Vas que chutas con ese regalo, no me pidas nada más

Ir sobre ruedas

Ir muy bien **(to go well)**

Estoy feliz porque nuestra relación va sobre ruedas

Expresiones similares
Véase **Ir viento en popa**

Ir viento en popa

Marchar muy bien un asunto **(to go really well/favorable)**

Nuestra relación va viento en popa

Expresiones similares
Ir sobre ruedas
Marchar viento en popa
Salir a pedir de boca

Irse a freír espárragos

Irse al infierno; irse de algún sitio despedido por alguien con enfado o desprecio **(to go jump in the lake)**

Déjame en paz. ¡Vete a freír espárragos!

Expresiones similares
Irse a hacer gárgaras
Irse a paseo
Irse a tomar viento
*Irse al carajo
*Irse al cuerno
Irse al diablo
Irse al garete

Irse a hacer gárgaras

Irse al infierno; irse de algún sitio despedido por alguien con enfado o desprecio **(to go jump in the lake)**

Vete a hacer gárgaras, *no me gusta nada lo que me estás diciendo*

Expresiones similares
Véase **Irse a freír espárragos**

Irse a paseo

Irse de algún sitio despedido por alguien con enfado o desprecio; estropearse, perderse algo que se estaba realizando **(to get lost)**

Pulsó la tecla incorrecta y todo el trabajo se fue a paseo

EXPRESIONES SIMILARES
Véase **Irse a freír espárragos**

Irse a pique

Hundirse **(to sink, to be ruined)**

Cuando se retiró el otro socio, la empresa se fue a pique

EXPRESIONES SIMILARES
Véase **Hacer agua**

Irse a tomar viento

Irse de algún sitio despedido por alguien con enfado o desprecio; estropearse, perderse algo que se estaba realizando **(to go jump in the lake)**

Aquí no queremos impresentables como tú. **¡Vete a tomar viento!**

EXPRESIONES SIMILARES
Véase **Irse a freír espárragos**

*Irse al carajo

Irse de algún sitio despedido por alguien con enfado o desprecio; estropearse, perderse algo que se estaba realizando **(to go to hell, to get lost, to dismiss someone)**

Todos los informes se fueron al carajo cuando se averió el ordenador

EXPRESIONES SIMILARES
Véase **Irse a freír espárragos**

*Irse al cuerno

Irse de algún sitio despedido por alguien con enfado o desprecio; estropearse, perderse algo que se estaba realizando **(to go to hell, to get lost)**

*Por un error de cálculo, la operación **se fue al cuerno***

EXPRESIONES SIMILARES
Véase **Irse a freír espárragos**

Irse al diablo

Irse de algún sitio despedido por alguien con enfado o desprecio; estropearse, perderse algo que se estaba realizando **(to go to hell)**

*Su vida entera **se fue al diablo** por culpa de un conductor inútil*

EXPRESIONES SIMILARES
Véase **Irse a freír espárragos**

Irse al garete

Estropearse, perderse algo **(to go away, to disappear, to go up in smoke)**

*Todas mis ilusiones **se fueron al garete** cuando comprendí que no me querías*

EXPRESIONES SIMILARES
Véase **Irse a freír espárragos**

Irse de la lengua

Decir algo que se debe callar por prudencia o discreción **(to let something slip, to blurt out)**

*No le cuentes ningún secreto a Luis porque **se va de la lengua** con mucha facilidad*

EXPRESIONES SIMILARES
Véase **Ser un deslenguado**

Irse de rositas

Salir libre y sin castigo tras una mala acción **(to get off free)**

*No te creas que **te vas a ir de rositas** después de lo que has hecho*

Irse el santo al cielo

Olvidar lo que se iba a decir o a hacer **(to forget what one was about to say or to do)**

Perdón, no sé lo que estaba diciendo, **se me ha ido el santo al cielo**

EXPRESIONES SIMILARES
Véase **Estar en Babia**

Irse la cabeza

Perder el conocimiento, marearse **(to lose consciousness, to go blank)**

Se le fue la cabeza *y se cayó al suelo*

Irse la fuerza por la boca

Hablar demasiado y no obrar correspondientemente, fanfarronear **(to brag, to say whatever comes into one's head, to talk a lot of hot air)**

No tengas miedo de él, **se le va la fuerza por la boca,** *pero luego no hace nada*

Irse por las ramas

Desviarse hacia lo accesorio y no tratar directamente lo fundamental **(to wander off the point)**

En lugar de centrarse en el tema, **se iba** *continuamente* **por las ramas**

EXPRESIONES SIMILARES
Véase **Andarse con rodeos**

Irse por los cerros de Úbeda

Desviarse, de forma voluntaria, del asunto de que se trata **(to wander off the point)**

Perdona, **me he ido por los cerros de Úbeda***, pero ya voy al grano*

EXPRESIONES SIMILARES
Véase **Andarse con rodeos**

J

Jugar con dos barajas

Actuar con seguridad y sin riesgo alguno por haber previsto todas las alternativas **(to sit on the fence)**

*Pepe es muy listo, a la hora de tomar decisiones siempre **juega con dos barajas***

EXPRESIONES SIMILARES
Véase **Nadar entre dos aguas**

Jugar con fuego

Entretenerse en algo u ocuparse en algo que puede resultar peligroso **(to play with fire)**

*Ten cuidado, creo que **estás jugando con fuego** al meterte en ese negocio*

Jugar una mala pasada

Jugar sucio con alguien; comportarse, en un momento determinado, mal con alguien **(to play a dirty trick on somebody)**

*Manuel me **jugó una mala pasada** al fugarse con el dinero de la empresa*

EXPRESIONES SIMILARES
Véase **Hacer la pascua**

Jugarse el tipo

Poner la vida en peligro, arriesgándose **(to risk one's life/one's neck, to take one's life in one's hands)**

*Fabio **se jugó el tipo** en ese salto tan arriesgado*

EXPRESIONES SIMILARES
Véase **Correr el riesgo**

■■■■■■■ **Jugarse el todo por el todo**

Hacer o emprender una cosa en la que lo mismo puede encontrarse la salvación que perderse todo (**to play the last card, to bet everything one has**)

*Es mi última oportunidad, así que tengo que **jugarme el todo por el todo***

EXPRESIONES SIMILARES
Véase **Correr el riesgo**

■■■■■■■ **Jugarse la vida**

Arriesgar la vida (**to risk one's life, to take one's life in one's hands**)

*María **se jugó la vida** para salvar a su hijo*

EXPRESIONES SIMILARES
Véase **Correr el riesgo**

■■■■■■■ **Jugárselo todo a una carta**

Hacer o emprender una cosa en la que lo mismo puede encontrarse la salvación que perderse todo (**to put all one's eggs in one basket**)

*Voy a **jugármelo todo a una carta** comprando acciones de Telefonía móvil*

EXPRESIONES SIMILARES
Véase **Correr el riesgo**

L

Lavarse las manos

Desentenderse de la responsabilidad de algo en lo que no se desea intervenir **(not to take responsibilities, to wash one's hands)**

No quiero saber nada de ese asunto; yo **me lavo las manos**

EXPRESIONES SIMILARES
Véase **Cruzarse de brazos**

Leer la cartilla a alguien

Hacerle una severa reconvención a alguien **(to read the riot act, to reprimand severely, to have somebody on the carpet)**

La madre **le leyó la cartilla** *a su hijo por llegar tarde*

EXPRESIONES SIMILARES
Véase **Echar una bronca**

Levantar ampollas

Provocar dolor, sensación de incomodidad o malestar al decir o hacer algo que la gente no quiere saber o escuchar **(to cause pain/discomfort)**

Las palabras de ese diputado acerca de los malos tratos a los niños **han levantado ampollas** *en la sociedad*

(No) levantar cabeza

(No) salir de la mala situación en que uno se halla **([not] to get on one's feet again)**

Juan **no levanta cabeza***; después de un problema le viene otro*

Levantar la liebre

Descubrir un secreto, revelar algo que constituye un escándalo **(to blow the lid [off], to open a can of worms, to reveal a secret)**

Fue este periódico el que **levantó la liebre** *en ese asunto turbio de drogas*

Levantarse con el pie derecho

Empezar algo con buena suerte **(to get out of bed on the right side)**

Cuando **me levanto con el pie derecho,** *parece que la vida es de color de rosa*

Levantarse con el pie izquierdo

Empezar algo con desacierto o mala suerte **(to get up on the wrong side of the bed)**

Hoy **me he levantado con el pie izquierdo,** *¡vaya día llevo!*

Liarse a mamporros

Enzarzarse en una pelea **(to come to blows)**

Empezaron insultándose y al final acabaron **liándose a mamporros**

Liarse la manta a la cabeza

Tomar una decisión que, de antemano, se ve como arriesgada **(to go the whole hog)**

Elisa **se lió la manta a la cabeza** *y se marchó al extranjero*

Llamar a capítulo

Regañar; exigir que alguien dé cuenta de sus actos **(to call to account, to bring to task)**

El jefe **llamó a capítulo** *a todos sus empleados porque los resultados habían sido muy malos*

EXPRESIONES SIMILARES
Véase **Echar una bronca**

Llamar al pan pan y al vino vino

Llamar a las cosas por su nombre, decir las cosas con claridad y sin rodeos **(to call a spade a spade, to tell it as it is)**

Me gustan las cosas claras: hay que **llamar al pan pan y al vino vino**

EXPRESIONES SIMILARES
Véase **Hablar en cristiano**

Llegar a mayores

Llegar a graves consecuencias una discusión **(to end up in a quarrel, to get into a fight)**

*Vamos a calmarnos porque si no **llegaremos a mayores***

(No) llegar el dinero

(No) tener dinero suficiente para cubrir los gastos **([not] to be able to make ends meet, [not] to be able to make it/to afford it)**

*Como tengo un sueldo muy bajo no me **llega el dinero** a fin de mes*

No llegar la camisa al cuerpo

Estar alguien muy asustado por algo que puede ocurrir **(to be frightened, not to stop trembling)**

*Tenía tanto miedo que **no le llegaba la camisa al cuerpo***

(No) llegar la sangre al río

(No) tener consecuencias graves una disputa **([not] to come to anything serious, [not] to have serious consequences)**

*La situación era muy tensa, pero **no llegó la sangre al río***

Llegar y besar el santo

Llegar en el momento oportuno a un lugar y conseguir algo que se pretendía sin necesidad de esperar **(to get something very easy [as easy as a pie])**

*Yo buscaba ese trabajo desde hace meses, pero llegó ella y lo consiguió; a eso le llaman **llegar y besar el santo***

EXPRESIONES SIMILARES
Véase **Estar de suerte**

No llegarle a alguien a la suela del zapato

Ser una persona muy inferior a otra **(not to be at someone's else level, not to be fit to tie someone's shoelaces)**

*Se cree muy importante, pero no **le llega a su padre a la suela del zapato***

Llevar a cabo

Realizar **(to perform, to carry out)**

Alicia lleva a cabo una labor indispensable en su empresa

Llevar a alguien al altar

Casarse con alguien **(to lead someone to the altar)**

Después de cinco años de noviazgo, consiguió llevarla al altar

Llevar años a alguien

Ser un número de años mayor que otra persona **(to be older than someone else)**

Pablo le lleva tres años a su hermano Juan

Llevar de cabeza

Preocupar un asunto a alguien **(to worry about)**

La hipoteca del piso me lleva de cabeza

EXPRESIONES SIMILARES
Véase **Andar de cabeza**

Llevar el agua a su molino

Orientar en provecho propio alguna circunstancia **(to turn something to one's advantage)**

Ramón consiguió llevar el agua a su molino cuando todos aceptaron su plan

EXPRESIONES SIMILARES
Véase **Arrimar el ascua a su sardina**

Llevar la batuta

Tener el control, dirigir una situación **(to boss the show, to call the tune)**

El director general lleva la batuta de este proyecto

EXPRESIONES SIMILARES
Véase **Tener la sartén por el mango**

Llevar la cabeza a alguien

Ser más alto que otra persona el número de centímetros que mide una cabeza **(to be a head taller than someone, to be head and shoulders above someone)**

Es tan bajita que todos le ***llevan la cabeza***

EXPRESIONES SIMILARES
Sacar la cabeza a alguien

Llevar la corriente a alguien

Asentir a lo que alguien hace o dice **(to drift with the tide, to go with the flow)**

No me gusta discutir, así que prefiero ***llevarte la corriente***

EXPRESIONES SIMILARES
Seguir la corriente a alguien

Llevar la contraria a alguien

Oponerse a lo que alguien dice o hace **(to contradict someone, to oppose)**

No ***le lleves la contraria*** *porque se enfada muchísimo*

Llevar la voz cantante

Tener el control, dirigir una situación **(to boss the show, to call the tune)**

En esta empresa ***la voz cantante la llevo*** *yo*

EXPRESIONES SIMILARES
Véase **Tener la sartén por el mango**

Llevar las riendas

Dirigir la buena marcha de algo **(to be in command, to have the reins, to be in control)**

A María le gusta ***llevar las riendas*** *de todo*

EXPRESIONES SIMILARES
Véase **Tener la sartén por el mango**

■■■■■■■■ **Llevar los pantalones**

Tener, ejercer o imponer la autoridad en un lugar, principalmente en el hogar (**to be the boss [in the family], to wear the pants/troussers**)

*En mi casa es mi mujer la que **lleva los pantalones***

EXPRESIONES SIMILARES
Véase **Tener la sartén por el mango**

■■■■■■■■ **Llevar todas las de perder**

Tener todas las posibilidades para salir malparado en una situación (**to be in a losing position, to be on the road to ruin**)

*Si sigues por ese camino **llevas todas las de perder***

■■■■■■■■ **Llevar una vida de perros**

Tener una vida muy dura, plagada de dificultades y penurias (**to lead a dog's life**)

*Siempre se queja de que **lleva una vida de perros,** pero yo no veo que le vaya tan mal*

■■■■■■■■ **Llevarlo claro**

Tener una situación fácil; a menudo, se usa irónicamente para referirse a una situación difícil (**to have it easy, to have it difficult**)

*Lo **llevas claro** si piensas que te voy a comprar un coche*

EXPRESIONES SIMILARES
Llevarlo crudo

■■■■■■■■ **Llevarlo crudo**

Tener una situación difícil (**to have problems/a hard time**)

*Óscar **lo lleva crudo** para aprobar el examen*

EXPRESIONES SIMILARES
Véase **Llevarlo claro**

Llevarse a matar

Tener dos o más personas una relación pésima **(to get along really badly, to hate each other's guts)**

Mis dos vecinos se llevan a matar y siempre están discutiendo

> **EXPRESIONES SIMILARES**
> Véase **Andar a la greña**

Llevarse al huerto a alguien

1. Convencer a alguien mediante artimañas para que haga lo que nosotros queremos, llevar a alguien a nuestro terreno **(to convince someone, to persuade someone)**
2. Llevarse a alguien a la cama **(to take someone to bed)**

Lo único que quiere de esa chica es llevársela al huerto

> **EXPRESIONES SIMILARES**
> Véase 1 **Dar gato por liebre**
> 2 **Pelar la pava**

Llevarse bien/mal con alguien

Tener una buena/mala relación con otra persona **(to get along well/bad with, to get on well/bad with)**

Me llevo muy bien con mis alumnos

> **EXPRESIONES SIMILARES (LLEVARSE BIEN)**
> Véase **Caer bien**

> **EXPRESIONES SIMILARES (LLEVARSE MAL)**
> Véase **Andar a la greña**

Llevarse como el perro y el gato

Llevarse muy mal varias personas, estar en continua lucha entre ellos **(to fight like cat and dog)**

Antonio y Pedro se llevan como el perro y el gato; no pueden estar dos minutos seguidos sin discutir

EXPRESIONES SIMILARES
Véase **Andar a la greña**

Llevarse de calle

Captar el interés de todos los que le rodean a uno debido a su atractivo físico o moral **(to be convincingly attractive to others, to turn heads, to be a looker, to be easy on the eyes, to be eye candy)**

Juan es una persona muy atractiva y ***se lleva de calle*** *a todo el mundo*

Llevarse el gato al agua

Conseguir la victoria en cualquier disputa **(to bring home the price, to win the day)**

Todos iban detrás de Luisa, pero, al final, fue Pedro el que logró ***llevarse el gato al agua***

Llevarse por delante

Chocar con alguien o con algo produciéndole lesiones o algún daño, que puede ocasionar la muerte **(to strike, to hit someone, to crash into)**

Se llevó por delante *a un peatón al no poder frenar*

Llevarse un chasco

Sufrir una desilusión, una decepción **(to get a nasty shock, to be disappointed)**

Me llevé un chasco *cuando me dijeron que no había aprobado el examen*

Llevarse un soponcio

Sufrir un disgusto muy grande **(to get an unpleasant surprise)**

Josefa ***se llevó un soponcio*** *cuando su hija le dijo que estaba embarazada*

Llover a cántaros

Llover mucho **(to rain cats and dogs, to rain buckets)**

No pudimos salir de casa porque ***llovía a cántaros***

> EXPRESIONES SIMILARES
> Véase **Caer chuzos de punta**

Llover sobre mojado

Añadirse más dificultades o problemas a una situación ya de por sí difícil (**it never rains but it pours adversities/difficulties, to be the last straw**)

*El insulto no fue muy grave, pero ya **llovía sobre mojado** y María se echó a llorar*

Luchar a brazo partido

Trabajar o pelear con mucha tenacidad (**to fight tooth and nail, to fight as if one's life depended on it**)

***Luché a brazo partido** con el que intentaba robarme*

> EXPRESIONES SIMILARES
> Luchar con uñas y dientes

Luchar con uñas y dientes

Luchar alguien con todas sus fuerzas (**to fight like a dog/tooth and nail**)

***Lucharé con uñas y dientes** por conseguir mis objetivos*

> EXPRESIONES SIMILARES
> Véase **Luchar a brazo partido**

M

Mandar a freír espárragos

Echar a alguien o desentenderse de él con brusquedad y enfado **(to tell someone to go jump in the lake, to send someone to hell)**

*Si sigue molestándote, **mándale a freír espárragos***

EXPRESIONES SIMILARES
Mandar a hacer gárgaras
*Mandar a hacer puñetas
Mandar a la porra
Mandar a paseo
*Mandar a tomar por saco
Mandar a tomar viento
*Mandar al carajo
*Mandar al cuerno

Mandar a hacer gárgaras

Echar a alguien o desentenderse de él con brusquedad y enfado **(to send someone packing, to send about one's business)**

*Luisa **mandó** a Javier **a hacer gárgaras** porque estaba poniéndose muy pesado*

EXPRESIONES SIMILARES
Véase **Mandar a freír espárragos**

*Mandar a hacer puñetas

Despedir o contestar a alguien con un desaire o desconsideración **(*to tell somebody to fuck off)**

*Como no te calles, voy a **mandarte a hacer puñetas***

EXPRESIONES SIMILARES
Véase **Mandar a freír espárragos**

Mandar a la porra

Echar a alguien o desentenderse de él con brusquedad y enfado **(to send someone packing, to send about one's business)**

*Intenté decirle a Marta que la quería, pero me **mandó a la porra***

EXPRESIONES SIMILARES
Véase **Mandar a freír espárragos**

▉ Mandar a paseo

Echar a alguien o desentenderse de alguien o de algo con brusquedad y enfado **(to tell someone to get lost)**

*Lo **mandó** todo **a paseo** y se fue a vivir al campo*

EXPRESIONES SIMILARES
Véase **Mandar a freír espárragos**

▉ *Mandar a tomar por saco

Echar a alguien o desentenderse de alguien o de algo con brusquedad y enfado **(*to tell somebody to fuck off), (to get stuffed – UK)**

*Espero que no me **mandes a tomar por saco** si te digo lo que pienso*

EXPRESIONES SIMILARES
Véase **Mandar a freír espárragos**

▉ Mandar a tomar viento

Echar a alguien o desentenderse de alguien o de algo con brusquedad y enfado **(to tell someone to get lost)**

*Marta **ha mandado a tomar viento** a su novio*

EXPRESIONES SIMILARES
Véase **Mandar a freír espárragos**

▉ *Mandar al carajo

Echar a alguien o desentenderse de él con brusquedad y enfado **(to tell someone to take a hike, to tell someone to go to hell)**

*Después de que Carlos la tratara así, María decidió **mandarle al carajo***

EXPRESIONES SIMILARES
Véase **Mandar a freír espárragos**

███████ *Mandar al cuerno

Echar a alguien o desentenderse de él con brusquedad y enfado (to tell someone to go to hell)

Manuel prefirió mandar al cuerno al jefe antes que aceptar las nuevas condiciones de trabajo

EXPRESIONES SIMILARES
Véase Mandar a freír espárragos

███████ Mantener el tipo

No acobardarse, actuar serenamente o con valentía ante una situación difícil o peligrosa (to keep oneself under control, to keep one's chin up)

Aquí hay que mantener el tipo aunque la situación se ponga difícil

███████ Mantenerse en sus trece

Permanecer firme, de forma obstinada, en una posición o creencia (to stick to one's guns, to stand firm in one's convictions, to refuse to budge)

Pese a que todos estaban en contra de ella, Clara se mantuvo en sus trece

EXPRESIONES SIMILARES
Véase Apear(se) del burro

███████ Marcar la diferencia

Resaltar las cualidades superiores de alguien frente a otros (to make a difference)

La calidad de algunos jugadores es la que marca la diferencia entre los dos equipos

███████ Marchar viento en popa

Ir una situación de modo muy satisfactorio (to blow favorably, to go very well/from strength to strength)

Soy feliz porque mi relación con Manuel marcha viento en popa

EXPRESIONES SIMILARES
Véase Ir viento en popa

Marear la perdiz

Dar vueltas a un tema sin llegar a nada concreto **(to beat around the bush, to muddle)**

Deja ya de marear la perdiz y habla claro

EXPRESIONES SIMILARES
Véase **Andarse con rodeos**

Matar dos pájaros de un tiro

Conseguir dos éxitos de una sola vez **(to kill two birds with one stone)**

Conseguí que Pedro me arreglara la gotera y que además me colgara la lámpara, así que he matado dos pájaros de un tiro avisándole a él

Matar el gusanillo

Comer un poco para aliviar la sensación de hambre **(to stave off one's hunger, to grab a bite to eat)**

Voy a comer algo para matar el gusanillo

Matar el tiempo

Ocuparse en algo para que el tiempo pase más rápidamente **(to kill time, to waste time)**

Me gusta leer revistas para matar el tiempo

Matar la gallina de los huevos de oro

Forzar la ganancia en una cosa hasta el extremo de destruir la fuente de esa ganancia **(to kill the goose that lays the golden eggs)**

¿No te das cuenta de que si vendes tu negocio estás matando la gallina de los huevos de oro?

Matarlas callando

Cometer malas acciones pareciendo que se es incapaz de hacer algo malo **(to feather one's nest on the quiet)**

Javier parece un chico inofensivo, pero las mata callando

Mentar a su santa madre

Insultar a alguien **(to insult someone)**

Cuando Juan le dio aquel pisotón, Manolo estuvo a punto de **mentar a su santa madre**

Merecer la pena

Ser conveniente hacer un esfuerzo para conseguir algo, valer la pena **(to be worth it)**

Yo creo que, aunque sea difícil, **merece la pena** *estudiar una carrera universitaria*

EXPRESIONES SIMILARES
Valer la pena

Meter baza

Intervenir, principalmente en una conversación **(to meddle/to interfere in everything, to put in one's oar, to butt in, to stick one's nose in)**

María no puede estar callada, siempre tiene que **meter baza** *en todas las conversaciones*

Meter caña

Presionar mucho a alguien **(to exert pressure on someone, to bring pressure, to bear upon)**

Ana terminó con su relación porque Ramón le **metía mucha caña** *y ella no podía soportar tanta presión*

Meter cizaña

Sembrar discordia entre dos o más personas, enemistarlas **(to pour oil in the flames, to add oil to the fire)**

Óscar **está metiendo cizaña** *entre Luis y Javier para que dejen de ser amigos*

Meter el hombro

Trabajar, colaborar en un trabajo realizado entre varias personas **(to pitch in)**

Aquí hay mucho trabajo, así que todos tenemos que **meter el hombro**

Meter en el mismo saco

Considerar dos cosas como pertenecientes a la misma categoría **(to lump in the same sack, to treat alike)**

*No podemos **meter en el mismo saco** los problemas de la delincuencia y el terrorismo*

Meter en cintura

Conseguir que alguien sea disciplinado **(to bring somebody to heel)**

*Tenemos que **meter en cintura** a nuestro hijo: vamos a prohibirle que salga todas las noches*

Meter entre ceja y ceja

Tener alguien una idea fija en su mente **(to have something fixed in one's head)**

*Cuando **se le mete** una idea **entre ceja y ceja** es imposible hacerle cambiar de opinión*

EXPRESIONES SIMILARES
Véase **Apear(se) del burro**

Meter la pata

Equivocarse o intervenir en algo con inoportunidad o desacierto **(to make a blunder, to put one's foot in it)**

Metiste la pata al hablarle a María de Pepe porque acaban de romper su relación

Meter los codos

Estudiar duramente **(to study with intensity)**

*Para aprobar este examen tienes que **meter los codos***

Meter mano

1. (A un asunto) comenzar a ocuparse de un asunto **(to get working on, to get started on, to get into something)**
2. (A una persona) tocar a alguien en zonas erógenas **(to rub somebody up the wrong way, to touch someone up)**

Cuando intentó meterle mano, la chica le dio una bofetada

EXPRESIONES SIMILARES
2. Véase **Pelar la pava**

Meter prisa

Presionar a alguien para que actúe con rapidez **(to tell somebody to hurry up, to push someone)**

No me metas prisa, que hay tiempo de sobra

Meter un puro

Castigar a alguien con una fuerte sanción **(to hear from someone)**

Si no limpias bien el suelo del cuartel, ¡te voy a meter un puro!

EXPRESIONES SIMILARES
Véase **Echar una bronca**

Meterse a alguien en el bolsillo

Conquistar, figuradamente, a alguien **(to win someone's favor/support, to have someone eating out of one's hand)**

Aquel político, con su amabilidad, se metió a todos los periodistas en el bolsillo

Meterse a monja/cura

Hacerse monja o sacerdote **(to become a nun/a priest)**

Están felices porque su hijo mayor se ha metido a cura

Meterse alguien donde no le llaman

Entrometerse alguien en una situación que no es de su incumbencia **(to stick one's nose in where one is not wanted)**

Esto es problema nuestro, así que no te metas donde no te llaman

Meterse con alguien

Insultar a alguien **(to pick a quarrel, to get at someone)**

Todos empezaron a meterse con él porque llevaba un traje espantoso

Meterse en camisa de once varas

Involucrarse alguien en una situación más difícil de resolver de lo que se pensaba **(to get mixed up, to get entangled in trouble, to get into deep water)**

Si no sabes hacerlo, es mejor que no te metas en camisa de once varas

Meterse en harina

Meterse de lleno en la realización de algo **(to become involved)**

Ahora que ya nos hemos metido en harina, podemos ver que el trabajo no es tan complicado

Meterse en un lío

Meterse en una situación complicada **(to get into a mess/trouble)**

Os habéis metido en un lío al perder esos documentos

Mirar con lupa

Mirar algo en todos sus detalles, con mucho detenimiento **(to examine closely, to watch closely)**

Hay que mirar con lupa los contratos para que luego no surjan problemas

Mirar por encima del hombro

Actuar con superioridad y menosprecio con respecto a alguien **(to look down one's nose at /on somebody)**

Desde que ha sido elegido director mira a todos por encima del hombro

EXPRESIONES SIMILARES
Véase **Darse aires**

*Mojarse el culo

Involucrarse en un asunto **(to get involved, to get one's feet wet)**

Si quieres conseguir eso, tendrás que mojarte el culo

Moler a palos

Golpear repetidamente con brutalidad **(to beat someone up)**

*Te voy a **moler a palos** si no me dices dónde has escondido las llaves*

EXPRESIONES SIMILARES
Véase **Dar una paliza**

Mondarse de risa

Reírse mucho (**to split one's sides with laughter, to die laughing**)

*Yo **me mondo de risa** con Luis, ¡es un hombre divertidísimo!*

EXPRESIONES SIMILARES
Desternillarse de risa
Reírse a carcajadas

Montar el número

Llamar la atención debido a una conducta escandalosa o extravagante (**to put/set the cat among the pigeons, to make a scene**)

*Manolo **montó el número** en el hotel cuando salió al pasillo vestido solamente con una toalla*

EXPRESIONES SIMILARES
Véase **Dar el golpe**

Morder el anzuelo

Aceptar sin sospechar una mentira (**to swallow the bait**)

*Al final, **mordí el anzuelo** y me compré esa enciclopedia que tanto anunciaban y que, por cierto, era malísima*

Morder el polvo

Ser vencido (**to bite the dust**)

*El Barcelona le hizo **morder el polvo** al Madrid*

Morir con las botas puestas

No cesar en el desempeño de una actividad difícil, ni siquiera ante una situación de máximo peligro (**to die in hardness/with one's boots on**)

*Antes de cerrar su negocio, Pedro intentará **morirse con las botas puestas***

No mover ni un dedo

No hacer nada **(to do nothing, not to move a finger)**

No movió ni un dedo *para ayudar a su amigo*

EXPRESIONES SIMILARES
Véase **No dar golpe**

N

Nacer de pie

Tener siempre buena suerte **(to be born with a silver spoon in one's mouth)**

Has nacido de pie, todo te sale bien

EXPRESIONES SIMILARES
Véase **Estar de suerte**

Nadar en la abundancia

Ser muy rico **(to be rolling in dough, to be filthy rich)**

Desde que le tocó la lotería, nada en la abundancia

EXPRESIONES SIMILARES
Véase **Pegarse la gran vida**

Nadar entre dos aguas

No decantarse por ninguna opción, aprovechando así todas las posibilidades que se puedan ofrecer **(to sit on the fence)**

María está nadando entre dos aguas porque no sabe si salir con Felipe o con Manuel

EXPRESIONES SIMILARES
Jugar con dos barajas Poner una vela a Dios y otra al diablo

Nadar y guardar la ropa

Actuar alguien con precaución, preparándose para las consecuencias que pueda traer consigo su actuación **(to be cautious in an undertaking)**

*Para tener éxito en algunos negocios hay que saber **nadar y guardar la ropa***

Negarle a alguien el pan y la sal

Negarle a alguien lo más básico o necesario **(to deny someone the basics)**

Aunque no sea tu amigo, tampoco es cuestión de **negarle el pan y la sal**

EXPRESIONES SIMILARES

Véase **Dar de lado**

Oler a chamusquina

Despertar algo sospechas, causar mala impresión **(to smell a rat, there's something fishy here, there's more than meets the eye)**

*Ten cuidado con esa oferta de trabajo; a mí me **huele a chamusquina***

EXPRESIONES SIMILARES
Véase **Estar con la mosca detrás de la oreja**

Oler a cuerno quemado

Tener algo muy mal olor **(to smell a rat, there's something fishy here)**

*El amoniaco **huele a cuerno quemado***

EXPRESIONES SIMILARES
Oler que alimenta

Oler que alimenta

1. Tener algo un olor muy apetecible **(to smell yummy)**
2. Tener algo muy mal olor (usado irónicamente) **(to smell a rat, there's something fishy here)**

*Esta habitación lleva mucho tiempo cerrada y **huele que alimenta***

EXPRESIONES SIMILARES
Véase **Oler a cuerno quemado**

P

Pagar a escote

Pagar cada uno su parte correspondiente de una cuenta **(to go Dutch)**

Somos muchos, así que lo mejor será que paguemos a escote la cena

Pagar a tocateja

Pagar en efectivo en el momento en el que se realiza la compra **(to pay cash/on the nail)**

Si quieres el coche, me lo tienes que pagar a tocateja

EXPRESIONES SIMILARES
Pagar al contado
Pagar en metálico

Pagar al contado

Pagar en efectivo **(to pay cash)**

En los supermercados es necesario pagar al contado

EXPRESIONES SIMILARES
Véase **Pagar a tocateja**

Pagar con la misma moneda

Portarse con una persona del mismo modo en que se ha portado ella **(to get even)**

Verónica engañaba a su novio y éste decidió pagarle con la misma moneda

Pagar el pato

Sufrir un castigo inmerecido o las consecuencias de algo sin tener la culpa **(to pin something on somebody, to carry the can)**

Aunque yo no sea culpable, siempre me toca pagar el pato

> EXPRESIONES SIMILARES
> Véase **Cargar con el mochuelo**

Pagar en metálico

Pagar en efectivo **(to pay cash)**

En España es más frecuente pagar en metálico que con cheques

> EXPRESIONES SIMILARES
> Véase **Pagar a tocateja**

Pagar justos por pecadores

Sufrir todos las consecuencias de la mala acción de unos pocos **(to all pay for one person's sins)**

Un alumno robó un examen pero pagaron justos por pecadores porque el profesor los castigó a todos

> EXPRESIONES SIMILARES
> Véase **Cargar con el mochuelo**

Pagar los platos rotos

Cargar con las culpas de algo aunque no se sea responsable de ello **(to pay the piper/the fiddler, to take the blame, to have the blame pinned on one)**

Fue Manuel el que se equivocó en el informe, pero al final yo tuve que pagar los platos rotos

> EXPRESIONES SIMILARES
> Véase **Cargar con el mochuelo**

Parar el carro

Dejar de decir o hacer cosas improcedentes **(to stop saying/doing something, to stop in midstream, hold it!)**

¡Para el carro, que te estás pasando de la raya!

Parar los pies

Lograr que alguien que parece ir demasiado rápido en sus actuaciones deje de hacerlas **(to slow someone down, to put the brakes on someone)**

*María tuvo que **pararle los pies** a Julio porque iba muy deprisa*

Parecer un libro abierto

Ser alguien o algo totalmente claro, que no tiene nada oculto **(to be an open person, to be an open book)**

*Ana es una persona tan transparente que **parece un libro abierto***

EXPRESIONES SIMILARES
Estar más claro que el agua
Saltar a la vista
Ser más claro que el agua
Ser de perogrullo

Partir el bacalao

Llevar la iniciativa, tener la superioridad o el dominio en una situación **(to have the upper hand, to call the tune)**

*Aquí la única que **parte el bacalao** es mi jefa*

EXPRESIONES SIMILARES
Véase **Tener la sartén por el mango**

Partir el corazón

Causar un gran dolor o tristeza a alguien **(to break one's heart)**

*Rosa le **partió el corazón** a Roberto cuando lo abandonó*

Pasar a limpio

Volver a copiar con letra más clara un escrito **(to recopy, to make a final copy)**

*Es una buena estudiante y siempre **pasa a limpio** sus apuntes*

EXPRESIONES SIMILARES
Poner en limpio

Pasar apuros

Encontrarse en una situación difícil **(to have one's work cut out, to be in an awkward situation)**

Hemos pasado muchos apuros *para aprobar la carrera de Medicina*

Pasar de castaño oscuro

Ser algo excesivo, demasiado enojoso o intolerable **(to go too far)**

*Esto ya **pasa de castaño oscuro;** no lo podemos consentir*

EXPRESIONES SIMILARES
Pasarse de la raya

Pasar de mano en mano

Pasar una cosa o una información de una persona a otra **(to go from hand to hand)**

*Este poema ha ido **pasando de mano en mano** y no estamos seguros de quién es su autor*

Pasar el rato

Entretenerse **(to spend the time)**

*Tomar una copa con los amigos es un medio excelente de **pasar el rato***

Pasar la noche en blanco

No dormir durante toda la noche **(not to sleep a wink all night)**

*Mi niño no ha parado de llorar y **he pasado la noche en blanco***

EXPRESIONES SIMILARES
Pasar la noche en vela
No pegar ojo

Pasar la noche en vela

No dormir durante toda la noche **(not to sleep a wink all night)**

*Cuando tiene problemas, Juan suele **pasar la noche en vela***

EXPRESIONES SIMILARES
Véase **Pasar la noche en blanco**

Pasar por alto

Eludir, no considerar, no fijarse en algo **(to overlook, to choose to ignore)**

Voy a pasar por alto tu error, pero será la última vez que lo hago

EXPRESIONES SIMILARES
Véase **Hacer la vista gorda**

Pasar por el aro

Ceder, aceptar algo en contra de su voluntad **(to give in)**

Tuvo que pasar por el aro para conseguir ese puesto

EXPRESIONES SIMILARES
Véase **Bajarse los pantalones**

Pasarlas canutas

Tener muchas dificultades para resolver una situación **(to have a hard time/a rough time)**

Se les hundió el barco y las pasaron canutas para llegar a la orilla

EXPRESIONES SIMILARES
Pasarlas moradas

Pasarlas moradas

Tener muchas dificultades para resolver una situación **(to have a hard time/a rough time)**

Las pasamos moradas para cambiar la rueda del camión

EXPRESIONES SIMILARES
Véase **Pasarlas canutas**

Pasarlo bien

Divertirse **(to have a good time, to have fun, to enjoy oneself)**

Vamos a organizar una gran fiesta para pasarlo bien esta noche

EXPRESIONES SIMILARES
Disfrutar de lo lindo
Pasarlo bomba
Pasarlo de miedo
Pasarlo en grande

Pasarlo bomba

Pasarlo muy bien, divertirse mucho **(to have a great/a wonderful time)**

*En esa discoteca los jóvenes **lo pasan bomba***

EXPRESIONES SIMILARES
Véase **Pasarlo bien**

Pasarlo de miedo

Pasarlo muy bien, divertirse mucho **(to have an awesome time)**

Lo he pasado de miedo *contigo esta tarde*

EXPRESIONES SIMILARES
Véase **Pasarlo bien**

Pasarlo en grande

Pasarlo muy bien, divertirse mucho **(to have a great/a wonderful time)**

*Todo el mundo **lo pasa en grande** en los Carnavales de Cádiz*

EXPRESIONES SIMILARES
Véase **Pasarlo bien**

Pasarse algo por la cabeza

Venir a la mente una idea **(to come to mind, to occur to someone)**

*La verdad es que nunca **se me ha pasado por la cabeza** comprarme una caravana*

Pasarse de la raya

Excederse, pasar el límite de lo tolerable **(to go too far in one's behavior, to be out of line)**

Creo que **te has pasado de la raya** *con María; has sido muy grosero con ella*

EXPRESIONES SIMILARES
Véase **Pasar de castaño oscuro**

Pasarse de listo

Decir o hacer algo en exceso sin consideración hacia los demás **(to be too clever by half, to overstep the mark)**

No **te pases de listo,** *que yo sé muy bien que eso no lo has hecho tú*

Pasarse la patata caliente

Encargar a otra persona la resolución de una situación difícil **(to pass over a hot potato)**

Cuando hay un asunto complicado, los políticos son especialistas en **pasarse la patata caliente**

EXPRESIONES SIMILARES
Véase **Echar balones fuera**

Pedir peras al olmo

Pretender, de alguien o de algo, que haga algo imposible **(to ask for the moon, to ask for the impossible, to get blood from a stone)**

No puedes **pedir peras al olmo,** *el niño sólo tiene cinco años y es normal que todavía no sepa multiplicar*

Pegar la hebra

Entablar una conversación con alguien, alargándola excesivamente **(not to stop chattering)**

Cuando mi vecina **pega la hebra,** *ya no hay quien la haga callar*

EXPRESIONES SIMILARES
Véase **Hablar por los codos**

No pegar ni con cola

No adecuarse, no tener ninguna relación una cosa con otra **(not to match)**

Una falda verde y un jersey rosa **no pegan ni con cola**

No pegar ojo

No poder dormir pese a intentarlo (not to be able to sleep, not to sleep a wink all night)

¡Con tanto ruido, no hay quien pegue ojo!

EXPRESIONES SIMILARES
Véase **Pasar la noche en blanco**

No pegar palo al agua

No hacer nada, ser un vago (to do nothing, to live the life of Riley)

Su marido trabaja mucho, pero ella no da palo al agua

EXPRESIONES SIMILARES
Véase **No dar golpe**

No pegar sello

No hacer nada, ser un vago (to do nothing, to live the life of Riley)

Ha dejado los estudios y ahora no pega sello

EXPRESIONES SIMILARES
Véase **No dar golpe**

Pegar un bote

Dar un salto al sentirse uno sorprendido (to jump up)

Pegué un bote cuando, de repente, sonó el teléfono

EXPRESIONES SIMILARES
Véase **Dar un bote**

Pegar un corte

Avergonzar a alguien, diciéndole algo que no se esperaba y obligándole a claudicar de una actitud pretenciosa (to cut someone down to size)

Alfredo se estaba pasando de listo y Marcos le pegó un corte

> **EXPRESIONES SIMILARES**
> Véase **Dar un corte**

Pegar un estirón

Crecer alguien muy rápidamente **(to grow fast, to shoot up)**

Mi hija ha pegado un estirón este verano y no le vale la ropa

Pegar una clavada

Cobrar un precio excesivo **(to rip someone off)**

No volveremos a ese restaurante porque nos han pegado una clavada impresionante

> **EXPRESIONES SIMILARES**
> Véase **Dar sablazos**

Pegarse como una lapa

Molestar y no dejar en paz a otras personas ni un solo momento **(to stick/cling to somebody like a leech)**

Juan es un pesado, se pega como una lapa

Pegarse la gran vida

Vivir muy bien, con todos los lujos posibles y sin ninguna preocupación **(to live an easy/a great life)**

Algunos estudiantes americanos vienen a España a pegarse la gran vida

> **EXPRESIONES SIMILARES**
> Estar forrado
> Estar nadando en dinero
> Nadar en la abundancia
> Tener pasta
> Vivir a cuerpo de rey
> Vivir a todo tren
> Vivir como una reina

Pegarse las sábanas

Quedarse dormido **(to oversleep)**

Se me han pegado las sábanas y *he llegado tarde a clase*

EXPRESIONES SIMILARES
Véase **Dormir a pierna suelta**

Pegarse un atracón

1. Darse un hartazgo de algo **(to wear oneself out with hard work)**
2. Magrear, sobar a alguien **(to make out)**
3. Comer en exceso **(to stuff oneself, to gorge oneself)**

Se ha pegado un atracón en el restaurante asturiano y ahora no se puede ni mover

EXPRESIONES SIMILARES
Véase **1. Darse un tute**
2. Pelar la pava
3. Tener buen saque

Pegarse un tortazo

Recibir un golpe violento al caer o chocar con algo, tener un accidente grave **(to bump, to collide, to crash)**

¡Qué tortazo me he pegado con esa señal de tráfico!

EXPRESIONES SIMILARES
Véase **Darse un batacazo**

Pelar la pava

Hablar de amores o tener relaciones amorosas **(to flirt, to court, to woo [said] of lovers)**[3]

No les molestes, que están pelando la pava

EXPRESIONES SIMILARES
Darse el lote
Darse un morreo
Darse un muerdo
Darse una paliza

---

[3] Bajo este epígrafe señalamos una serie de expresiones del ámbito de las relaciones amorosas o sexuales. Queremos dejar claro que la diferencia entre ellas es, en ocasiones, muy importante, pero hemos decidido agruparlas para que el lector tenga en una sola lista una amplia variedad de las expresiones que el español coloquial conoce en esta área.

> *Echar un polvo
> Echarse una amiga/un amigo
> Echar una cana al aire
> Hacer la corte
> Hacer manitas
> Llevarse al huerto a alguien
> Meter mano
> Pegarse un atracón
> Ponerse las botas
> Tener un lío
> Tener un lío de faldas
> Tener un rollo
> Tirar los tejos

Pensar en las musarañas

Estar distraído **(to be absent minded, to day dream)**

Luis siempre piensa en las musarañas mientras el profesor habla

EXPRESIONES SIMILARES
Véase **Estar en Babia**

Perder aceite

Ser afeminado **(to be gay, to be a flamer)**

Ese chico pierde aceite, fijo, porque tiene una forma de andar totalmente afeminada

EXPRESIONES SIMILARES
Ser de la acera de enfrente
Ser de la otra acera
Tener plumas

Perder comba

No seguir perfectamente el hilo de una conversación **(not to keep up with the information, not to follow a conversation)**

Es conveniente ir todos los días a clase para no perder comba

Perder el conocimiento

Desmayarse **(to lose consciousness, to pass out)**

Perdió el conocimiento tras darse un golpe contra el suelo

███████████ **Perder la cabeza**

Volverse loco **(to lose one's head)**

Ángel ha perdido la cabeza por María y lo ha abandonado todo

EXPRESIONES SIMILARES
Véase **Perder los estribos**

███████████ **Perder la chaveta**

Volverse loco, trastornarse **(to lose one's head, to go out of one's mind)**

Si sigues leyendo tanto, vas a perder la chaveta como don Quijote

EXPRESIONES SIMILARES
Véase **Perder los estribos**

███████████ **Perder los estribos**

Perder el control de uno mismo, irritarse **(to lose one's temper, to fly off the handle, to go off the deep end)**

Luisa perdió los estribos al conocer la mala noticia

EXPRESIONES SIMILARES
Perder la cabeza
Perder la chaveta
Perder los papeles

███████████ **Perder los papeles**

Perder el control de una situación, desorientarse, confundirse **(to lose track)**

Algunas personas, cuando se ponen nerviosas, pierden los papeles

EXPRESIONES SIMILARES
Véase **Perder los estribos**

███████████ **No perderse ningún tren**

Aprovechar todas las oportunidades sin perder ninguna **(not to miss one's opportunity)**

María ha aceptado tres trabajos; es una mujer que pretende no perderse ningún tren

Permanecer de espaldas a algo

Mantenerse al margen de una situación negándose a involucrarse en ella **(not to face something, to turn one's back)**

A pesar de tener muchos problemas, ella decidió **permanecer de espaldas a la situación**

Pillar de camino

Estar algo en la misma dirección que uno va a seguir **(to be on one's way)**

Te acompaño a tu casa porque me **pilla de camino**

Pillar el toro

Verse alguien muy apurado de tiempo para hacer algo **(to run out of time, not to have time left)**

Empieza a estudiar ya, que te va a **pillar el toro**

Pillarse los dedos

Sufrir las consecuencias de un descuido o equivocación **(to burn one's fingers)**

Se pilló los dedos *con ese negocio tan poco rentable*

No pintar nada

Ser inútil o no contar para nada en un momento dado **(to count for nothing)**

Me voy porque **no pinto nada** *en esta reunión*

EXPRESIONES SIMILARES
Ser el último mono
Ser un cero a la izquierda
Ser un don nadie
Ser un muerto de hambre
Ser un pelagatos

Pisar los talones

Seguir muy de cerca a alguien, estar muy próximo **(to be hard on somebody's heels)**

Intentó correr más rápido porque la policía venía **pisándole los talones**

Planchar la oreja

Dormir **(to hit the sack)**

*Estoy cansado, así que me voy a **planchar la oreja***

Plantar cara

Enfrentarse a alguien o a algo, desafiarlo **(to face up to)**

*Decidimos que lo mejor era **plantar cara** al problema*

EXPRESIONES SIMILARES
Véase **Echarle cara**

No poder con el alma

Estar muy cansado, estar agotado **(to be exhausted, not to be able to cope with/to deal with)**

*Después de hacer tantos exámenes **no puedo con el alma***

EXPRESIONES SIMILARES
Véase **Estar hecho polvo**

Poner a caldo

Insultar a alguien, censurarlo, hablar mal de él **(to insult someone)**

*En cuanto María se fue, sus amigas empezaron a **ponerla a caldo***

EXPRESIONES SIMILARES
Freír a críticas
*Poner a parir
Poner como un pingo
Poner como un trapo
Poner de vuelta y media
Poner verde

Poner a huevo

Dar a alguien la ocasión de realizar o decir algo **(to give/to hand it to some-one on a silver plate)**

*Yo no quería meterme contigo, pero es que me lo **has puesto a huevo***

Poner en bandeja

*Poner a parir

Insultar a alguien, censurarlo, hablar mal de él **(to insult someone, to tear someone to shreds)**

Pusieron a parir al presidente del Gobierno por su decisión de disminuir las ventajas sociales

Véase **Poner a caldo**

Poner alto el listón

Llegar a un nivel difícil de superar **(to be a hard act to follow, to be hard to beat)**

Rosa ha presentado un excelente trabajo y ha puesto muy alto el listón para los demás

Poner como un pingo

Insultar, decir cosas muy negativas de alguien **(to give someone a dressing down)**

Me pusieron como un pingo porque me negué a seguir con ellos

Véase **Poner a caldo**

Poner como un trapo

Insultar a alguien, censurarlo, desacreditarlo, hablar mal de él **(to criticize, to insult someone)**

Me gustan los programas de televisión que ponen como un trapo a los famosos

Véase **Poner a caldo**

Poner de los nervios

Hacer que alguien se sienta muy nervioso **(to make someone irritated, to get angry with)**

*A Nicolás le **pone de los nervios** la gente que habla mucho*

EXPRESIONES SIMILARES
Véase **Estar que echa chispas**

Poner de patitas en la calle

Expulsar, despedir de un trabajo **(to show somebody the gate, to give somebody the bum's rush, to get the boot, to kick somebody out)**

*Se enfadó con el jefe y lo **pusieron de patitas en la calle***

EXPRESIONES SIMILARES
Véase **Dar la boleta**

Poner de vuelta y media

Insultar a alguien, censurarlo, hablar mal de él **(to insult someone, to abuse someone)**

*Hay personas cotillas que siempre **están poniendo de vuelta y media** a todos los demás*

EXPRESIONES SIMILARES
Véase **Poner a caldo**

Poner el cascabel al gato

Atreverse a ejecutar una acción que se considera difícil o embarazosa **(to bell the cat, to be the one who does it)**

*Todos proponéis muchas soluciones pero ¡a ver quién le **pone el cascabel al gato!***

Poner el dedo en la llaga

Señalar el verdadero origen de un mal o atacar a una persona en el punto que más le duele **(to put one's finger on a sore spot, to touch a sore spot)**

***Habéis puesto el dedo en la llaga** al hablarle de su madre, que está muy enferma*

Poner el grito en el cielo

Escandalizarse, manifestar un enfado de forma violenta **(to raise the roof, to complain bitterly aloud)**

Pusieron el grito en el cielo cuando el dependiente les dijo el precio del vestido

Poner en bandeja

Dar a alguien la ocasión de realizar o decir algo **(to give/hand it to someone on a silver plate)**

Te estamos poniendo en bandeja este trabajo y ¿no lo quieres?

EXPRESIONES SIMILARES
Véase **Poner a huevo**

Poner en claro

Aclarar, explicar algo **(to clarify, to explain)**

Para evitar malentendidos, lo mejor será que pongamos en claro nuestras opiniones

EXPRESIONES SIMILARES
Poner las cartas boca arriba

Poner en cuarentena

Aplazar una decisión hasta que se tenga la certeza de que es la correcta; dar un plazo de seguridad **(to put in quarantine, to question the truth of something, to put something on the back burner)**

Han puesto en cuarentena a todos los animales de la granja para que no se propague la enfermedad

Poner en la calle

Despedir, expulsar **(to fire someone, to give somebody the boot, to sack)**

Pusieron en la calle a todos los empleados

EXPRESIONES SIMILARES
Véase **Dar la boleta**

Poner en limpio

Volver a copiar con letra más clara un escrito **(to recopy, to make a final copy, to write/type it out again)**

Te prestaré los apuntes cuando los haya puesto en limpio

EXPRESIONES SIMILARES
Véase **Pasar a limpio**

Poner en ridículo

Ridiculizar **(to expose to ridicule)**

Juan es muy cruel y disfruta poniendo en ridículo a la gente

Poner en solfa

Tener dudas, cuestionar algo **(to put in doubt)**

Los soldados pusieron en solfa la autoridad del joven teniente

EXPRESIONES SIMILARES
Poner en tela de juicio

Poner en tela de juicio

Tener dudas, cuestionar algo **(to call into question)**

La sociedad pone en tela de juicio la honradez de ciertos políticos

EXPRESIONES SIMILARES
Véase **Poner en solfa**

Poner la mano en el fuego por alguien

Confiar plenamente en alguien y estar dispuesto a hacer cualquier cosa por él **(to trust someone all the way, to put one's hand in the fire for someone)**

Sé que Ana es inocente y pondría la mano en el fuego por ella

Poner las cartas boca arriba

Poner al descubierto todo lo que se mantenía oculto **(to put/lay one's cards on the table)**

*¿Por qué no **pones las cartas boca arriba** y así todos nos enteramos de lo que estás tramando?*

> EXPRESIONES SIMILARES
> Véase **Poner en claro**

*Poner los cuernos

Ser infiel, adúltero **(to be unfaithful to, to cheat on)**

*María **le ha puesto los cuernos** a su novio con ese chico*

Poner los nervios de punta

Provocar la ira o el nerviosismo de alguien **(to get on one's nerves)**

*Me **pone los nervios de punta** que hagas ese ruido*

> EXPRESIONES SIMILARES
> Véase **Estar que echa chispas**

Poner los ojos como platos

Abrir desmesuradamente los ojos en señal de sorpresa **(to open one's eyes wide, to gape, to goggle)**

*Cuando vieron el nuevo corte de pelo de Alicia, todos **pusieron los ojos como platos***

> EXPRESIONES SIMILARES
> Quedarse con la boca abierta
> Quedarse de una pieza
> Quedarse frío

Poner los puntos sobre las íes

Aclarar las cosas de modo que no haya lugar para la duda o la confusión **(to talk straight, to tell it as it is)**

*Vamos a **poner los puntos sobre las íes** desde el principio y así no habrá problemas*

Poner mala cara

Mostrar el desagrado ante algo que no gusta **(to make a face, to grimace)**

Puso mala cara cuando le dije que venía Tomás

Poner pegas

Plantear trabas o dificultades para la resolución de un asunto **(to pick holes in)**

No pongas tantas pegas a ese vestido. ¡Te queda muy bien!

EXPRESIONES SIMILARES
Poner peros

Poner peros

Plantear trabas o dificultades para la resolución de un asunto **(to raise objections)**

Dices que el informe es bueno, pero no dejas de poner peros

EXPRESIONES SIMILARES
Véase **Poner pegas**

Poner pies en polvorosa

Huir con rapidez **(not to be seen for dust)**

Los ladrones decidieron poner pies en polvorosa cuando sonó la alarma

EXPRESIONES SIMILARES
Poner tierra de por medio
Salir disparado
Salir pitando
Salir zumbando

Poner por caso

Dar como ejemplo **(to give an example)**

Pongamos por caso que un empresario te regala un apartamento y tú eres un político, ¿lo aceptarías?

Poner por las nubes

Ensalzar, alabar **(to praise to the skies)**

La madre siempre está poniendo por las nubes a su hijo

▬▬▬▬▬ **Poner remedio**

Dar solución **(to solve, to remedy)**

Tenemos que poner remedio a este problema para poder continuar

▬▬▬▬▬ **Poner tierra de por medio**

Alejarse de una situación o de una persona **(to stop doing something, to stop seeing someone, to stay away from something/someone)**

Cuando Joaquín se hartó de su novia, decidió poner tierra de por medio

Expresiones similares
Véase **Poner pies en polvorosa**

▬▬▬▬▬ **Poner toda la carne en el asador**

Poner todos los esfuerzos y todos los recursos de que se dispone para conseguir un objetivo **(to put all one's eggs in one basket)**

Juan quiere ser abogado y está poniendo toda la carne en el asador

Expresiones similares
Véase **Echar toda la carne en el asador**

▬▬▬▬▬ **Poner todo de su parte**

Dar alguien lo mejor de sí mismo **(to do one's best)**

He puesto todo de mi parte para aprobar el examen, pero no sé si lo conseguiré

Expresiones similares
Véase **Echar toda la carne en el asador**

▬▬▬▬▬ **Poner una pica en Flandes**

Conseguir un triunfo con una actividad novedosa **(to achieve a triumph, to perform a great feat/a break through)**

Con ese nuevo concepto de hostelería has puesto una pica en Flandes

Poner una vela a Dios y otra al diablo

Actuar con seguridad y sin riesgo alguno por haber previsto todas las alternativas **(to sit on the fence)**

Julia es de las que ***pone una vela a Dios y otra al diablo*** *porque no se arriesga nunca en sus decisiones*

EXPRESIONES SIMILARES
Véase **Nadar entre dos aguas**

Poner verde

Insultar, criticar a alguien **(to call somebody names, to verbally abuse somebody)**

Si no te comportas como los demás, la gente ***te va a poner verde***

EXPRESIONES SIMILARES
Véase **Poner a caldo**

Poner(se) a cien

1. Enojarse, enfurecerse **(to get mad/angry, to be wound up)**
2. Excitarse sexualmente **(to become/to get horny)**

Me pone a cien *que la gente no respete los pasos de cebra*

EXPRESIONES SIMILARES
Véase **Estar que echa chispas**

Ponerse a dieta

Seguir un régimen alimenticio **(to be on a diet)**

Luis ***se puso a dieta*** *porque estaba muy gordo*

EXPRESIONES SIMILARES
Véase **Estar a régimen**

Ponerse a tiro

Ponerse uno en situación vulnerable **(to lay oneself open to something)**

No te quejes si nos metemos contigo: es que ***te has puesto a tiro***

Ponerse a tono

1. Hacer lo necesario para no desentonar en una situación **(to get in tune, to fit it)**
2. Tomar alcohol para animarse **(to get tipsy)**

Tomamos una copa para **ponernos a tono**

EXPRESIONES SIMILARES
Véase **Estar como una cuba**

Poner(se) al corriente

Actualizar los conocimientos de uno respecto a un tema determinado **(to become informed, to bring others up to date)**

El director **puso** *a sus empleados* **al corriente** *de los nuevos proyectos de la empresa*

Ponerse al frente

Encabezar, dirigir una situación **(to take charge of)**

Ramón decidió **ponerse al frente** *de la protesta contra la droga*

EXPRESIONES SIMILARES
Véase **Hacerse cargo**

Ponerse ciego

Emborracharse **(to get drunk, to be loaded)**

Los jóvenes madrileños **se ponen ciegos** *de cerveza los sábados*

EXPRESIONES SIMILARES
Véase **Estar como una cuba**

Ponerse colorado

Ruborizarse **(to blush)**

Cuando Juan le dijo que estaba muy guapa, Marisa **se puso colorada**

Ponerse de acuerdo

Acordar, llegar a un acuerdo **(to reach an agreement)**

Por fin, **nos hemos puesto de acuerdo** *en todo*

███████ **Ponerse de pie**

Levantarse **(to stand up)**

Antiguamente, los alumnos **se ponían de pie** *cuando entraba el profesor*

███████ **Ponerse de rodillas**

Arrodillarse, suplicar **(to kneel, to get on one's knees)**

Aunque **te pongas de rodillas** *no pienso volver contigo*

███████ **Ponerse el mundo por montera**

Envalentonarse, reírse del mundo **(to be brave enough)**

Me gustaría **ponerme el mundo por montera** *y hacer lo que me diera la gana*

███████ **Ponerse en evidencia**

Obviar una carencia **(to give oneself away, to make a fool of oneself)**

Te has puesto en evidencia *al hablar de política porque se notaba que no tenías ni idea*

EXPRESIONES SIMILARES
Véase **Dar el golpe**

███████ **Ponerse entre ceja y ceja**

Empeñarse alguien en hacer algo a toda costa **(to have something fixed in one's head)**

Se le puso entre ceja y ceja *conquistar a esa chica y no paró hasta que lo consiguió*

EXPRESIONES SIMILARES
Véase **Apear(se) del burro**

███████ **Ponerse gallito**

Tomar una actitud agresiva o prepotente ante otros **(to blow a fuse, to cut up rough, to become aggressive/quarrelsome)**

*Cuando le regañé, en vez de reconocer su culpa, **se puso gallito***

Ponerse hasta las cejas

Consumir algo sin moderación **(to get full, to stuff oneself)**

*Cada vez que sale con sus amigos **se pone hasta las cejas** de cubatas*

EXPRESIONES SIMILARES
Véase **Darse un tute**

Ponerse hecho una furia

Enfadarse muchísimo **(to become furious)**

*Luisa **se puso hecha una furia** cuando vio a su novio con su mejor amiga*

EXPRESIONES SIMILARES
Véase **Estar de mala uva**

Ponerse la carne de gallina

Sentir miedo, escalofríos **(to get goosebumps)**

***Se me pone la carne de gallina** al recordar aquel accidente*

EXPRESIONES SIMILARES
Ponerse los pelos de punta

Ponerse las botas

Obtener mucho beneficio en algún asunto (sexual, comida) **(to make a pile, to feather one's nest, to make a fortune)**

*Con ese negocio te **estás poniendo las botas***

EXPRESIONES SIMILARES
Véase **Hacer el agosto**
Pelar la pava

Ponerse las pilas

Estimularse a uno mismo con el fin de ponerse al día en algo; recargarse de energía **(to get one's act together)**

*Tenemos que **ponernos las pilas** porque los exámenes son la próxima semana*

Poner(se) los pelos de punta

Sentir pánico o sentirse muy nervioso **(to get goosebumps, to make one's hair stand on end)**

Se me ponen los pelos de punta cuando oigo el chirrido de la tiza contra la pizarra

EXPRESIONES SIMILARES
Véase **Ponerse la piel de gallina**

Ponerse morado

Darse un hartazgo de algo **(to stuff oneself)**

Me he puesto morado de comer gambas

EXPRESIONES SIMILARES
Véase **Darse un tute**

Poner(se) perdido

Ensuciar(se) **(to get messy)**

Estuve arreglando el coche y me puse perdido de grasa

Ponerse tibio

Emborracharse **(to get drunk, to be loaded)**

Anoche en el bar Manolo se puso tibio

EXPRESIONES SIMILARES
Véase **Estar como una cuba**

Portarse bien/mal

Tener un buen/mal comportamiento, actitud **(to behave well/bad)**

Su niño se porta bien cuando hay visita

███████ **Prestarse a confusión**

Ser algo poco claro de modo que pueda llevar a error su interpretación **(to be open to confusion)**

El texto que me has dado se presta a confusión; debes revisarlo

███████ **Probar fortuna**

Intentar algo de cuyo resultado no se está muy seguro **(to try one's luck, to take pot luck)**

Voy a probar fortuna en el mundo

Q

Quedar a la altura del betún

Quedar mal, en posición desairada **(to make a very bad impression)**

*Con ese regalo tan barato **has quedado a la altura del betún***

EXPRESIONES SIMILARES
Véase **Quedar mal**

Quedar bien/mal

1. Sentar una ropa bien/mal a alguien **(to fit well/bad [clothing])**
2. Causar alguien una buena/mala impresión **(to make a good/bad impression, to be on good/bad terms with [people])**

*Marta **ha quedado bien** con sus amigos, al ofrecerles una fiesta*

EXPRESIONES SIMILARES (QUEDAR MAL)
Quedar a la altura del betún
Sentar mal

EXPRESIONES SIMILARES (QUEDAR BIEN)
Quedar que ni pintado
Véase **Caer/Sentar bien/mal**

Quedar en agua de borrajas

Frustarse lo que se esperaba, quedarse en nada un asunto que parecía que podría prosperar **(to get to a dead end)**

*Después de tanta discusión, todo **quedó en agua de borrajas***

Quedar en el aire

Dejar algo sin concretar **(to leave something undecided/pending/in the air)**

*La fecha de la reunión **queda en el aire**, ya la fijaremos otro día*

Quedar grande

Ser algo excesivamente grande de tamaño para una persona **(to fit big, to be too big on someone)**

*Ponte otra blusa, ésta te **queda grande***

Quedar mucha tela por cortar

Faltar muchas cosas por hacer **(a lot needs to be done)**

*Vamos a trabajar más rápido, que aún **queda mucha tela por cortar***

EXPRESIONES SIMILARES
Quedar un buen trecho por recorrer

Quedar que ni pintado

Sentar bien algo a alguien **(to look sharp/cool)**

*Este traje te **queda que ni pintado***

EXPRESIONES SIMILARES
Véase **Quedar bien**

Quedar un buen trecho por recorrer

Faltar algo por hacer **(to have a long way to go)**

*Nos **queda un buen trecho por recorrer** en el tema de la igualdad de los sexos*

EXPRESIONES SIMILARES
Véase **Quedar mucha tela por cortar**

Quedarse a dos velas

Quedarse sin dinero **(to be broke, to be out of money, to be penniless)**

*Después de comprarme el coche **me he quedado a dos velas***

EXPRESIONES SIMILARES
Véase **Estar a dos velas**

Quedarse a la luna de Valencia

Frustrarse las esperanzas de lo que se deseaba o pretendía **(to be left holding the bag)**

*La noche pasada intentamos cerrar el trato, pero **nos quedamos a la luna de Valencia***

Quedarse como un fideo

Adelgazar mucho **(to lose a lot of weight, to become very skinny)**

*Joaquín **se ha quedado como un fideo** después de hacer esta dieta*

EXPRESIONES SIMILARES
Véase **Estar chupado**

Quedarse con la boca abierta

Sorprenderse alguien enormemente **(to be surprised/open-mouthed)**

*Todos **se quedaron con la boca abierta**, cuando Luis dijo que se casaba*

EXPRESIONES SIMILARES
Véase **Poner los ojos como platos**

Quedarse con las ganas

No conseguir algo que se deseaba mucho **(to still feel like doing something)**

***Me he quedado con las ganas** de conocer París, pero ya no tenía más tiempo*

Quedarse corto

Tener, decir o hacer menos de lo que es necesario **(not to say/do enough, not to go for enough)**

***Te has quedado corto** describiendo a tu amiga, ¡es guapísima!*

Quedarse de una pieza

Sentirse alguien muy sorprendido **(to go cold, to be stunned)**

***Nos quedamos de una pieza** cuando vimos la nueva imagen de Antonio*

EXPRESIONES SIMILARES
Véase **Poner los ojos como platos**

Quedarse embarazada

Preñarse **(to get pregnant)**

María está muy contenta porque, por fin, **se ha quedado embarazada**

Quedarse en ayunas

No enterarse de nada **(not to understand a word)**

Todos parecían conocer el asunto, pero yo **me quedé en ayunas**

Quedarse en blanco

Olvidarse de todo lo que se sabía **(to go blank)**

Juan había estudiado mucho pero **se quedó en blanco** *delante del examen*

Quedarse en los huesos

Adelgazar mucho **(to be a mere skeleton, to be nothing but skin and bones)**

Después de esa gripe, **te has quedado en los huesos**

EXPRESIONES SIMILARES
Véase **Estar chupado**

Quedarse frío

Quedarse pasmado física o moralmente **(to be dumbfounded/flabbergasted/frozen with surprise)**

La verdad es que **me quedé frío** *al oír esa noticia*

EXPRESIONES SIMILARES
Véase **Poner los ojos como platos**

Quedarse frito

Dormirse profundamente **(to fall sound asleep)**

*Me he sentado delante de la televisión y **me he quedado frita***

EXPRESIONES SIMILARES
Véase **Dormir a pierna suelta**

Quedarse para vestir santos

Quedarse alguien soltero **(to be left on the shelf, to remain spinster, to remain an old maid)**

*Como no te des prisa en buscar marido te vas a **quedar para vestir santos***

Quedarse roque

Dormirse profundamente **(to fall sound asleep)**

***Se quedó roque** en el sillón porque estaba muy cansado*

EXPRESIONES SIMILARES
Véase **Dormir a pierna suelta**

Quedarse tan ancho

Sentirse satisfecho aunque no haya razones para ello **(to be proud/happy about what has been done/said)**

*Manolo dijo una barbaridad y **se quedó tan ancho***

Querer como a la niña de sus ojos

Tener mucho cariño o aprecio a una persona **(to be crazy about somebody, to be head over heels for)**

*Aunque no te lo creas, **te quiero como a la niña de mis ojos***

EXPRESIONES SIMILARES
Véase **Beber los vientos por alguien**

(No) querer cuentas con alguien

(No) querer trato o relación con alguien **([not] to want anything to do with somebody)**

***No quiero cuentas con Paco**, porque es un tramposo*

EXPRESIONES SIMILARES

Véase **Andar a la greña**

Quitar el sueño

Preocupar **(to keep someone awake at night, to lose sleep over)**

La política no me quita el sueño

EXPRESIONES SIMILARES

Véase **Andar de cabeza**

Quitar hierro

Intervenir en un asunto o discusión para quitarle importancia o gravedad **(to calm things down, to get things under control, to take the heat out of the discussion)**

*Para reducir la tensión, Óscar decidió **quitar hierro** al asunto*

(No) quitar ojo

(No) dejar de mirar algo **(can't take one's eyes out of someone)**

*María **no le quitaba ojo** al nuevo novio de su amiga*

Quitarse la careta

Desenmascararse, comportarse de forma auténtica **(to unmask oneself, to be oneself, to show one's true colours)**

*Descubrimos que algunos hombres, cuando **se quitan la careta**, son insoportables*

R

Rascarse el bolsillo

Pagar, gastar dinero, generalmente de mala gana **(to spend money unwillingly, to cough up)**

*Es un tacaño y le cuesta mucho **rascarse el bolsillo***

EXPRESIONES SIMILARES
Véase **Aflojar la mosca**

Rascarse la barriga

No hacer nada aunque debiera hacerse **(to be idle, to do nothing, to sit and scratch oneself)**

*Ya está bien de **rascarse la barriga**. ¡Vamos a trabajar!*

EXPRESIONES SIMILARES
Véase **Cruzarse de brazos**

Recoger velas

Desdecirse de algo, dar marcha atrás **(to back out, to backtrack)**

*El Gobierno, tras la mala acogida de su propuesta, **recogió velas** en el asunto de la subida de impuestos*

Reír a carcajadas

Reírse con fuerza **(to burst out laughing)**

*Todos **reímos a carcajadas** cuando Javier nos contó el chiste*

EXPRESIONES SIMILARES
Véase **Mondarse de risa**

Reírle a alguien las gracias

Alabar a alguien, haciéndole ver que se le considera gracioso o simpático aunque no sea verdad **(to soft-soap somebody)**

*¡Lo único que le falta a Manolo, con lo presumido que es, es que **le rían las gracias!***

EXPRESIONES SIMILARES
Véase **Dar coba**

Remorder la conciencia

Sufrir por una mala acción que se ha cometido **(to have remorse), (to have one's conscience prick one – UK)**

*A Julio le **remordió la conciencia** después de haber robado un disco en la tienda*

Remover cielo y tierra

Buscar mucho, hacer todas las gestiones necesarias para conseguir algo **(to leave no stone unturned, to move heaven and earth)**

*He **removido cielo y tierra** para encontrar un abrigo rosa*

Rizar el rizo

Complicar excesivamente una situación **(to loop the loop)**

*¡No te pases, creo que eso ya es **rizar el rizo!***

Romper a uno la cara

Abofetear con fuerza a alguien **(to slap someone's face), (to belt someone – UK)**

*Si vuelves a mirar a mi novia, **te rompo la cara***

Romper el fuego

Ser el primero en emprender o empezar algo **(to break the ice, to start off)**

*Nadie hablaba con nadie, así que María optó por **romper el fuego***

EXPRESIONES SIMILARES
Véase **Romper el hielo**

Romper el hielo

Romper la frialdad, la reserva que pueda haber en una relación entre personas **(to break the ice)**

A ver quién es el primero que rompe el hielo

EXPRESIONES SIMILARES
Romper el fuego

Romper filas

Deshacer una formación **(to break ranks)**

El sargento dijo a los soldados: ¡rompan filas!

Romper una lanza por alguien

Defender a alguien que se considera que no está siendo tratado justamente **(to stick one's neck out for)**

Yo sé que Belén es una mujer muy válida y rompería una lanza por ella

No romper un plato

No hacer nada incorrecto **(to be completely innocent)**

Parece que no ha roto un plato en su vida, pero es un sinvergüenza

EXPRESIONES SIMILARES
Ser una mosquita muerta
Tener cara de no haber roto nunca un plato

Romperse los cuernos

Esforzarse al máximo **(to bust one's brains, to work day and night)**

Se ha roto los cuernos con ese informe y al final no ha servido para nada

EXPRESIONES SIMILARES
Véase **Echar toda la carne en el asador**

S

Saber a demonios

Tener algo un sabor muy desagradable **(to taste like hell, to have a bad taste, to taste revolting)**

*Esta hamburguesa **sabe a demonios***

EXPRESIONES SIMILARES
Saber a rayos

Saber a gloria

Tener algo un sabor delicioso **(to taste very well/delicious)**

*Todo lo que cocina mi madre **sabe a gloria***

Saber a rayos

Tener algo un sabor muy desagradable **(to taste like hell, to have a bad taste)**

*Miguel probó una sopa que **sabía a rayos***

EXPRESIONES SIMILARES
Véase **Saber a demonios**

Saber de buena tinta

Conocer algo a través de fuentes bien informadas **(to have first hand information, to know something [straight] from the horse's mouth)**

***Sé de buena tinta** que María va a casarse otra vez*

No saber de la misa (ni) la media/la mitad

No estar alguien enterado de algo, aunque presuma de estarlo **(not to know what a thing is about, not to know head nor tail about something)**

*No intentes darme lecciones porque **no sabes de la misa ni la media***

Saber de pe a pa

Conocer un tema perfectamente y en su totalidad **(to know from A to Z, to know inside and out, to know perfectly/in detail)**

María **sabía de pe a pa** su papel en la obra

EXPRESIONES SIMILARES
Véase **Conocer de pe a pa**

Saber de sobra

Tener un conocimiento más que suficiente sobre un asunto **(to know only too well, to be fully aware)**

Sé de sobra que no me quieres

EXPRESIONES SIMILARES
Véase **Conocer de pe a pa**

Saber una burrada

Saber muchísimo **(to know a lot about something)**

Marina **sabe una burrada** de matemáticas

EXPRESIONES SIMILARES
Véase **Conocer de pe a pa**

Sacar a alguien de sus casillas

Poner muy nervioso a alguien **(to drive someone crazy)**

Con esa actitud, su novio **le saca de sus casillas**

EXPRESIONES SIMILARES
Véase **Estar que echa chispas**

Sacar a alguien las castañas del fuego

Sacar a alguien de un apuro o resolverle un problema **(to pull someone of the fire, to save someone's skin)**

Cuando Juan tiene algún problema, siempre viene para que yo **le saque las castañas del fuego**

Sacar a flote

Superar una situación difícil **(to put something/someone on its feet again)**

*Han contratado a un especialista para que **saque a flote** la empresa*

EXPRESIONES SIMILARES
Sacar adelante
Salir a flote
Salir adelante
Salir del agujero
Salir del apuro

Sacar a relucir

Destapar un asunto aprovechando que la situación es la apropiada **(to take the lid off)**

*Ya que estaban todos los hermanos juntos, Pepe **sacó a relucir** el tema de la herencia*

Sacar adelante

Conseguir el éxito en algo que se encontraba en situación de deterioro **(to make a go of/a success of, to pull through)**

*Julia es una mujer muy valiente: ha conseguido **sacar adelante** a su familia ella sola*

EXPRESIONES SIMILARES
Véase **Sacar a flote**

Sacar buenas/malas notas

Obtener buena/mala puntuación en un examen **(to get good/bad grades)**

*Este curso no **he sacado buenas notas***

Sacar de la chistera

Hacer referencia a algo inesperado, inventarse algo **(to make up a story)**

*Esa historia te la **has sacado de la chistera**. ¡No puede ser verdad!*

Sacar de quicio

Poner a alguien muy nervioso o enfadado **(to get on one's nerves, to get one's goat, to drive someone crazy, to work one's last nerve)**

Su forma de hablar **me saca de quicio**

> EXPRESIONES SIMILARES
> Véase **Estar que echa chispas**

Sacar del tiesto

Decir o hacer cosas fuera de contexto **(to get things out of context)**

Me parece que **estás sacando las cosas del tiesto**

> EXPRESIONES SIMILARES
> Sacar los pies del tiesto
> Salirse del tiesto

Sacar fuerzas de flaqueza

Hacer todavía algo más cuando ya no se tienen fuerzas físicas o morales para ello **(to make an extra effort)**

Tuvo que **sacar fuerzas de flaqueza** *para salir adelante después de la muerte de su marido*

Sacar la cabeza a alguien

Ser más alto que alguien la medida de una cabeza **(to be taller than someone, to be head and shoulders above someone)**

Pablo es altísimo, **nos saca la cabeza** *a todos*

> EXPRESIONES SIMILARES
> Véase **Llevar la cabeza a alguien**

Sacar la cara

Actuar en defensa de alguien **(to stand up for, to stick one's neck out for)**

Juan decidió **sacar la cara por** *su amigo porque sabía que era inocente*

Sacar las palabras con sacacorchos

Conseguir tras muchas dificultades que alguien hable **(to draw out)**

Fernando es tan tímido que hay que **sacarle las palabras con sacacorchos**

Sacar los pies del tiesto

Excederse alguien de sus limitaciones **(to go too far, to let one's hair down, to kick over the traces)**

Creo que estás sacando los pies del tiesto al tomarte tantas confianzas con ella

EXPRESIONES SIMILARES
Véase **Sacar del tiesto**

No sacar nada en limpio

No obtener ningún resultado o beneficio **(to get nothing out of the situation)**

Estuvimos discutiendo dos horas, pero no sacamos nada en limpio

Sacar partido de algo

Obtener algún beneficio o provecho de algo **(to make the most of, to profit [gain] by, to take advantage of)**

Luisa sabe sacar partido de su belleza

EXPRESIONES SIMILARES
Véase **Hacer el agosto**

Sacar tajada

Conseguir algo en beneficio propio **(to gain by)**

En el negocio de las televisiones privadas todos quieren sacar tajada

EXPRESIONES SIMILARES
Véase **Hacer el agosto**

Sacarse un dinero

Conseguir algún dinero **(to get/earn some extra money)**

Trabajaré en un restaurante este verano para sacarme un dinero

EXPRESIONES SIMILARES
Véase **Hacer el agosto**

Sacarse una espina

Desquitarse o tomarse la revancha **(to pull out a thorn, to satisfy a need)**

No pude estudiar cuando era joven y ahora voy a ir a la Universidad porque necesito **sacarme una espina**

████████████ **Salir a flote**

Encontrarse en una buena situación una vez superadas las dificultades **(to pull through, to get out of difficulties, to go in the right direction)**

Pese a sus problemas, el negocio consiguió **salir a flote**

EXPRESIONES SIMILARES
Véase **Sacar a flote**

████████████ **Salir a pedir de boca**

Obtener un resultado muy satisfactorio **(to turn out all right/well)**

La ceremonia **salió a pedir de boca**

EXPRESIONES SIMILARES
Véase **Ir viento en popa**

████████████ **Salir adelante**

Encontrarse en una buena situación una vez superadas las dificultades **(to pull through)**

Somos jóvenes y fuertes, así que lograremos **salir adelante**

EXPRESIONES SIMILARES
Véase **Sacar a flote**

████████████ **Salir al paso**

Atajar una cuestión **(to waylay)**

La Casa Real **salió al paso** *de esos rumores con un comunicado oficial*

████████████ **Salir clavado**

Nacer alguien muy parecido a otra persona o salir algo muy similar a otra cosa **(to look just like someone, to take after, to be the living/spitting image of)**

El bebé **ha salido clavado** *a su padre*

EXPRESIONES SIMILARES
Darse un aire
Ser clavado a alguien
Ser el vivo retrato de alguien
Ser como dos gotas de agua

Salir como churros

Producir algo en exceso y muy fácilmente **(to easily make/produce a large amount of something)**

Hoy en día **salen** *abogados* ***como churros***

EXPRESIONES SIMILARES
Véase **Ser coser y cantar**

Salir como rosquillas

Producir algo en exceso y muy fácilmente **(to easily make/produce a large amount of something, to be as easy as a pie)**

Es muy guapo y le **salen** *novias* ***como rosquillas***

EXPRESIONES SIMILARES
Véase **Ser coser y cantar**

*Salir de las narices

Hacer lo que uno quiere **(to feel like doing something)**

No **me sale de las narices** *comprarte ese regalo*

EXPRESIONES SIMILARES
Véase **Dar la gana**

Salir del agujero

Superar las dificultades **(to come out of the abyss, to come back from the brink)**

Después de unos años difíciles **hemos salido del agujero**

> EXPRESIONES SIMILARES
> Véase **Sacar a flote**

██████ **Salir del apuro**

Salir con bien de una situación complicada **(to come out of a jam)**

Salieron del apuro gracias a la ayuda de sus padres

> EXPRESIONES SIMILARES
> Véase **Sacar a flote**

██████ **Salir del paso**

Hacer alguien sólo lo indispensable para no ser castigado, regañado o censurado **(to get by, to manage)**

Este trabajo no está bien elaborado, se nota que sólo lo has hecho para salir del paso

> EXPRESIONES SIMILARES
> Véase **Cubrir el expediente**

██████ **Salir disparado**

Salir de algún sitio a mucha velocidad **(to take to one's heels, to take off)**

Salió disparado cuando le dijeron que su mujer estaba en el hospital

> EXPRESIONES SIMILARES
> Véase **Poner pies en polvorosa**

██████ **Salir el tiro por la culata**

Obtener un resultado contrario al que se pretendía **(to back fire)**

Intenté darle celos a Juan, pero me salió el tiro por la culata porque se enfadó conmigo y se fue con su exnovia

██████ **Salir pitando**

Salir de algún sitio a mucha velocidad **(to take to one's heels, to run for it)**

*Si suena la alarma de incendios, **salid pitando***

EXPRESIONES SIMILARES
Véase **Poner pies en polvorosa**

Salir por peteneras

Decir o hacer algo que no tiene nada que ver con lo que se trata **(to fly off at a tangent)**

*Julio **sale por peteneras** a la mínima, así que ten cuidado con lo que le dices*

EXPRESIONES SIMILARES
Véase **Salir por la tangente**

Salir rana

Defraudar, dar mal resultado **(to disappoint, to be a disappointment)**

*Educaron a su hijo lo mejor que pudieron, pero éste **les salió rana***

Salir redondo

Obtener en una situación el mejor de los resultados posibles **(to turn out perfectly, to be a total/a complete success)**

*Estoy encantada porque este negocio me **ha salido redondo***

Salir zumbando

Salir de algún sitio a mucha velocidad **(to take to one's heels, to flee)**

*Los ladrones **salieron zumbando** cuando vieron a la policía*

EXPRESIONES SIMILARES
Véase **Poner pies en polvorosa**

Salirse con la suya

Conseguir alguien lo que se propone gracias a su obstinación **(to get away with it, to have one's [own] way)**

*María **se salió con la suya** y nos llevó a todos a ver su película favorita*

████████ **Salirse del tiesto**

Excederse alguien de sus limitaciones **(to let one's hair down, to kick over the traces, to go too far)**

Creo que te estás saliendo del tiesto con esas afirmaciones tan arriesgadas

EXPRESIONES SIMILARES
Véase **Sacar del tiesto**

████████ **Salirse por la tangente**

Utilizar una evasiva para eludir una respuesta comprometida **(to go off at a tangent, to side track)**

El entrevistado se salió por la tangente y no contestó a lo que le preguntaban los periodistas

EXPRESIONES SIMILARES
Salir por peteneras

████████ **Saltar a la vista**

Ser algo evidente **(to be obvious, to stick out a mile)**

Con ese pelo tan rubio salta a la vista que no eres español

EXPRESIONES SIMILARES
Véase **Parecer un libro abierto**

████████ **Saltarse a la torera**

No prestar atención a las normas y actuar libremente sin tenerlas en cuenta ni valorar las consecuencias **(to break the rules)**

Hace siempre lo que quiere y se salta las reglas a la torera

████████ **Saltarse el/un semáforo**

No parar ante un semáforo con la luz roja **(to jump the lights)**

Tuvieron un accidente por saltarse el semáforo

████████ **Seguir en la brecha**

Continuar dispuesto a emplearse con gran dedicación a un trabajo, empresa o a la defensa de un ideal o institución **(to keep on working/doing something)**

*Si todos **seguimos en la brecha**, terminaremos el trabajo a tiempo*

EXPRESIONES SIMILARES
Véase **Estar en la brecha**

Seguir en sus trece

Persistir alguien en su postura, negándose a cambiar de opinión **(to dig one's heels in, to stick to one's guns)**

*Pese a que no tiene razón, Manolo **sigue en sus trece***

EXPRESIONES SIMILARES
Véase **Apear(se) del burro**

Seguir la corriente a alguien

Asentir a lo que alguien hace o dice **(to humour somebody)**

*Pedro está loco, así que lo mejor es **seguirle la corriente** para que no se enfade*

EXPRESIONES SIMILARES
Véase **Llevar la corriente a alguien**

Sembrar el caos

Crear confusión **(to create chaos/disorder)**

*María es un torbellino y **siembra el caos** allá donde va*

Sembrar pavor

Crear una situación de terror **(to spread fear)**

*El león que se escapó del zoo **sembró el pavor** en la ciudad*

Sentar a cuerno quemado

Afectar algo de forma negativa a alguien **(to be/to feel badly affected by something, not to take well)**

***Me sentó a cuerno quemado** que no vinieras a mi fiesta*

> **EXPRESIONES SIMILARES**
> Sentar como un jarro de agua fría
> Sentar como un tiro
> Sentarle mal a alguien

Sentar como un jarro de agua fría

Perder, de repente, una ilusión o esperanza o apagarse el entusiasmo por algo; sentar muy mal algo **(to feel deeply affected, to hit someone like a brick)**

El suspenso en matemáticas **le sentó** *a Luis* **como un jarro de agua fría**

> **EXPRESIONES SIMILARES**
> Véase **Sentar a cuerno quemado**

Sentar como un tiro

Parecer una cosa mal a alguien, dolerle o causarle algún daño **(to feel bad/ awful, to be a blow to the heart)**

Le **sentó como un tiro** *que su novia le abandonara*

> **EXPRESIONES SIMILARES**
> Véase **Sentar a cuerno quemado**

Sentar (la) cabeza

Hacerse formal o sensato alguien que no lo era **(to settle down)**

¡Hijo mío! A ver cuándo **sientas cabeza** *y encuentras una buena chica*

Sentarle bien/mal a alguien

1. Caerle a alguien bien o mal una comida **(to agree/disagree with one's stomach)**
2. La ropa **(to fit well/bad, to look well/bad on one [clothes], to be becoming to one)**
3. Serle a uno algo muy agradable/desagradable **(to make something feeling well/bad to someone)**

Todo lo que como **me sienta bien**
¡Qué **bien te sienta** *este traje!*
Lo que me dijiste no **me sentó bien**

> **EXPRESIONES SIMILARES**
> Véase **Caer/Quedar bien**
> **Caer mal**
> **Sentar a cuerno quemado**

Sentirlo en el alma

Lamentar algo de corazón (**to feel deeply sorry about something**)

*Perdóname; **siento en el alma** lo que te he dicho*

Ser arma de doble filo

Ser una cosa peligrosa porque puede traer como resultado el efecto contrario al perseguido (**to be a two-edged sword**)

*Estoy muy preocupado porque esa oferta que me han hecho **es un arma de doble filo***

EXPRESIONES SIMILARES
Véase **Estar entre la espada y la pared**

Ser cabeza de ratón

Ser la persona más importante en un grupo de poca relevancia (**to be a mouse head/a big fish in a little pond**)

*En una ciudad pequeña valorarán más tu arte; ya sabes eso de que es mejor **ser cabeza de ratón**...*

Ser carne de cañón

Ser el blanco de todas las críticas, de todas las agresiones (**to be cannon fodder**)

*El ministro es ahora **carne de cañón** para todos los periodistas después de esas declaraciones suyas tan desafortunadas*

Ser clavado

Parecerse mucho a alguien o a algo (**to look just like, to be the living image of**)

*El bebé **es clavado** a su madre*

EXPRESIONES SIMILARES
Véase **Salir clavado a alguien**

*Ser cojonudo

Ser algo o alguien estupendo (**to be cool, great**)

Vete a ver esa película porque me han dicho que **es cojonuda**

EXPRESIONES SIMILARES
*Ser de puta madre
Ser el acabóse
Ser el no va más
*Ser la hostia

Ser cola de león

Ser la persona menos importante en un grupo de gran relevancia **(to be a small fish in a big pond)**

Llegó a Madrid y nadie se fijó en él; dejó de ser cabeza de ratón para **ser cola de león**

Ser como dos gotas de agua

Ser dos personas o dos cosas idénticas **(to be identical/like two peas in a pod)**

Los gemelos **son como dos gotas de agua**

EXPRESIONES SIMILARES
Véase **Salir clavado a alguien**

Ser como la noche y el día

Ser dos cosas o personas muy diferentes **(to be like day and night, to be like chalk and cheese)**

No sé cómo pueden estar enamorados, si **son como la noche y el día**

Ser como para salir corriendo

Ser alguien horroroso o ser una situación terrible **(to be frightening)**

La dramática situación de África **es como para salir corriendo**

Ser corto de entendederas

Ser estúpido **(to be dumb)**

Algunos de nuestros políticos **son cortos de entendederas**

EXPRESIONES SIMILARES

Chuparse el dedo
Ser corto de luces
Ser tonto de capirote
(No) tener dos dedos de frente
Tener poca sal en la mollera

■■■■■■■■ **Ser corto de luces**

Ser estúpido **(to be dumb)**

Pepe quiere estudiar una carrera, pero es corto de luces y no creo que lo consiga

---
EXPRESIONES SIMILARES

Véase **Ser corto de entendederas**

■■■■■■■■ **Ser coser y cantar**

Ser algo muy fácil **(to be as easy as a pie/as ABC, to be child's play)**

Para Mario conducir una moto es coser y cantar

EXPRESIONES SIMILARES

Estar chupado
Estar tirado
Salir como churros
Salir como rosquillas
Ser pan comido
Ser un coladero
Ser una perita en dulce

■■■■■■■■ **Ser cuestión de práctica**

Ser algo que se aprende con la práctica **(to be a matter of practise)**

Hablar bien un idioma es cuestión de práctica

■■■■■■■■ **Ser culo de mal asiento**

Ser una persona inquieta, que no puede estar mucho tiempo en el mismo sitio
(to be a restless person, to have ants in one's pants)

Guillermo no puede estar sin hacer nada porque es culo de mal asiento

■■■■■■■ **Ser de armas tomar**

Tener alguien un carácter enérgico, fuerte **(to be rough and tough/a tough cookie, to have a lot of spunk)**

Marta es una mujer de armas tomar, así que no te metas con ella

EXPRESIONES SIMILARES
Ser un carácter
Ser un personaje

■■■■■■■ **Ser de buena familia**

Pertenecer a una familia con buenos medios económicos o con una buena reputación **(to be from a good family)**

Mi madre quiere que salga con chicos que sean de buena familia

■■■■■■■ **Ser de buena pasta**

Ser noble y honrado **(to be an honest and reliable person)**

Podemos confiar en Sergio, es de buena pasta

EXPRESIONES SIMILARES
Ser hombre de honor
Ser hombre de palabra
Ser persona de fiar
Tener palabra

■■■■■■■ **Ser de color de rosa**

Ser algo maravilloso, fantástico, muy romántico **(to be something fantastic/wonderful)**

Cuando estoy enamorada pienso que todo es de color de rosa

EXPRESIONES SIMILARES
Véase **algo de color de rosa**

■■■■■■■ **Ser de la acera de enfrente**

Ser homosexual, afeminado **(to be gay)**

Aunque lo intenta disimular, se nota que es de la acera de enfrente

> **EXPRESIONES SIMILARES**
> Véase **Perder aceite**

Ser de la otra acera

Ser homosexual, afeminado **(to be gay, to be a flamer)**

Manolo **es de la otra acera** *desde pequeñito*

> **EXPRESIONES SIMILARES**
> Véase **Perder aceite**

Ser de perogrullo

Ser una verdad clara para todos **(to be evident)**

Claro que es difícil erradicar la pobreza. Lo que dices **es de perogrullo**

> **EXPRESIONES SIMILARES**
> Véase **Parecer un libro abierto**

*Ser de puta madre

Ser estupendo, maravilloso **(to be great/out of this world)**

Esa película **es de puta madre**

> **EXPRESIONES SIMILARES**
> Véase ***Ser cojonudo**

Ser del montón

Ser algo o alguien corriente, que no tiene cualidades sobresalientes **(to be average/an average person/one among thousands)**

Creo que no soy ni guapa ni fea, **soy del montón**

> **EXPRESIONES SIMILARES**
> No ser ni chicha ni limoná

Ser duro de mollera

Ser un cabezota **(to be stubborn/as a mule)**

No hay quien lo convenza de nada, **es duro de mollera**

EXPRESIONES SIMILARES
Véase **Apear(se) del burro**

Ser duro de oído

Ser casi sordo **(to be half deaf)**

Debes hablar más alto a la abuela porque **es dura de oído**

EXPRESIONES SIMILARES
Véase **Estar como una tapia**

Ser el acabose

Ser lo máximo, lo mejor que uno se puede esperar **(to be the best/the end/the greatest in a situation)**

Cuando Pedro apareció con ese traje de lunares, **¡fue el acabose!** *Ya no podíamos parar de reír*

EXPRESIONES SIMILARES
Véase *Ser cojonudo**

Ser el chocolate del loro

Ser algo insignificante en comparación con la globalidad del problema real que se quiere solucionar **(to be unimportant/insignificant)**

Quieren ahorrar en gasolina, pero eso sólo **es el chocolate del loro**

Ser el cuento de nunca acabar

Ser algo interminable **(to be a never ending story)**

Intentar resolver asuntos en la Administración **es el cuento de nunca acabar**

Ser el dueño del cotarro

Ser el que controla una situación **(to have/keep things under control)**

Si quieres algo, debes hablar con Manolo, que **es el dueño del cotarro**

EXPRESIONES SIMILARES
Véase **Tener la sartén por el mango**

Ser el mundo un pañuelo

Ser el mundo relativamente pequeño (to be a small world)

Me encontré en Moscú con mi vecina. ¡El mundo es un pañuelo!

Ser el no va más

Ser algo lo último, lo más moderno, lo mejor (to be in, to be the latest in fashion)

Los vestidos de gasa son el no va más esta temporada

EXPRESIONES SIMILARES
Véase *Ser cojonudo

Ser el ojo derecho de alguien

Ser alguien el más querido o estimado por otra persona; ser su ayudante o colaborador favorito (to be the apple of someone's eye, to be someone's favorite)

Su hija pequeña es el ojo derecho de Juan

Ser el pan nuestro de cada día

Ser algo muy frecuente (normalmente con sentido peyorativo) (to be common and frequent)

Los problemas de tráfico son el pan nuestro de cada día

Ser el último cartucho

Ser la última oportunidad para resolver una situación difícil (to be the last draw/chance)

Hablarle de mis problemas económicos era el último cartucho que me quedaba para convencer a mi jefe de que me diera un ascenso

Ser el último mono

Ser insignificante, ser la persona menos importante de un grupo (to be an insignificant/unimportant person)

En esta empresa todos me tratan como si fuera el último mono

> **EXPRESIONES SIMILARES**
> Véase **No pintar nada**

Ser el vivo retrato de alguien

Parecerse mucho a otra persona **(to look exactly like another person, to be the living/spitting image of)**

Martita es el vivo retrato de su madre

> **EXPRESIONES SIMILARES**
> Véase **Salir clavado a alguien**

Ser habas contadas

Ser una cosa cierta y clara; se dice de cosas que son número fijo y, por lo general, escaso **(to be quite clear)**

Los terroristas son habas contadas, pero, aunque sean pocos, pueden hacer mucho daño

Ser harina de otro costal

Ser algo ajeno totalmente al asunto de que se trata, no ser aplicable algo a aquello que se hace o de lo que se habla **(to be a horse of a different color)**

No entremos en ese tema también porque eso ya es harina de otro costal

Ser hombre de honor

Ser una persona que cumple lo que dice; tener honorabilidad **(to be an honest/honorable person, to keep one's word)**

Pedro es hombre de honor, así que puedes fiarte de él

> **EXPRESIONES SIMILARES**
> Véase **Ser de buena pasta**

Ser hombre de palabra

Ser una persona que cumple lo que dice; tener honorabilidad **(to be an honest person/a man of his word, to keep one's word)**

Cuando Mario dice algo lo cumple porque es hombre de palabra

Ser la Biblia en verso

Ser una situación o una persona muy complejos **(to be something/someone very complex)**

*¡Qué complicado eres! Tu informe es **la Biblia en verso***

Ser la guinda

Ser el adorno, la parte visible de una situación que tiene una profundidad mayor **(to be the tip of the iceberg/the final touch/the high point)**

*La presencia de Julio Iglesias fue **la guinda** del espectáculo*

EXPRESIONES SIMILARES
Ser la punta del iceberg

*Ser la hostia

Ser increíble, muy bueno **(to be great)**

*El Real Madrid es **la hostia***

EXPRESIONES SIMILARES
Véase *Ser cojonudo

Ser la monda

Ser alguien o algo muy divertido **(to be funny)**

*La historia que cuenta María debe de ser **la monda**, ya que todos se están riendo*

EXPRESIONES SIMILARES
Tener buenas salidas
Tener cada ocurrencia

Ser la punta del iceberg

Ser sólo el extremo, la parte visible de un problema más profundo **(to be the tip of the iceberg)**

Creo que esto no es más que la punta del iceberg, por debajo hay muchos problemas ocultos

EXPRESIONES SIMILARES
Véase **Ser la guinda**

Ser ligero de cascos

Ser frívolo, irreflexivo, informal **(to be frivolous)**

La hija de Carmen era muy ligera de cascos y cada día salía con un chico diferente

EXPRESIONES SIMILARES
Ser un cabeza loca
Ser un pendón
Ser un viva la vida
Ser un viva la Virgen
Ser una cualquiera
Vivir a la de Dios es Cristo
Vivir el día a día

Ser más claro que el agua

Ser algo evidente **(to be as clear as crystal/crystal clear)**

No sé cómo no lo entiendes si es más claro que el agua

EXPRESIONES SIMILARES
Véase **Parecer un libro abierto**

Ser más el ruido que las nueces

Tener poca sustancia o ser insignificante algo que se consideraba grande o de cuidado **(to be much ado about nothing)**

Parecía que iba a obtener un éxito impresionante, pero ha sido más el ruido que las nueces

Ser más feo que Picio

Ser muy poco agraciado **(to be hideous/as ugly as sin)**

Pedro es más feo que Picio, pero es muy simpático

Ser más listo que el hambre

Ser alguien muy inteligente, muy vivo (to be smart/sharp/as smart as paint/as bright as a button)

Mi niño es más listo que el hambre: tiene tres años y ya toca el piano

EXPRESIONES SIMILARES
Ser más listo que Lepe

Ser más listo que Lepe

Ser alguien muy despierto, muy inteligente (to be smart/sharp)

José es más listo que Lepe y siempre se las arregla para ganar mucho dinero trabajando poco

EXPRESIONES SIMILARES
Véase Ser más listo que el hambre

Ser más papista que el Papa

Ser muy exagerado en la defensa de algo, incluso más que los propios interesados en el tema (to out-Herod Herod)

No seamos más papistas que el Papa en materia de derechos humanos

No ser moco de pavo

Ser muy difícil, no ser de poca importancia o de poco valor (to be a tough problem to resolve, to be no a small matter)

La verdad es que el problema que tiene el Gobierno con los sindicatos no es moco de pavo

Ser muermo

Ser muy aburrido (to be boring/a bore)

¡No seas muermo y vámonos de copas!

EXPRESIONES SIMILARES
Véase Ser un rollo

Ser muy mirado

Ser muy escrupuloso en los detalles (to be fussy)

Luisa es muy mirada con todas sus cosas

Ser muy suyo

Ser una persona muy particular, tener un carácter difícil (to be odd/peculiar)

Pablo es buena persona, pero es muy suyo

No ser nada del otro jueves

No ser nada novedoso o interesante (to be nothing to write home about/nothing special)

No me parece que esa historia sea nada del otro jueves

No ser ni chicha ni limoná

No ser ni una cosa ni otra, no tener unas características definidas (to be neither one thing nor another)

Pues a mí me parece que ese cantante no es ni chicha ni limoná

EXPRESIONES SIMILARES
Véase Ser del montón

Ser pájaro de mal agüero

Presagiar sucesos desfavorables (to be a bird of ill omen)

No seas pájaro de mal agüero. ¿Por qué dices que todo va a salir mal?

Ser pan comido

Ser algo muy fácil (to be as easy as a pie/a piece of cake)

Este examen es pan comido, así que no te preocupes

EXPRESIONES SIMILARES
Véase Ser coser y cantar

Ser paño de lágrimas

Ser la persona en la que otro busca consuelo **(to be a shoulder to cry on)**

Soluciona tus propios problemas, yo no soy tu paño de lágrimas

Ser para quitarse el sombrero

Ser algo o alguien excepcional **(to raise one's hat to somebody)**

Tu acción es admirable, es para quitarse el sombrero

No ser para tanto

No ser algo tan importante o impresionante como se pensaba **(not to be important)**

Es guapo, pero no creo que sea para tanto

Ser persona de fiar

Ser una persona en la que se puede confiar **(to be a trustworthy person)**

Pedro es persona de fiar, todo lo que dice lo cumple

EXPRESIONES SIMILARES
Véase **Ser de buena pasta**

Ser tonto de capirote

Ser estúpido **(to be a dunce/a fool)**

Es que eres tonto de capirote, ¿no has visto que esa calle no tiene salida?

EXPRESIONES SIMILARES
Véase **Ser corto de entendederas**

Ser un as

Ser un genio, un «campeón» en una determinada materia **(to be great/a genius/an ace)**

Yo soy un as en todo lo relacionado con las matemáticas

Ser un hacha

Ser un borde

Ser cortante, duro, frío con los demás **(to be rude/crunky/snappy/a jerk)**

*No **seas tan borde** con él, que no te ha hecho nada*

Ser un buen partido

Tener alguien cualidades o medios materiales suficientemente buenos como para resultar interesante **(to be a good catch in marriage, to be an attractive person to marry)**

*Deberías casarte con Manolo porque **es un buen partido***

Ser un mirlo blanco

Ser un cabeza loca

Ser alguien muy frívolo **(to be insane/frivolous/off one's head)**

*A Marcos no le preocupa nada, **es un cabeza loca***

Véase **Estar como una cabra** y
Ser ligero de cascos

Ser un callejón sin salida

Ser una situación irresoluble **(to be/get to a dead end)**

*Me encuentro en **un callejón sin salida**; no sé cómo solucionar esto*

*Ser un capullo

Ser una persona con muy malas ideas, ser alguien que disfruta molestando a los demás **(to be nasty/a jerk)**

*Pablo **es un capullo**, disfruta molestando a las chicas*

Ser un cara

Ser un sinvergüenza, una persona sin pudor, que se aprovecha del esfuerzo de los demás **(to be cheeky/a fresh, to have a nerve)**

Ese tío es un cara; yo hago el trabajo y él firma el proyecto

EXPRESIONES SIMILARES
Comer la sopa boba
Chupar del bote
Ser un caradura
Tener (mucha) cara

Ser (todo) un carácter

Tener una personalidad fuerte **(to be quite a character)**

Óscar es todo un carácter, sabe lo que quiere y sabe cómo lograrlo

EXPRESIONES SIMILARES
Véase **Ser de armas tomar**

Ser un caradura

Ser un sinvergüenza, un golfo, alguien que no respeta las normas **(to be cheeky, to have a nerve)**

Luis es un caradura, bebe como todos, pero nunca paga

EXPRESIONES SIMILARES
Véase **Ser un cara**

Ser un cero a la izquierda

No tener ninguna influencia en un determinado asunto o lugar, ser el menos importante de todos **(to be the least important person, to be worthless)**

En esta empresa yo soy un cero a la izquierda, nadie me valora

EXPRESIONES SIMILARES
Véase **No pintar nada**

Ser un coladero

Ser un lugar de muy fácil acceso, sin ningún tipo de filtro para seleccionar a los que pueden estar en él (**to be easy to get into**)

Ese colegio es un coladero, aprueban todos los alumnos

*Ser un coñazo

Ser muy pesado, muy aburrido (**to be a pest, to be a pain in the neck/in the ass**)

Las matemáticas son un coñazo

EXPRESIONES SIMILARES
Véase **Ser un rollo**

Ser un creído

Estar alguien muy pagado de sus virtudes (**to be full of oneself/big-headed**)

Alejandro es un creído, piensa que es el hombre más guapo del mundo

Ser un deslenguado

Hablar continuamente con palabras ofensivas o malsonantes (**to have a filthy mouth**)

Su madre le dice que no diga tacos, pero el niño es un deslenguado

EXPRESIONES SIMILARES
Irse de la lengua
Tener la lengua larga
(No) tener pelos en la lengua

Ser un don nadie

Ser alguien insignificante (**to be a nobody**)

Rubén se cree muy importante, pero es un don nadie

EXPRESIONES SIMILARES
Véase **No pintar nada**

▰▰▰ Ser un empollón

Ser muy estudioso (despectivo por el exceso) **(to be grind/a swat/a nerd)**

*Elena no sale nunca, **es una empollona***

▰▰▰ Ser un enteradillo

Ser una persona que se considera muy listo, aunque en realidad no lo sea **(to be a know it all)**

*Manolo **es un enteradillo**, sabe de todo y no sabe de nada*

▰▰▰ Ser un facha

Ser un intolerante **(to be a fascist)**

*No admite opiniones diferentes a la suya; **es un facha***

▰▰▰ Ser un fantasma

Ser alguien que alardea constantemente, exagerando las propias virtudes **(to be conceited)**

*David **es un fantasma**, siempre va presumiendo de sus hazañas*

EXPRESIONES SIMILARES
Tirarse pegotes

▰▰▰ Ser un hacha

Ser alguien experto y hábil en una determinada materia **(to be great doing something/out of the ordinary)**

*Yo **soy un hacha** en eso de la química*

EXPRESIONES SIMILARES
Véase **Ser un as**

▰▰▰ Ser un hombre de pelo en pecho

Ser un hombre fuerte, muy masculino **(to be someone tough/a very masculine man, to have hairs on one's chest)**

*A muchas mujeres les gustan los chicos que **sean hombres de pelo en pecho***

Ser un tipo duro

Ser un hueso

Ser muy duro, muy rígido con los demás **(to be someone tough/hard)**

*No me gusta ese profesor porque es **un hueso***

*Ser un lameculos

Ser un adulador, hacer siempre lo que los superiores quieren **(to be an ass-kisser)**

*Siempre hace lo que le dice su jefe, es **un lameculos***

Véase **Dar coba**

Ser un mameluco

Ser bruto, estúpido **(to be a fool/stupid/unrefined)**

*¡Hay que **ser mameluco** para hacer esas burradas!*

Ser un manojo de nervios

Ser muy nervioso **(to be on edge)**

*Luisa **es un manojo de nervios**, no puede estarse quieta ni un momento*

Véase **Estar que echa chispas**

Ser un mirlo blanco

Ser alguien que resulta muy interesante y oportuno a otro por sus excelentes cualidades **(to be an extraordinary person/very proper)**

*Pablo **es un mirlo blanco**: guapo, rico, inteligente...*

Véase **Ser un buen partido**

■■■■■■ **Ser un muerto de hambre**

Ser alguien insignificante (**to be a nobody**)

El pobre Sebastián es un muerto de hambre, pero él se considera el mejor

EXPRESIONES SIMILARES
Véase **No pintar nada**

■■■■■■ **Ser un panolis**

Ser un remilgado, un cursi (**to be foolish/a fool**)

Pero si es un panolis, ¡no le hagas ni caso!

■■■■■■ **Ser un pelagatos**

Ser alguien insignificante (**to be a nobody**)

Ramón es un pelagatos, por eso nadie le escucha

EXPRESIONES SIMILARES
Véase **No pintar nada**

■■■■■■ **Ser un pelma**

Ser alguien muy pesado (**to be a dull person/a pest/a pain in the neck**)

¡Eres un pelma, déjame ya en paz!

EXPRESIONES SIMILARES
Véase **Dar la tabarra**
Ser un rollo

■■■■■■ **Ser un pelota**

Ser un adulador (**to be a bootlicker/a brown nose**)

Para él su jefe es su Dios: es un pelota

EXPRESIONES SIMILARES
Véase **Dar coba**

Ser un pendón

Ser alguien muy frívolo en cuestiones sentimentales **(to be a slut/a womanizer)**

Nicolás es un pendón, cada día está con una mujer distinta

EXPRESIONES SIMILARES
Véase **Ser ligero de cascos**

Ser un personaje

Tener un carácter singular **(to be a character/unique)**

La verdad es que Juan es un personaje, es un tío muy especial

EXPRESIONES SIMILARES
Véase **Ser de armas tomar**

Ser un pulpo

Tener las manos muy largas, en el sentido de estar tocando siempre a las otras personas **(to be a toucher/all over someone, to have wandering hands)**

Pepe es un pulpo, nunca tiene las manos quietas

Ser un rollo

Ser aburrido o poco interesante **(to be boring/a bore)**

Estudiar matemáticas es un rollo

EXPRESIONES SIMILARES
*Ser un coñazo Ser muermo Ser un pelma

Ser un tipo duro

Ser una persona muy fuerte, tanto anímica como físicamente **(to be a tough egg)**

Juan no tiene miedo a nadie, es un tipo duro

EXPRESIONES SIMILARES
Véase **Ser un hombre de pelo en pecho**

Ser un trepa

Ser una persona que intenta continuamente subir de categoría social y laboral (**to be a social climber**)

*Manuel **es un trepa** y no le importa a quién tenga que pisar con tal de ascender*

Ser un veleta

Ser una persona que cambia continuamente de opinión (**to blow hot and cold, to be fickle**)

A ver cuándo te aclaras tus ideas: ¡eres un veleta!

Ser un viva la vida

Ser una persona que disfruta al máximo de la vida sin preocuparse nunca de las consecuencias que su actuación pueda traer consigo (**to be flaky**)

*A los veinte años casi todo el mundo **es un viva la vida***

EXPRESIONES SIMILARES
Véase **Ser ligero de cascos**

Ser un viva la Virgen

Ser una persona que disfruta al máximo de la vida, sin preocuparse nunca de las consecuencias que su actuación pueda traer consigo (**to be a care free person**)

*Ese chico **es un viva la Virgen**, nunca piensa que hay que tomarse en serio algunas cosas*

EXPRESIONES SIMILARES
Véase **Ser ligero de cascos**

Ser una arpía

Ser una bruja, ser alguien con malas ideas, muy retorcido (**to be a harpy person/a virago/twisted**)

*Ten cuidado con ella porque **es una arpía***

Ser una cualquiera

Ser una mujer de moral dudosa (**to be a lust/whore**)

Ha salido con tres chicos y ya todos dicen que **es una cualquiera**

```
        EXPRESIONES SIMILARES
Véase Ser ligero de cascos
```

Ser una leonera

Ser un lugar muy desordenado **(to be a mess/a pigsty)**

Ordena tu cuarto. Esto **es una leonera**

```
        EXPRESIONES SIMILARES
Véase Andar manga por hombro
```

Ser una mosquita muerta

Ser alguien que parece incapaz de hacer daño a nadie, pero que en realidad tiene el carácter opuesto **(to look as if butter wouldn't melt in one's mouth)**

Teresa parecía que **era una mosquita muerta,** *pero...*

```
        EXPRESIONES SIMILARES
Véase No romper un plato
```

Ser una perita en dulce

Ser algo muy fácil, muy accesible **(to be as easy as a pie)**

Están encantados porque el contrincante que les ha tocado **es una perita en dulce**

```
        EXPRESIONES SIMILARES
Véase Ser coser y cantar
```

Ser una pocilga

Ser un lugar muy sucio **(to be a filthy place/a pigsty)**

¡A ver si limpias más, que esta habitación **es una pocilga!**

*Ser una putada

Ser una gran molestia, una mala jugada **(to be a bitch [a situation or an action])**

*Es **una putada** que nos hayan robado el coche*

■■■■■■■■ **Ser uña y carne**

Ser dos o más personas inseparables **(to be bosom friends/buddies)**

*Mi marido y yo **somos uña y carne** desde que nos conocimos*

EXPRESIONES SIMILARES
Véase **Caer bien**

■■■■■■■■ **Soltar el rollo**

Aburrir a alguien con la charla que se le da **(to give a lecture in a boring/monotonous way)**

*El profesor llegó, **soltó el rollo** y se largó*

■■■■■■■■ **Soltar la mosca**

Pagar sin tener voluntad de hacerlo **(to fork out, to give grudgingly)**

*Es un tacaño y le cuesta mucho **soltar la mosca***

EXPRESIONES SIMILARES
Véase **Aflojar la mosca**

■■■■■■■■ **No soltar prenda**

No decir ni una sola palabra en torno a un tema determinado **(to keep one's mouth shot)**

***No suelta prenda** de lo que le dijeron*

■■■■■■■■ **(No) soltar un duro**

(No) dar, gastar dinero **([not] to spend any money, to be tight-fisted)**

*Siempre es reacio a **soltar un duro***

EXPRESIONES SIMILARES
Véase **Aflojar la mosca**

███████████ **Soltarse el pelo**

Actuar alguien libremente sin importarle las consecuencias **(to loosen up, to let oneself go, to become more at ease, to let one's hair down)**

Estaba harta de tantas normas y decidió **soltarse el pelo**

███████████ **Sonarse la nariz**

Limpiarse la nariz **(to blow one's nose)**

Interrumpió su charla porque debía **sonarse la nariz**

███████████ **Subir como la espuma**

Crecer algo muy rápidamente **(to go straight up, to shoot up, to grow rapidly, to soar)**

Algunas acciones de la Bolsa **han subido como la espuma** *este año*

EXPRESIONES SIMILARES
Véase **Crecer como la espuma**

███████████ **Subirse al carro**

Aprovechar el buen momento de una situación para conseguir éxitos para uno mismo **(to take advantage of a situation, to join the club)**

A todos nos gusta **subirnos al carro** *de los triunfadores*

███████████ **Subirse los humos a la cabeza**

Envanecerse alguien después de haber obtenido un éxito **(to go to one's head)**

Desde que lo han nombrado delegado **se le han subido los humos a la cabeza**

EXPRESIONES SIMILARES
Véase **Darse aires**

███████████ **Sudar la gota gorda**

Esforzarse mucho para conseguir un buen resultado **(to sweat blood)**

Hemos sudado la gota gorda para subir el armario por la escalera

EXPRESIONES SIMILARES
Véase **Echar toda la carne en el asador**

Sudar tinta

Esforzarse mucho para conseguir un buen resultado **(to sweat blood)**

Para aprobar esta carrera hay que ***sudar tinta***

EXPRESIONES SIMILARES
Véase **Echar toda la carne en el asador**

T

Tender una mano

Prestar ayuda a alguien **(to offer help, to give a hand)**

*Es necesario **tender una mano** al que lo necesita*

EXPRESIONES SIMILARES
Véase **Echar un capote**

Tener a raya

Conseguir que alguien no traspase sus límites **(to keep/to place within bounds/limits, to have them under one's thumb)**

*El profesor consiguió **tener a raya** a toda la clase*

Tener a uno entre los ojos

Tenerle antipatía a alguien **(to loathe someone, to have it in for someone)**

*Javier **tiene entre los ojos** a Pedro desde que le pisó el ascenso*

EXPRESIONES SIMILARES
Véase **Tener hincha**

No tener abuela

Alabarse uno a sí mismo por falta de modestia **(to lack modesty, to blow one's own trumpet)**

*No digas más veces lo guapa que eres, ¡ni que **no tuvieras abuela**!*

Tener aires de grandeza

Sentirse alguien muy superior a los demás **(to be conceited, to give oneself airs)**

*Pepe **tiene aires de grandeza**, pero no es tan importante como él se cree*

Véase **Darse aires**

No tener algo vuelta de hoja

Ser algo claro, evidente e indiscutible **(to be the way it is)**

*No discutas más porque esto ya **no tiene vuelta de hoja***

Tener buen saque

Ser capaz de comer mucho **(to eat like a horse)**

*Es preferible no invitarle a comer porque **tiene muy buen saque***

EXPRESIONES SIMILARES

Comer a dos carrillos
Comer como una fiera
Comer como una lima
Pegarse un atracón

Tener buena mano

Dársele muy bien algo a alguien **(to have a way/a special talent)**

*Cristina **tiene muy buena mano** con los niños*

Tener buena/mala pinta

Tener buen/mal aspecto **(to look attractive/unattractive, to look appealing/unappealing)**

*Vamos por otro lado, que esos tíos **tienen muy mala pinta***

EXPRESIONES SIMILARES (TENER BUENA PINTA)
Véase **Ir de punta en blanco**

EXPRESIONES SIMILARES (TENER MALA PINTA)
Véase **Ir hecho un Adán**

Tener buenas salidas

Tener intervenciones oportunas en una conversación **(to be witty/remarkable, to have an answer for everything)**

*Julio es divertidísimo, siempre **tiene buenas salidas** para todo*

EXPRESIONES SIMILARES
Véase **Ser la monda**

Tener cabeza de chorlito

Ser estúpido, poco inteligente **(to have an empty head, to be a bird brain)**

*Susana no se entera nunca de nada porque **tiene cabeza de chorlito***

EXPRESIONES SIMILARES
Véase **Estar como una cabra**

Tener cada ocurrencia

Manifestar ideas agudas o divertidas **(to be witty/full of ideas)**

*Este niño es un encanto, ¡**tiene cada ocurrencia**!*

EXPRESIONES SIMILARES
Véase **Ser la monda**

Tener calado

Saber muy bien cómo es alguien **(to know somebody's ways)**

*No puedes engañarme porque ya te **tengo calado***

Tener (mucha) cara

Ser un sinvergüenza **(to be fresh, to be shameless)**

*Carlos **tiene mucha cara**, siempre se aprovecha de los demás*

EXPRESIONES SIMILARES
Véase **Ser un cara**

Tener cara de no haber roto nunca un plato

Tener alguien una expresión inocente y dulce como de no haber hecho nunca nada malo **(to have an innocent face/look, to look as if butter wouldn't melt in one's mouth)**

*Pepe **tiene cara de no haber roto nunca un plato**, pero, en realidad, tiene muy malas ideas*

EXPRESIONES SIMILARES

Véase **No romper un plato**

Tener cara de pocos amigos

Tener el semblante serio y desgradable como muestra de mal humor o enfado **(to have a long face/a closed expression)**

*Yo no me acercaría hoy a Javier; **tiene cara de pocos amigos***

EXPRESIONES SIMILARES

Véase **Estar de mala uva**

Tener carnaza

Tener un atractivo morboso **(to have a morbid attraction)**

*A la gente le encantan los programas de tragedias **que tienen carnaza***

Tener celos

Sentir obsesión por el hecho de que la persona amada pueda ser infiel **(to be jealous)**

*No soporto a los hombres que **tienen celos***

EXPRESIONES SIMILARES

Tener envidia

Tener chorra

Tener buena suerte **(to be lucky)**

*¡**Qué chorra he tenido!** Me ha tocado la lotería*

EXPRESIONES SIMILARES

Véase **Estar de suerte**

Tener cosquillas

Sentir una sensación electrizante que provoca la risa o la irritación **(to be ticklish)**

*No me toques, que **tengo cosquillas***

Tener cubierto el riñón

Tener una situación financiera estable gracias a un respaldo económico (to be well-heeled/well-off)

Han llegado tranquilos a su jubilación porque tienen cubierto el riñón

Tener cuenta

Ser interesante económicamente hablando (to come out winning, to be beneficial)

La verdad es que tiene cuenta comprar en este supermercado; todo es más barato

EXPRESIONES SIMILARES
Traer cuenta

Tener cuidado

Prestar atención, ser precavido (to be careful, to watch out)

Ten cuidado, que hay un escalón roto

Tener de todo

Poseer todo tipo de bienes materiales (to have it all)

Los hijos de Enrique son muy afortunados porque tienen de todo

No tener dos dedos de frente

Ser muy poco inteligente o ser irresponsable (to be irresponsible/as thick as two planks)

Manolo no tiene dos dedos de frente, así que es mejor no darle responsabilidades

EXPRESIONES SIMILARES
Véase Ser corto de entendederas

Tener el colmillo retorcido

Ser astuto y sagaz, maquinar continuamente ideas diabólicas (to be canny/wicked)

*Paula siempre está tramando algo contra alguien porque **tiene el colmillo
retorcido***

██████████ **Tener el mono**

Sufrir el síndrome de abstinencia **(to carry/have the monkey on one's
back)**

*Los drogadictos son peligrosos cuando **tienen el mono***

EXPRESIONES SIMILARES
Véase **Estar colgado**

██████████ **Tener en cuenta**

Considerar **(to keep/bear in mind, to remember)**

Ten en cuenta *que mañana debes llegar antes porque hay examen*

██████████ **Tener en el bote**

Tener a alguien totalmente a su favor **(to have someone on one's side)**

*Creo que María ya **tiene** a Luis **en el bote***

██████████ **Tener en palmitas**

Tratar a alguien muy bien, con delicadeza **(to spoil someone)**

*Quiere mucho a su mujer y la **tiene en palmitas***

██████████ **Tener en un puño**

1. Tener a alguien o algo bajo control **(to have someone under control)**
2. «Tener el corazón en un puño»: estar muy preocupado **(to be very worried)**

Tengo *el corazón **en un puño**, desde que me he enterado de su enfermedad*

██████████ **Tener enchufe**

Tener conocidos que le beneficien a uno en la obtención de un puesto de trabajo, un buena nota, una buena situación... **(to have connections/contacts)**

*Manuel ha conseguido ese trabajo porque **tiene un buen enchufe***

▨ Tener envidia

Desear lo que otro tiene **(to be jealous)**

El hermano mayor tenía envidia cuando nació el bebé

EXPRESIONES SIMILARES
Véase **Tener celos**

▨ Tener hincha

Odiar a alguien, tener sentimientos negativos contra alguien **(to hate someone, to have a grudge against someone, to bear someone a grudge)**

Tengo hincha a los que no respetan a los demás

EXPRESIONES SIMILARES
Tener a uno entre los ojos
Tener manía
Tener tirria
Tomarla con alguien

▨ *Tener huevos

Ser muy valiente, muy atrevido **(to have guts/balls)**

Hay que tener huevos para meterse en una jaula con un león hambriento

▨ Tener humos

Sentirse alguien muy superior a los demás **(to be conceited/full of oneself)**

Se ha comprado un chalet y ahora tiene muchos humos

EXPRESIONES SIMILARES
Véase **Darse aires**

▨ Tener interés

Estar interesado en algo **(to be interested in)**

¿Puede usted informarme? Tengo interés en ingresar en su universidad

Tener la cabeza llena de pájaros

Tener muy poco juicio, estar soñando siempre en imposibles (**to have bats in the belfry, to have one's head in the clouds**)

Cristina tiene la cabeza llena de pájaros y piensa que va a llegar a ser una modelo muy cotizada

EXPRESIONES SIMILARES
Véase **Estar como una cabra**

Tener la fiesta en paz

No causar discordia (**to have peace, to cut it out**)

Tengamos la fiesta en paz, no empecemos otra vez con esa discusión

Tener la guardia y custodia

Ser el encargado de mantener, cuidar y vigilar a una persona discapacitada o a un menor (**to have custody**)

Tras un divorcio, la madre tiene la guardia y custodia de los hijos menores de siete años

Tener la lengua larga

Ser una persona muy habladora y propensa a decir las cosas sin pensar antes (**to be a blabbermouth**)

No le cuentes muchas cosas a Carmen porque tiene la lengua larga

EXPRESIONES SIMILARES
Véase **Ser un deslenguado**

Tener la negra

Tener muy mala suerte (**to have bad luck**)

Tengo la negra, todo me sale mal

EXPRESIONES SIMILARES
Bailar con la más fea
Caer en desgracia
Tener mala pata
Tocar la china

███████████ **Tener la sartén por el mango**

Tener la situación bajo control **(to have the upper hand)**

*El jefe es el que siempre **tiene la sartén por el mango***

EXPRESIONES SIMILARES
Cortar el bacalao
Llevar la batuta
Llevar la voz cantante
Llevar las riendas
Llevar los pantalones
Partir el bacalao
Ser el dueño del cotarro

███████████ **Tener la vida en un hilo**

Estar entre la vida y la muerte **(to have one's life hang by a thread/to have one's life in danger)**

*Después de la operación, el enfermo **tenía la vida en un hilo***

EXPRESIONES SIMILARES
Véase **Estar hecho polvo**

███████████ **Tener lengua de víbora**

Ser alguien muy ácido al hablar **(to have a vicious/evil/poisonous tongue)**

*¡Ojo con lo que te diga ésa!, **tiene lengua de víbora***

EXPRESIONES SIMILARES
Tener lengua viperina

███████████ **Tener lengua viperina**

Ser una persona muy ácida al hablar **(to have a vicious/evil/poisonous tongue)**

*¡Vaya **lengua viperina que tienes!** Insultas a todo el mundo*

EXPRESIONES SIMILARES
Véase **Tener lengua de víbora**

■■■■■■ **Tener mal genio**

Tener mal carácter **(to be quick-tempered)**

Jesús siempre tiene mal genio

EXPRESIONES SIMILARES
Véase **Estar de mala uva**

■■■■■■ **Tener mal perder**

Querer ganar siempre, ponerse de mal humor cuando no se consigue una victoria **(to be a bad loser)**

Se enfadó mucho porque no obtuvo el premio: tiene mal perder

■■■■■■ **Tener mala cabeza**

Ser alocado y olvidadizo **(to be forgetful)**

Mi primo tiene mala cabeza y siempre lo olvida todo

■■■■■■ *Tener mala leche**

Tener mal carácter, tener malas intenciones **(to be mean)**

¡Qué mala leche tienes! No le hagas eso al pobre niño

EXPRESIONES SIMILARES
Véase **Estar de mala uva**

■■■■■■ **Tener mala/buena pata**

Tener mala/buena suerte **(to have bad/good luck)**

He tenido mala pata en el examen y he suspendido

EXPRESIONES SIMILARES (TENER BUENA PATA)
Véase **Estar de suerte**

EXPRESIONES SIMILARES (TENER MALA PATA)
Véase **Tener la negra**

███████████ **Tener malas pulgas**

Tener mal humor, mal carácter **(to be touchy/easily annoyed)**

No hables mucho con Eva porque tiene muy malas pulgas

EXPRESIONES SIMILARES
Véase **Estar de mala uva**

███████████ **Tener manga ancha**

Ser muy liberal e indulgente **(to be very lenient/easy-going/generous)**

Es fácil aprobar con ese profesor porque tiene manga ancha

███████████ **Tener manía**

Odiar a alguien, tener sentimientos negativos contra alguien **(to have it in for someone)**

El niño decía que no aprobaba porque el maestro le tenía manía

EXPRESIONES SIMILARES
Véase **Tener hincha**

███████████ **Tener mano izquierda**

Tener astucia para resolver situaciones difíciles **(to be astute)**

Tiene mucha mano izquierda y sabe controlar los negocios

███████████ **Tener marcha**

Ser una persona muy activa, con mucha energía y con muchas ganas de divertirse **(to be on the go/lively/full of energy/always ready to go)**

¡Vaya marcha que tienes! No has parado de bailar en toda la noche

EXPRESIONES SIMILARES
Véase **Ir de marcha**

███████████ **Tener más años que Matusalén**

Ser muy viejo **(to be as old as Methusalem/as old as the hills)**

Mi abuelo ***tiene más años que Matusalén***

■■■■■■■■ **Tener más conchas que un galápago**

Ser una persona reservada o disimulada en sus pensamientos y sentimientos **(to be cautious/reserved/like a clam)**

Es difícil llegar a saber lo que siente Eduardo porque ***tiene más conchas que un galápago***

■■■■■■■■ **Tener más cuento que Calleja**

Ser mentiroso, exagerado, gustar de las falsas apariencias **(to be all talk)**

No te creas nada de lo que te diga Sonia, ***tiene más cuento que Calleja***

EXPRESIONES SIMILARES
Véase **Echar cuento**

■■■■■■■■ **Tener más vidas que un gato**

Tener mucha suerte, salir siempre indemne de cualquier situación de peligro **(to have nine lives like a cat)**

José ***tiene más vidas que un gato***, *ha tenido dos accidentes de coche y no le ha pasado nada*

EXPRESIONES SIMILARES
Véase **Estar de suerte**

■■■■■■■■ **Tener miga**

Tener un asunto más profundidad, más importancia, más complicaciones de las que se preveían **(to be more than meets the eye)**

Este asunto ***tiene miga***, *así que no nos lo podemos tomar a la ligera*

■■■■■■■■ **Tener monos en la cara**

Tener una apariencia extraña, sorprendente **(to look odd, to have two heads)**

No me mires así, ¿es que ***tengo monos en la cara?***

■■■■■■■■ **Tener muchas horas de vuelo**

Tener mucha experiencia **(to have a lot of experience)**

*Pregúntale a Pablo, él **tiene muchas horas de vuelo** en materia de negociaciones*

EXPRESIONES SIMILARES
Tener tablas
Tener mundo

Tener muchas ínfulas

Sentirse alguien muy superior a los demás y presumir constantemente de ello **(to put on airs)**

*Marcos **tiene muchas ínfulas** desde que lo nombraron director*

EXPRESIONES SIMILARES
Véase **Darse aires**

Tener muchas tablas

Tener mucha experiencia, tener soltura o desenvoltura en cualquier actuación **(to have experience)**

*Está tranquila cuando habla en público porque **tiene muchas tablas***

EXPRESIONES SIMILARES
Véase **Tener muchas horas de vuelo**

Tener mucho cuento

Ser mentiroso, exagerado, gustar de las falsas apariencias **(to talk a lot, to be all talk)**

*Aunque la niña llore, no le hagas caso, es que **tiene mucho cuento***

EXPRESIONES SIMILARES
Véase **Echar cuento**

Tener mundo

Conocer la vida gracias a muy diversas experiencias **(to have a lot of experience)**

*Rebeca es muy joven, pero **tiene** ya mucho **mundo***

EXPRESIONES SIMILARES
Véase **Tener muchas horas de vuelo**

No tener ni la menor idea

No saber absolutamente nada sobre un tema **(not to have the slightest idea)**

No tengo ni la menor idea de dónde he puesto el bolso

No tener ni pies ni cabeza

No tener ningún sentido, ser absurdo **(to be unable to make head nor tail of something, not to make any sense)**

Lo que me estás contando no tiene ni pies ni cabeza

Tener ojo clínico

Tener gran capacidad para comprender o juzgar las cosas o las personas simplemente con mirarlas **(to have an eye for)**

Yo tengo ojo clínico para saber quién es honrado y quién no

Tener palabra

Cumplir alguien lo que promete **(to keep one's work)**

Javier tiene palabra, puedes confiar en él

EXPRESIONES SIMILARES
Véase **Ser de buena pasta**

Tener pasta

Tener mucho dinero **(to have money/dough/beans/bread)**

Su padre tiene mucha pasta, por eso María viaja tanto

EXPRESIONES SIMILARES
Véase **Pegarse la gran vida**

No tener pelos en la lengua

No tener reparos en decir lo que se piensa **(to make no bones about something, to say it like it is)**

María es peligrosa porque **no tiene pelos en la lengua**

> **EXPRESIONES SIMILARES**
> Véase **Ser un deslenguado**

Tener pluma

Ser afeminado **(to be a fag, to be a fruit, to swing both ways)**

Todos los que van a esa discoteca **tienen pluma**

> **EXPRESIONES SIMILARES**
> Véase **Perder aceite**

Tener poca sal en la mollera

Ser poco inteligente **(to be dumb, not to have two brains to rub together)**

Luis **tiene poca sal en la mollera,** *así que no esperes de él una idea brillante*

> **EXPRESIONES SIMILARES**
> Véase **Ser corto de entendederas**

Tener potra

Tener mucha suerte **(to be lucky, to have good luck)**

¡Qué potra tienes! *Otra vez te ha tocado el gordo*

> **EXPRESIONES SIMILARES**
> Véase **Estar de suerte**

Tener prisa

Disponer de poco tiempo **(to be in a hurry)**

Lo siento, pero **tengo prisa** *y no puedo tomar un café contigo*

> **EXPRESIONES SIMILARES**
> Véase **Correr prisa**

■■■■■■■■ **Tener querencia**

Sentirse uno apegado a un lugar concreto, acercarse uno siempre al sitio de donde proviene, por sentirse así más seguro, tener tendencia hacia algo **(to be attracted to something, to have a link with)**

Manuel tiene querencia a la barra, siempre tiene una copa en la mano

■■■■■■■■ **Tener razón**

Estar en lo correcto **(to be right)**

Tenías razón, deberíamos haber comprado un coche nuevo en vez de uno usado

■■■■■■■■ **Tener renombre**

Tener fama **(to be well known)**

Cervantes tiene renombre en todo el mundo

■■■■■■■■ **Tener siete vidas**

Tener mucha suerte, salir siempre indemne de cualquier situación de peligro **(to have nine lives like a cat)**

Mercedes es muy afortunada, parece que tiene siete vidas

EXPRESIONES SIMILARES
Véase **Estar de suerte**

■■■■■■■■ **Tener sin cuidado**

No importar nada, ser indiferente **(to really care less, to be indifferent about something)**

Me tiene sin cuidado que te cases

EXPRESIONES SIMILARES
Véase **Importar un bledo**

■■■■■■■■ **Tener sorbido el seso a alguien**

Hacer que alguien se sienta absolutamente ensimismado por otra persona, sin capacidad para pensar por sí mismo **(to brainwash somebody, to make someone to fall in love with you)**

Pablo me tiene sorbido el seso

EXPRESIONES SIMILARES
Véase **Beber los vientos por alguien**

Tener su aquel

Tener una persona o una cosa algo especialmente agradable que lo hace diferente de los demás **(to be special)**

Esta chica no es bonita, pero tiene su aquel

EXPRESIONES SIMILARES
Tener un algo

Tener suerte

Ser afortunado **(to be lucky)**

Normalmente, tengo suerte en los exámenes

EXPRESIONES SIMILARES
Véase **Estar de suerte**

Tener tacto

Ser cuidadoso, prestar atención a lo que se dice o se hace para no herir a los demás **(to be tactful)**

Es una mujer muy sensible, hay que tener tacto con ella

EXPRESIONES SIMILARES
Véase **Andarse con pies de plomo**

Tener tensión

Tener alta la presión sanguínea **(to have high blood pressure)**

Mi padre no puede tomar sal porque tiene tensión

Tener tirria

Odiar a alguien, tener sentimientos negativos contra alguien **(to hate someone, to have a grudge against someone)**

*He dejado la clase de matemáticas porque **le tengo tirria** al profesor*

EXPRESIONES SIMILARES
Véase **Tener hincha**

████████ **Tener un algo**

Tener una persona o una cosa algo especialmente agradable que lo hace diferente de los demás **(to be special)**

*No es guapo, pero **tiene un algo***

EXPRESIONES SIMILARES
Véase **Tener su aquel**

████████ **Tener un corazón de oro**

Ser una persona de muy nobles y bellos sentimientos **(to be generous, to have a golden heart)**

*Amo a mi abuela porque **tiene un corazón de oro***

████████ **Tener un día de perros**

Tener alguien un mal día **(to have a nasty/horrible/ugly day)**

*Hoy **tengo un día de perros**, así que olvídame*

████████ **Tener un lío**

1. Mantener una aventura amorosa **(to have an affair)**
2. Estar confuso **(to be mixed up)**

*Jaime **ha tenido un lío** con su secretaria*

EXPRESIONES SIMILARES
Véase **Pelar la pava**
　　　　Estar hecho un lío

████████ **Tener un lío de faldas**

Mantener una aventura amorosa **(to have an affair)**

*El ministro dimitió porque **tuvo un lío de faldas** y lo descubrió la prensa*

Véase **Pelar la pava**

No tener un pelo de tonto

Ser muy inteligente (**to be smart/hard to fool**)

*Aunque lo parezca, César **no tiene un pelo de tonto***

*Tener un polvo

Ser muy atractivo y deseable sexualmente (**to be sexy, to turn someone on**)

*Mira a ese tío, no es por nada, pero **tiene un polvo**...*

Véase **Estar como un tren**

Tener un problema de narices

Tener un grave problema (**to have a big/a serious problem**)

***Tendremos un problema de narices** si no viene pronto el fontanero*

Tener un punto

Estar ligeramente bebido (**to be tipsy**)

*He tomado dos copas y ya **tengo un punto**. No voy a beber más*

Véase **Estar como una cuba**

Tener un rollo

Tener una aventura amorosa (**to have a thing going on**)

*Se rumorea que Pilar y Jaime **tienen un rollo***

Véase **Pelar la pava**

Tener una agarrada con alguien

Tener un enfrentamiento, una pelea con alguien **(to have a fight with someone)**

Luis tuvo una agarrada con Julio por culpa de una mujer

Tener una copa de más

Haber bebido de más **(to be tiddly)**

No debes conducir porque tienes una copa de más

EXPRESIONES SIMILARES
Véase **Estar como una cuba**

Tener una curda de campeonato

Estar muy borracho **(to be as drunk as a barrel, to be loaded)**

Cuando lo dejamos, tenía ya una curda de campeonato

EXPRESIONES SIMILARES
Véase **Estar como una cuba**

Tener una tajada

Tener una borrachera muy grande **(to be drunk/loaded)**

¡Con la tajada que tenías ayer, no me extraña que tengas resaca!

EXPRESIONES SIMILARES
Véase **Estar como una cuba**

Tener una trompa

Tener una borrachera muy grande **(to be drunk/loaded)**

Manolo tenía el sábado una trompa impresionante

EXPRESIONES SIMILARES
Véase **Estar como una cuba**

Tirar de la lengua

Hacer que alguien diga cosas que no tenía intención de decir **(to make some-one talk)**

*No me **tires de la lengua** porque voy a decir cosas que no quieres oír*

Tirar de la manta

Poner al descubierto un asunto que otros pretenden que permanezca encubierto **(to pull the blanket, to let the cat out of the bag)**

*Tras su detención, el preso amenazó con **tirar de la manta** e involucrar a varios altos cargos*

Tirar la casa por la ventana

Derrochar alegremente y sin moderación **(to spend with excess, to over spend)**

*Cuando se casó su hija, **tiraron la casa por la ventana***

EXPRESIONES SIMILARES
Véase **Echar la casa por la ventana**

Tirar la toalla

Rendirse **(to throw in the towel, to give up)**

*Decidí **tirar la toalla**, porque ya no me quedaban fuerzas*

EXPRESIONES SIMILARES
Véase **Darse por vencido**

Tirar los tejos

Intentar establecer una relación sentimental diciendo y haciendo cosas que puedan agradar a la persona deseada **(to make a pass)**

*Él le **tiraba los tejos**, pero ella no le hacía caso*

EXPRESIONES SIMILARES
Véase **Pelar la pava**

Tirar piedras contra el propio tejado

Criticarse, causarse un perjuicio a sí mismo, sin ser consciente de ello **(to make a bad move, to shit in your own back yard)**

Con esta decisión estás tirando piedras contra tu propio tejado

Tirar por el camino más corto

Buscar la solución más rápida y fácil **(to take a short cut)**

En vista de que no conseguían ponerse de acuerdo, Manuel tiró por el camino más corto y tomó él el mando

EXPRESIONES SIMILARES
Tirar por la calle de enmedio
Tomar una decisión

Tirar por la borda

Desprenderse de algo de forma desconsiderada, hacer que algo fracase **(to upset the applecart, to throw away)**

Miguel tiró por la borda quince años de matrimonio para irse con otra mujer

EXPRESIONES SIMILARES
Véase **Arrojar por la borda**

Tirar por la calle de enmedio

Decidirse a actuar **(to go one's way)**

Si los demás no os aclaráis, nosotros vamos a tirar por la calle de enmedio

EXPRESIONES SIMILARES
Véase **Tirar por el camino más corto**

Tirarse pegotes

Exagerar las propias virtudes, fantasear **(to fantasize, to bluff)**

No te tires pegotes porque todos sabemos que no eres la novia de Tom Cruise

Tocar bailar con la más fea

Tocarle a uno siempre la peor parte **(to get the worst part, to have bad luck)**

*En cuestión de salarios a las mujeres siempre nos **toca bailar con la más fea***

Tocar la china

Tener mala suerte **(to have bad luck)**

*Ya estoy harto, siempre **me toca la china***

Tocar la papeleta

Corresponderle a alguien el turno de algo, normalmente negativo **(to be one's turn)**

*Todos moriremos algún día y hoy le **ha tocado la papeleta** a Juan*

Tocarse las narices

No hacer nada **(to do nothing, to be idle)**

*María José **está** todo el día **tocándose las narices** en vez de ayudar a su madre*

Tomar a broma

No considerar seriamente un asunto o a una persona **(not to take things seriously, to take things as a joke)**

*No lo **tomes a broma** porque es un asunto muy serio*

EXPRESIONES SIMILARES
*Tomar(se) a cachondeo Tomar a risa Tomar por el pito del sereno

Tomar a risa

Burlarse, no dar crédito o importancia a alguien o a algo **(not to take seriously anything/anyone, to make fun of)**

*Hay gente que **se toma a risa** asuntos que son sagrados para otros*

EXPRESIONES SIMILARES
Véase **Tomar a broma**

Tomar (algo o a alguien) por el pito del sereno

Considerar algo o a alguien poco importante **(to take something/someone as a joke)**

*Cuando regaño a mis hijos, ellos **me toman por el pito del sereno***

EXPRESIONES SIMILARES
Véase **Tomar a broma**

Tomar cartas en el asunto

Intervenir en un asunto alguien que tiene autoridad para ello **(to intervene)**

*Ante la situación de inestabilidad, el presidente tuvo que **tomar cartas en el asunto***

Tomar el fresco

Disfrutar del aire fresco **(to get some fresh air)**

*Me estoy asando; voy a la calle a **tomar el fresco***

Tomar el pelo

Burlarse de alguien **(to pull somebody's leg)**

*No te lo tomes en serio, ¿no ves que te **están tomando el pelo**?*

Tomar el sol

Exponerse al sol **(to sunbathe)**

*No es bueno **tomar el sol** en exceso*

Tomar una decisión

Decidirse a hacer algo **(to make a decision)**

*Debemos **tomar una decisión** cuanto antes*

EXPRESIONES SIMILARES
Véase **Tirar por el camino más corto**

Tomarla con alguien

Contradecir a alguien y culparlo, por sistema, en todo lo que hace o dice **(to take against somebody, to have it in for someone)**

*¡Ahora **la ha tomado conmigo** y no me deja vivir!*

EXPRESIONES SIMILARES
Véase **Tener hincha**

*Tomar(se) a cachondeo

No considerar seriamente un asunto o a una persona **(not to take things seriously, to take things as a joke)**

*Nicolás se **toma** la vida **a cachondeo***

EXPRESIONES SIMILARES
Véase **Tomar a broma**

Tomar(se) a pecho

Tomarse las cosas con seriedad **(to take things seriously/something to heart)**

*No **te tomes a pecho** lo que dice Emilio, ¿no ves que está de broma?*

EXPRESIONES SIMILARES
Tomarse algo por la tremenda
Tomarse algo en serio

Tomarse algo por la tremenda

Tomarse las cosas con excesiva seriedad **(to take things seriously, to exaggerate)**

No te tomes por la tremenda la travesura de Miguel, ¡sólo es un niño!

EXPRESIONES SIMILARES
Véase **Tomarse a pecho**

Tomarse confianzas

Tratar a cualquier persona como si fuera un amigo **(to be at ease with someone/too familiar with someone)**

*Ese tío es un cara y se **toma confianzas** con todo el mundo*

Tomarse (algo) en serio

Considerar las cosas con seriedad **(to take things seriously)**

*Mario se **toma** la vida demasiado **en serio***

EXPRESIONES SIMILARES
Véase **Tomarse a pecho**

Tomarse la libertad

Actuar con confianza **(to take the liberty of)**

*¿Me permite que me **tome la libertad** de invitarla a una copa?*

Trabajar como un chino

Trabajar mucho en labores que requieren mucha precisión **(to work hard, to sweat blood)**

*He **trabajado como un chino** para resolver ese problema matemático*

EXPRESIONES SIMILARES
Trabajar como un negro

Trabajar como un negro

Trabajar mucho **(to work like a dog/like a slave/hard)**

Trabajo como un negro para ganar cuatro perras. *¡Qué vida tan dura!*

EXPRESIONES SIMILARES
Véase **Trabajar como un chino**

Traer a mal traer

Maltratar o molestar mucho a alguien en cualquier concepto **(to make someone worry about something)**

El desempleo es un tema que nos trae a maltraer

EXPRESIONES SIMILARES
Véase **Andar de cabeza**

Traer al fresco

No importar algo **(to care less)**

Me trae al fresco lo que haga Pepe, ya no salgo con él

EXPRESIONES SIMILARES
Véase **Importar un bledo**

Traer cola

Tener consecuencias **(to make an impact)**

Va a traer cola la noticia que ha publicado ese periódico

Traer cuenta

Interesar **(to be worth it/worthwhile)**

¿Crees que trae cuenta comprarlo a plazos?

EXPRESIONES SIMILARES
Véase **Tener cuenta**

Traer de cabeza

Dar preocupaciones o trabajo a alguien **(to make someone worry about something)**

Mi hija de veinte años me trae de cabeza

EXPRESIONES SIMILARES
Véase **Andar de cabeza**

Traer por la calle de la amargura

Proporcionar disgustos o sufrimientos **(to cause suffering and hardship)**

El paro trae por la calle de la amargura a miles de españoles

EXPRESIONES SIMILARES
Véase **Andar de cabeza**

Traer sin cuidado

No preocupar lo más mínimo **(to care less, not to care)**

A Luisa le traen sin cuidado los sentimientos de los demás

EXPRESIONES SIMILARES
Véase **Importar un bledo**

Traerse entre manos

Estar inmerso en un asunto **(to handle, to be involved in)**

Ahora mismo se traen entre manos un trabajo muy complicado

EXPRESIONES SIMILARES
Véase **Andar con algo entre manos**

Tratar a patadas

Tratar muy mal a una persona **(to treat badly)**

Dejó su trabajo porque allí lo trataban a patadas

Tratar(se) de tú a tú

Tratarse como iguales **(to be at the same level)**

La universidad española puede tratarse de tú a tú con cualquiera del resto del mundo

Tumbarse a la bartola

Descansar, instalarse cómodamente sin hacer nada **(to lie down and do nothing)**

*En verano lo que más me gusta hacer es **tumbarme a la bartola***

EXPRESIONES SIMILARES
Véase **Cruzarse de brazos**

V

Valer la pena

Ser interesante, merecer un esfuerzo **(to be worthwhile)**

*No **vale la pena** que gastes tanto dinero en ese regalo*

EXPRESIONES SIMILARES
Véase **Merecer la pena**

No valer para nada

Ser absolutamente inútil **(to be good for nothing)**

*Me han comprado un paraguas tan pequeño que **no vale para nada***

EXPRESIONES SIMILARES
Valer un pimiento Valer un pepino

Valer un pimiento

No servir para nada, no tener ningún valor **(to be worthless/useless)**

*Tus opiniones no **valen un pimiento***

EXPRESIONES SIMILARES
Véase **No valer para nada**

Valer un pepino

No servir para nada, no tener ningún valor **(not to be worth the trouble/the effort)**

*¡Como si nada! Lo que me dijiste ayer **vale un pepino***

EXPRESIONES SIMILARES
Véase **No valer para nada**

Vender la moto

Engañar a alguien, intentar convencerle de que se le ofrece lo mejor **(to trick someone)**

*Algunos políticos lo que quieren es **vendernos la moto***

EXPRESIONES SIMILARES
Véase **Dar gato por liebre**

No vender una escoba

No obtener ningún resultado (sobre todo en el terreno sexual) **(to get nothing done)**

*¡Todo el día aquí y **sin vender una escoba**!*

EXPRESIONES SIMILARES
Véase **(No) comerse una rosca**

Venir a cuento

Ser oportuno o haber motivo **(to be the issue)**

*No **viene a cuento** hablar de poesía en un examen de matemáticas*

EXPRESIONES SIMILARES
Venir al pelo
Venir como anillo al dedo
Venir como caído del cielo
Venir de miedo
Venir de perilla
Venir de perlas

Venir a la cabeza

Recordar **(to come to mind, to remember)**

*Me **viene** ahora **a la cabeza** la historia de un señor de mi pueblo*

Venir al pelo

Venir algo a la medida justa, exacta y oportunamente **(to be convenient/exactly what someone wanted/needed)**

*Me **ha venido al pelo** que trajeras el coche*

> **EXPRESIONES SIMILARES**
> Véase **Venir a cuento**

Venir como anillo al dedo

Venir algo a la medida justa, exacta y oportunamente **(to be convenient, to suit someone perfectly)**

A Julia, en estos momentos, le viene como anillo al dedo la ayuda de todos

> **EXPRESIONES SIMILARES**
> Véase **Venir a cuento**

Venir como caído del cielo

Llegar algo o alguien en el momento que más se le necesita **(to come like a gift from the Gods)**

Juan vino como caído del cielo para ayudarnos en la mudanza

> **EXPRESIONES SIMILARES**
> Véase **Venir a cuento**

Venir con cuentos chinos

Contarle a uno cosas que no le importan o que no quiere saber **(to talk non-sense)**

No vengas con cuentos chinos ahora porque ya nadie te va a creer

> **EXPRESIONES SIMILARES**
> Venir con gaitas
> Venir con monsergas

Venir con gaitas

Acercarse a alguien en actitud desafiante diciéndole cosas desagradables o molestas **(to be rubbish, to say nonsense)**

Encima que no ha hecho nada, ahora nos viene con gaitas

> **EXPRESIONES SIMILARES**
> Véase **Venir con cuentos chinos**

Venir con monsergas

Decirle a uno cosas desagradables o molestas **(to give someone crap/shit, to bother someone, to annoy)**

*Espero que Marta no **venga con monsergas** porque, después de tantos líos, no sé si la soportaré*

EXPRESIONES SIMILARES
Véase **Venir con cuentos chinos**

Venir con un pan debajo del brazo

Llegar a un lugar trayendo la buena suerte o la prosperidad consigo **(to bring the light/luck)**

*Se dice que todos los niños, al nacer, **vienen con un pan debajo del brazo***

EXPRESIONES SIMILARES
Véase **Estar de suerte**

Venir de miedo

Ser muy oportuno **(to be very useful)**

*El coche de mi padre me **ha venido de miedo** para ir a Barcelona*

EXPRESIONES SIMILARES
Véase **Venir a cuento**

Venir de perilla

Ser muy oportuno, venir a la medida justa **(to be opportune at the right time)**

*¡Qué bien que hayas llegado! Me **vienes de perilla***

EXPRESIONES SIMILARES
Véase **Venir a cuento**

Venir de perlas

Ser muy oportuno, venir a la medida justa **(to be perfect/just what someone wanted)**

Me vino de perlas aquel libro para preparar el examen

> **EXPRESIONES SIMILARES**
> Véase **Venir a cuento**

■■■■■ **Venir en ayuda**

Acudir a ayudar a alguien **(to come to help/to the aid of)**

La Comunidad Europea ha venido en ayuda de los refugiados africanos

> **EXPRESIONES SIMILARES**
> Véase **Echar un capote**

■■■■■ **Venirse abajo**

Derrumbarse, desvanecerse ante una adversidad **(to vanish, to be crushed/destroyed)**

Se vinieron abajo todas sus esperanzas cuando le denegaron el crédito

> **EXPRESIONES SIMILARES**
> Véase **Caérsele a alguien la casa encima**

■■■■■ **Venirse algo encima**

Sentirse alguien sobrepasado por las circunstancias e incapaz de continuar hacia adelante **(to be crushed/overwhelmed with trouble)**

Se nos viene encima un grave problema por culpa de la crisis agrícola

> **EXPRESIONES SIMILARES**
> Véase **Caérsele a alguien la casa encima**

■■■■■ **Ver algo de color de rosa**

Ver algo como maravilloso debido a un punto de vista optimista **(to seem rosy)**

Cuando estamos enamorados, vemos la vida de color de rosa

> **EXPRESIONES SIMILARES**
> Véase **Ser de color de rosa**

(No) ver con buenos ojos

(No) mirar algo con simpatía o agrado, no aprobarlo (**[not] to approve**)

*Luis **no ve con buenos ojos** al novio de su hija*

Ver la paja en el ojo ajeno

Ver los defectos de los demás, sin tener en cuenta los propios (**to see every-onelse's defects but not one's own**)

*Pablo no ve sus defectos, pero **ve la paja en el ojo ajeno***

Ver las estrellas

Sentir un dolor físico muy grande (**to see stars**)

*Me di un golpe con la puerta y **vi las estrellas***

Ver los cielos abiertos

Ver, en una situación difícil, la solución para salir del trance (**to find an easy way out**)

*Cuando apareció la policía, tras el accidente, Manuel **vio los cielos abiertos***

Ver los toros desde la barrera

No arriesgarse, no involucrarse en una situación que puede resultar peligrosa (**to protect oneself, to stay on the sidelines**)

*La costumbre de Mario es **ver los toros desde la barrera** cuando hay algún conflicto*

No ver más allá de sus narices

Ser poco perspicaz y darse cuenta sólo de las cosas más evidentes (**to [not] see beyond one's own horizons/to [not] see beyond one's back yard**)

*Este país no podrá prosperar si sus políticos no **ven más allá de sus narices***

No ver tres en un burro

Tener muy mala vista (**to have a bad vision**)

*¡Ponte gafas, que **no ves tres en un burro**!*

███████ **Vérselas y deseárselas para algo**

Pasar dificultades para conseguir algo **(to have difficulties, not to make ends meet)**

Me las estoy viendo y deseando para terminar este libro

███████ **Vérsele a uno el plumero**

Traslucirse su pensamiento o sus intenciones **(to see through someone)**

No intentes disimular, se te ve el plumero

███████ **Vivir a costa de alguien**

Vivir del dinero que otra persona gana **(to live at someonelse's expenses/off someone)**

Como no tiene dinero, vive a costa de sus padres

EXPRESIONES SIMILARES
Vivir a cuenta de alguien
Vivir del cuento

███████ **Vivir a cuenta de alguien**

Vivir del dinero que otra persona gana **(to live at someonelse's expenses)**

Se fue con ese hombre para vivir a cuenta de él

EXPRESIONES SIMILARES
Véase **Vivir a costa de alguien**

███████ **Vivir a cuerpo de rey**

Vivir acompañado de todos los lujos y comodidades posibles **(to live like a king)**

Su mujer lo trata muy bien y por eso vive a cuerpo de rey

EXPRESIONES SIMILARES
Véase **Pegarse la gran vida**

███████ **Vivir a la de Dios es Cristo**

Vivir frívolamente, sin preocupaciones de ningún tipo **(to be a care free person)**

*¡Abajo las normas, **vivamos a la de Dios es Cristo!***

> **EXPRESIONES SIMILARES**
> Véase **Ser ligero de cascos**

Vivir a todo tren

Vivir con muchos lujos **(to live greatly/the good life)**

*Desde que les tocó la lotería, **viven a todo tren***

> **EXPRESIONES SIMILARES**
> Véase **Pegarse la gran vida**

Vivir como una reina

Vivir con todas las comodidades y lujos posibles **(to live like a queen)**

*Mi sueldo no es excelente, pero **vivo como una reina***

> **EXPRESIONES SIMILARES**
> Véase **Pegarse la gran vida**

Vivir del cuento

Vivir de la fama, de las apariencias o de engaños sin hacer nada productivo **(to live beyond one's means)**

*Pedro no trabaja, **vive del cuento***

> **EXPRESIONES SIMILARES**
> Véase **Vivir a costa de alguien**

Vivir el día a día

No preocuparse por el futuro **(to live a day at a time/for the present)**

*Lo mejor es **vivir el día a día;** el futuro ya llegará*

> **EXPRESIONES SIMILARES**
> Véase **Ser ligero de cascos**

Volver a la carga

Insistir de nuevo en un argumento o pretensión **(to insist on the same issue)**

*No **vuelvas a la carga** otra vez con eso de que tenemos que ir a la playa*

Volver la espalda

Desatender a alguien o a algo, con una actitud negativa **(to turn one's back)**

*María **volvió la espalda** a la sociedad después de muchos desengaños*

EXPRESIONES SIMILARES
Véase **Dar de lado**

Volver por buen camino

Enmendarse **(to go back on track)**

*Ha logrado dejar la droga y ahora **ha vuelto por buen camino***

Volver tarumba

Volver loco a alguien **(to drive someone mad/crazy; to go bananas)**

*Entre unos y otros me van a **volver tarumba***

EXPRESIONES SIMILARES
Véase **Estar que echa chispas**

Volver(se) majareta

Volverse loco **(to go nuts)**

*Jose se **está volviendo majareta** de tanto leer*

EXPRESIONES SIMILARES
Véase **Estar como una cabra**

EXPRESIONES
CON PREPOSICIÓN

Se incluyen a continuación otras expresiones, también muy usuales, que no van fijadas con un verbo en concreto, sino que admiten diversas construcciones.

A
(TO)

A base de bien: Excesivamente (excessively)

A bocajarro: bruscamente, sin preparación, desde muy cerca (point-blank)

A bombo y platillo: con mucha propaganda o con alabanzas exageradas (to beat the big drum)

A borbotones: salida de un líquido con mucha fuerza y rapidez (in a torrent)

A buenas horas, mangas verdes: se dice cuando alguien hace o dice algo cuando ya es demasiado tarde (this is a great time to...)

A ciegas: sin ver, sin reflexionar (blindly)

A ciencia cierta: con certeza, con total seguridad (for sure)

A decir verdad: con certeza (to tell the truth)

A diestro y siniestro: en todas direcciones, sin orden ni concierto, sin método (to right and left)

A disgusto: con desagrado (unwillingly)

A duras penas: con mucho trabajo o con muchas dificultades (with utmost difficulty)

A eso de: aproximadamente, en torno a (at about)

A favor: de acuerdo con algo, en apoyo de algo (in favor)

A flor de piel: de una forma muy sensible, sensibilizado, excitado (on the surface)

A fuerza de: modo de obrar empleando con intensidad o abundancia el objeto designado por el nombre que sigue a la locución, o reiterando mucho la acción expresada por el verbo (by dint of)

A grandes rasgos: sin detalles, superficialmente (in bold strokes)

A grito pelado: en voz muy alta (at the top of one's voice)

A guantazo limpio: a bofetadas, puñetazos o golpes (a punching strike)

A hurtadillas: de modo oculto o disimuladamente (on the sly)

A la buena de Dios: al azar, sin plan o sin precaución (God willing)

A la chita callando: en secreto, con disimulo (on the quiet)

Ni a la de tres: no conseguir algo, ni siquiera aunque se intente muchas veces (not in your life)

A la derecha: hacia el sentido o dirección derechos (to the right)

A la desesperada: con un esfuerzo desesperado por lograr lo que se pretende o encontrar la salvación (desperately)

A la fuerza: por obligación (against one's will, by force)

A la izquierda: hacia el sentido o dirección izquierdos (to the left)

A la larga: después de haber pasado mucho tiempo (in the long run)

A la tercera va la vencida: al tercer intento se consigue el éxito (third time lucky)

A las mil maravillas: muy bien, de modo exquisito (wonderfully)

A las primeras de cambio: a la primera oportunidad (at first)

A las tantas: a una hora muy avanzada, sobre todo de la noche (very late at night)

A lo hecho, pecho: hay que aceptar las consecuencias de lo sucedido (it's no use crying over spilt milk)

A lo largo: durante un período de tiempo o un trecho de espacio (along the road)
A lo loco: sin pensar, sin reflexionar en lo que se hace (in a crazy way)
A lo mejor: seguramente, de forma muy probable (probably)
A lo tonto a lo tonto: poco a poco conseguir algo sin haber reflexionado (foolishly)
A manta: en gran cantidad (in great quantity)
A marchas forzadas: con mucha prisa y precipitación (by forced marches)
A más no poder: al máximo (to the utmost)
A media voz: en un tono de voz bajo (in a low voice)
A mediados: en torno a la mitad (around the middle)
A menudo: frecuentemente (often)
A mano: disponible (on tap, at hand)
A ojo de buen cubero: aproximadamente, sin medir, contar o pesar con precisión aquello de lo que se trata (at a guess)
A palo seco: sin acompañamiento alguno (straight)
A paso de tortuga: de manera muy lenta (slowly)
A partir de ahora: desde el momento actual (from now on)
A pie firme: de pie, con firmeza (on foot)
A prueba de bombas: difícil de destruir (bomb-proof)
A punta pala: en gran cantidad (in great quantity)
A quemarropa: desde muy cerca (point-blank)
A regañadientes: con repugnancia o disgusto de hacer una cosa (unwillingly)
A sabiendas: deliberadamente, con conocimiento del valor o las consecuencias de una acción (knowingly)
A salto de mata: sin previsión, método u orden (carelessly)
A secas: solamente, sin ninguna otra cosa (dry, plain)
A tiempo: en el momento oportuno (in time)
A tientas: sin ver, dirigiéndose sólo por el tacto (gropingly)
Ni a tiros: bajo ningún concepto (no matter what, no way)
A toda pastilla: a gran velocidad (at full speed)
A todas luces: de modo evidente (evidently)
A todo gas: a gran velocidad (at full speed)
A tontas y a locas: sin reflexionar, de manera atropellada (by fits and starts, without thinking)
A trancas y barrancas: con mucha dificultad (with great difficulty)
A veces: algunas veces (sometimes)
Al alcance de la vista: lo que se puede ver desde donde uno está (within sight distance)
Al alcance de la mano: lo que se puede tocar desde donde uno está; a lo que uno puede acceder (within reaching hand, at hand)
Al alimón: conjuntamente, simultáneamente (simultaneously)
Al azar: arbitrariamente (at random)
Al contrario: por el contrario (on the contrary)
Al fin: finalmente (finally)
Al fin y al cabo: finalmente, resumiendo (after all)
Al final: en último lugar (at the end)
Al frente de: a cargo (in charge of); delante (ahead of)
Al mando de: en la dirección o la cabeza de algo (headed by)
Al menos: por lo menos, mínimamente (at least)
Al pie de la letra: de forma literal (to the letter)
Al principio: en el comienzo (at the beginning)

Al revés: al contrario (to the contrary, the other way around); lo de arriba, abajo (upside down); lo de dentro, fuera (inside out); lo de detrás, delante (back to front)

ANTE
(BEFORE)

Ante todo: principalmente, en primer lugar (first and foremost)

BAJO
(UNDER)

Bajo cuerda: de forma ilegal, sin que los demás se enteren (under the counter)
Bajo ningún concepto: sin ninguna posibilidad, de ninguna manera (on no account)

CON
(WITH)

Con conocimiento de causa: conociendo en profundidad, no a la ligera (based on facts)
Con cuatro perras: con poco dinero (on a shoestring)
Con el corazón en la mano: tal como se siente (the way I see it)
Con gran dolor del corazón: con mucha pena; se dice especialmente cuando se ha de tomar una decisión que causará un daño a alguien (with great pain)
Con la boca pequeña: hipócritamente; decir algo que no se siente verdaderamente (with one's tongue in one's cheek)

CONTRA
(AGAINST)

Contra viento y marea: enfrentando todas las dificultades, obstáculos, etc. (through thick and thin, against all odds, come hell or high water)

DE
(OF, FROM)

De aúpa: de buena calidad, de buen sabor, excelente (a hell of...)

De broma: sin seriedad (jokingly)

De buen grado: con voluntad, con gusto (willingly)

De buenas a primeras: bruscamente, de repente (suddenly)

De cabo a rabo: desde el principio hasta el fin, completamente (from beginning to end)

De capa caída: en decadencia (de categoría, posición, salud...) (out of sorts)

De carrerilla: de memoria y de corrido, sin enterarse muy bien de lo que uno ha leído o estudiado (all in one breath)

De corazón: sinceramente (with all one's heart)

De cualquier forma/manera: sin reflexionar, sin preocuparse por la manera en que se hace algo (anyway, anyhow, in any case)

De espaldas: no cara a cara (with one's back to)

De frente: cara a cara (in front)

De golpe y porrazo: súbitamente, de repente (suddenly)

De gorra: sin pagar, generalmente con abuso (without paying)

De grado o por fuerza: por propia voluntad u obligado (willingly or by force, like it or not)

De higos a brevas: muy de vez en cuando; un período muy largo de tiempo (once in a blue moon, once in a while)

De la noche a la mañana: muy rápidamente, en muy poco tiempo (over night)

De lado: de costado (sideways, edgewise)

De mal en peor: cada vez peor (from bad to worse)

De mala fe: con mala intención (deliberately, on purpose)

De mala muerte: pobre o de escasa entidad o valor (a hole in the wall)

De más: en exceso (in excess)

De memoria: sin reflexionar, sin entender, sólo memorizar (by heart)

De mil amores: encantado, gustoso (at the drop of a hat)
De ninguna manera: en absoluto (no way, by no means)
De niño/a: cuando se es pequeño (when I was a child)
De oídas: se dice de lo que se conoce únicamente por haber oído hablar de ello (people say)
De órdago: impresionante (a hell of...)
De pacotilla: de clase inferior, de poca calidad (low quality)
De padre y muy señor mío: excelente, impresionante, sorprendente (a hell of...)
De par en par: totalmente abierto (wide open)
De Pascuas a Ramos: cada mucho tiempo (once in a blue moon)
De perdidos al río: continuar por un camino que sabemos que nos conducirá a una situación peor (in for a penny/in for a pound)
De pie: en posición vertical, lo opuesto a sentado (on one's feet)
De por vida: para siempre (for life)
De primera mano: de la persona que lo ha hecho o del sitio de origen, sin haber pasado por intermediarios (first hand)
De primeras: de repente, sin conocimiento previo del tema sobre el que se pide opinión (at first, suddenly)
De puntillas: sobre las puntas de los dedos de los pies (on tiptoe)
De reojo: por el rabillo del ojo (out of the corner of one's eye, askance)
De repente: bruscamente, sin previo aviso (suddenly)
De rodillas: con las rodillas sobre el suelo (on your knees)
De sobra: en exceso (enough and to spare, more than enough)
De soslayo: por el rabillo del ojo, con desdén (askance)
De tarde en tarde: con poca frecuencia (once in a blue moon)
De todo hay en la viña del Señor: hay gente para todos los gustos (it takes all sorts to make a world)
De todos modos: en cualquier caso (in any case)
De tres al cuarto: de poca categoría (a hole in the wall)
De un plumazo: con sólo un leve golpe; de una sola vez (at one stroke)
De una vez por todas: por última vez (once and for all)
De vez en cuando: algunas veces (from time to time)
De uvas a peras: raramente, muy pocas veces, muy de tarde en tarde (once in a blue moon)

DESDE
(FROM)

Desde el principio: desde el inicio (from the beginning)
Desde luego: naturalmente, por supuesto (of course)

EN
(IN, AT)

En absoluto: de ninguna manera (no way, absolutely not)
En broma: de forma poco seria (jokingly)
En cambio: por el contrario (on the other hand)
En contra: en oposición (against)
En contra de mi voluntad: involuntariamente (against my will)
En cuclillas: agachado (in a squatting position)
En cueros: desnudo (naked)
En el quinto pino: muy lejos (in the middle of nowhere)
En fin: en resumen, finalmente (finally)
En general: generalmente (generally, in general)
En la flor de la vida: en el mejor momento de la vida de una persona (in the prime of life)
En menos que canta un gallo: en un período muy corto de tiempo, con mucha rapidez (in a blink of the eye, in the twinkling of an eye)
En mi vida: nunca (never)
En mis propias narices: delante de mí, sin recatarse ante mi presencia (right in front of...)
En pleno día: durante el día, a plena luz (in broad day light)
En pos de: detrás de (after, in pursuit of)
En primer lugar: en la primera posición (in the first place)
En realidad: realmente (actually, in reality)
En resumidas cuentas: en conclusión, como resumen de todo lo dicho (in brief)
En serio: seriamente (seriously)
En tal caso: si se da esa situación (in such a case)
En un abrir y cerrar de ojos: instantáneamente, en un período de tiempo muy breve (in the twinkling of an eye)
En un dos por tres: instantáneamente, en un período de tiempo muy breve (in the twinkling of an eye)
En un periquete: en un momento (in a jiffy)
En un pis pas: en muy poco tiempo (in a trice)
En un santiamén: instantáneamente, en un período de tiempo muy breve (in a trice)
En un soplo: instantáneamente, en un período de tiempo muy breve (in a trice)
En un tris tras: instantáneamente, en un período de tiempo muy breve (in a trice)

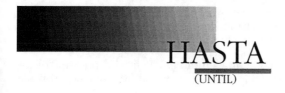

HASTA
(UNTIL)

Hasta la saciedad: hasta el máximo, hasta el hartazgo (until no more is needed nor desired)
Hasta luego: adiós (see you later)

PARA
(TO, IN ORDER TO, FOR...)

Para andar por casa: destinado (ropa, calzado...) a estar cómodo; se aplica también a las cosas que no son muy rigurosas o no están hechas con mucho cuidado (casual/comfortable)
Para dar y tomar: en exceso (in excess)
Para los restos: para siempre (forever and ever)
Para mayor inri: para complicar aún más una situación que ya de por sí es difícil (if that weren't enough)

POR
(BY, FOR...)

Por ahora: por el momento (for now, for the time being)
Por avión: a través de/a bordo de un avión (by plane)
Por barba: por persona (per person)

Por cabeza: por persona (per person)
Por casualidad: por azar (by chance)
Por chiripa: por azar (normalmente positivo) (luckily)
Por completo: totalmente (completely)
Por cuenta de la casa (una bebida, comida...): invitación por parte de los dueños del bar o restaurante en el que se está consumiendo (on the house)
Por dentro y por fuera: por todas partes (inside and out)
Por desgracia: desafortunadamente (unfortunately)
Por Dios: petición de ayuda o auxilio (for the sake of God)
Por ejemplo: que sirve de modelo (for example)
Por el amor de dios: petición de ayuda o auxilio (for God's sake)
Por el estilo: aproximadamente parecido a algo (something like that)
Por el rabillo del ojo: de reojo, sin una mirada franca y abierta (out of the corner of one's eye, sideways, askance)
Por encima de mi cadáver: por nada del mundo (over my dead body)
Por eso: por tal razón (therefore, that's why)
Por favor: acompaña a una pregunta o petición educada (please)
Por fin: finalmente (finally, at last)
Por fortuna: afortunadamente (fortunately)
Por hache o por be: por un motivo o por otro (for one reason or another)
Por la misma regla de tres: de igual manera (by the same token)
Por las buenas o por las malas: de buen grado o a la fuerza (by fair means or foul, whether you like it or not)
Por lo general: generalmente (generally)
Por lo menos: al menos (at least)
Por lo pronto: por el momento, en primer lugar (for now)
Por lo tanto: en consecuencia (therefore)
Por lo visto: 1, por lo que se ha podido observar (evidently); 2, posiblemente (may be)
Por los pelos: de forma muy ajustada (by the skin of one's teeth)
Por los siglos de los siglos: para siempre (forever and ever)
Por mi/su cuenta: de forma individual, sin necesidad de la colaboración o ayuda de otros (on me, on my own, on my account; on his own)
Por narices: a la fuerza, obligatoriamente (by force)
Por orden de llegada: siguiendo el orden en que se ha ido acudiendo a un lugar (first come, first served)
Por pitos o flautas: por un motivo u otro, no importa por cuál (one way or the other, either way)
Por si acaso: por si llega a ocurrir o ha ocurrido una cosa (just in case)
Por si las moscas: por si acaso (just in case)
Por suerte: afortunadamente (luckily)
Por supuesto: naturalmente, claro que sí (of course, by all means)
Por todo lo alto: con mucho estilo y lujo, sin preocuparse por los gastos (in style)
Por tu cara bonita: sin ningún motivo o justificación, sólo porque una persona lo desea (because you say so)
Por último: finalmente (finally)
Por un tubo: en gran cantidad (in great quantity)

SIN
(WITHOUT)

Sin comerlo ni beberlo: sin haber hecho nada para que ocurra cierta cosa buena o mala (without having anything to do with it, first thing he knows)

Sin decir esta boca es mía: sin hablar, sin abrir la boca (without saying a word)

Sin duda: indudablemente (no doubt)

Sin duda alguna: indudablemente (beyond all doubt)

Sin embargo: no obstante (however, nevertheless)

Sin encomendarse ni a Dios ni al diablo: irreflexivamente, sin tomar las debidas precauciones (without taking precautions)

Sin faltar una coma: sin omitir ningún detalle (just perfect)

Sin fin: interminable (endless, never ending)

Sin ton ni son: sin causa ni motivo, sin orden ni concierto (without a purpose, without rhyme or reason)

OTROS DICHOS POPULARES

Cada dos por tres: muy frecuentemente (from time to time)
Cada oveja con su pareja: cada uno con quien le corresponda (every Jack has his Jill)
Cara o cruz: un lado u otro de la moneda (head or tails)
Como de costumbre: como normalmente (as usual)
Como la copa de un pino: excelente, impresionante (gorgeous, great, out of this world)
Como Dios manda: correctamente, como es debido (the way it should be)
Como quien no quiere la cosa: con disimulo, como si no se pretendiera conseguir el resultado al que realmente se tiende (faking it)
Como quien oye llover: sin hacer caso de las recomendaciones o sugerencias (without paying any attention)
Como si tal cosa: como si no hubiera pasado nada (as if nothing had happened)
Como una casa: muy grande (immensely big, as big as a house)
Como una catedral: inmenso, muy grande (extremmely big)
Corriente y moliente: vulgar, sin nada extraordinario o notable (run-of-the-mill)
Dentro de nada: en un futuro muy cercano (shortly)
Dimes y diretes: cotilleos, chismes (gossip)
Época de vacas flacas: época de dificultades económicas (lean years)
Erre que erre: con insistencia (over and over)
La mar de + adjetivo: muy + adjetivo (very + adj., exceedingly + adj.)
Lágrimas de cocodrilo: lágrimas falsas, expresión de un dolor que realmente no se siente (crocodile tears)
Los tiempos de la maricastaña: los tiempos muy lejanos, muy antiguos (way back)
Menos lobos: «no exageres, no seas fantasma» (don't exaggerate)
Menos mal que: afortunadamente; es una buena cosa (it is a good thing that...)
Ni fu ni fa: difícil de clasificar, ni bueno ni malo (neither fish nor fowl, neither one thing nor another)
Ni mucho menos: nada más lejos de nuestra intención (not in the least, far from it)
Ni pincha ni corta: no tiene ninguna relación con el asunto ni poder de decisión (to cut no ice)
Ni quito ni pongo: soy neutral (I'm strictly neutral)
Ni tanto ni tan calvo: ni tanto ni tan poco (neither too much nor too little)
¡Ojo con...!: cuidado con, atención a (watch out, be aware of)
Pelillos a la mar: lo pasado, pasado está (let byones be bygones)
Punta de lanza: la cabeza visible de algo, el primero en una situación (to stand out)
Sobre la marcha: (hacer algo) a medida que está ocurriendo (as needed)
Sota, caballo y rey: algo que es como es y no tiene discusión posible (that's the way it is)

Tela marinera: algo que es excesivo o sorprendente (outragous)

Un beso de película: un beso apasionado (a french kiss)

Un huevo: mucho, una gran cantidad (costar un huevo) (to cost the earth)

Un mogollón: mucho, una gran cantidad (a bunch, a lot)

Un montón: mucho, una gran cantidad (a bunch, a pile)

Un pelín: muy poco (a little bit)

Un porrón (de): mucho, una gran cantidad (a bunch of, a pile of)

Un visto y no visto: algo que sólo aparece ante nuestra vista durante un instante; una acción que ocurre muy rápidamente (now you see it, now you don't)

Vivir para ver: se utiliza para indicar las cosas sorprendentes que podemos ver a lo largo de la vida (seeing is believing)

ACTIVIDADES

BLOQUE 1

A continuación te presentamos una serie de expresiones localizadas en periódicos españoles. De entre las explicaciones que te proponemos, di cuál es la que corresponde a cada expresión:

1

El PSOE está que **no da una**. El candidato cuenta con más adversarios en su propio partido que en el PP. Es más, intuyo que en el PP están felices con Borrell. En Valencia **están a la greña**, en Cantabria se han devuelto los rega-...

a) *Estar dos o más personas en desacuerdo y siempre dispuestas a promover disputas.*
b) *No querer dar nada a nadie.*
c) *No hacer nada con acierto, equivocarse continuamente.*
d) *Estar varias personas con el pelo despeinado.*

2

El vasco sufrió durante dieciocho meses una artritis reumática que estuvo a punto de apartarlo del golf.
«Un golpe de ventaja no es nada y mañana [por hoy] habrá que **dejarse la piel** para seguir arriba», admite Olazábal.

a) *Esforzarse, hacer todo lo posible para conseguir algo que resulta difícil.*
b) *Enrojecerse la piel por un exceso de sol.*
c) *No inquietar, perturbar ni molestar.*

3

De un tiempo a esta parte, la Junta de Andalucía se ha convertido en el buque insignia de un PSOE descabezado y sin rumbo. Así, que más que a los asuntos andaluces, se dedica a **buscarle las cosquillas al Gobierno** Aznar. Un día se saca de la manga las medicinas tachadas de la lista de la Seguridad Social. Otro, una subida extra de las pensiones no contributivas. Ahora, el diálogo con las autoridades gibral-

tareñas. Cualquier día va a querer negociar
la paz en Kosovo.

a) *Provocar a alguien, hacerlo enfadar, buscar sus puntos débiles.*
b) *Lograr que una persona se ría.*
c) *Perder los favores de alguien que hasta el momento los había proporcionado.*

---

(4)   [...], en Vasconia han bajado al cuarto
lugar de la clasificación, y en Madrid **se lo
están poniendo a huevo** a los populares. Si
una acción política desgasta por sí sola, ésa
es la municipal. Ocho años en la Alcaldía
dejan exhausto al más fuerte. Para fortalecer
al alcalde de Madrid, el PSOE se ha sacado
de la manga a Fernando Morán.

a) *Cocinar una tortilla o cualquier otro plato que lleve huevo.*
b) *Dar a alguien la ocasión de realizar o decir algo.*
c) *Molestar terriblemente a alguien.*

---

(5)   La respuesta del equipo de Irureta fue
encomiable. Sacó **fuerzas de flaqueza,** res-
pondió al gran reto planteado por su adver-
sario y jamás presentó bandera blanca en un
partido bello y tenso.

a) *Extraer todo el poder de una persona muy delgada.*
b) *Hacer todavía algo más cuando ya no se tienen fuerzas físicas o
morales para ello.*
c) *Obtener algún beneficio o provecho de algo.*

---

(6)   Tabacalera es otra de las empresas que
ha echado mano de estos argumentos
para potenciar su imagen. El proyecto ha
sido contestado por algunas organizaciones. La Plataforma del 0,7 ha montado en
cólera por estar en desacuerdo con la iniciativa y por la utilización que Tabacalera
ha hecho de su icono.

a) *Servirse de algo o alguien que puede sernos útil.*
b) *Ayudar a alguien a hacer algo.*
c) *Mirar algo sin detenimiento, de forma superficial.*

(7) Su objetivo en este Master era superar el corte y ello ya lo ha conseguido. Su faceta pegadora, algo en lo que brilla especialmente este jugador, no estuvo **a la altura deseada.** Todo lo que a partir de ahora pueda sumar será lo ganado.

a) *Encontrarse en un lugar de gran altitud.*
b) *Tener el nivel requerido para hacer algo.*
c) *Ser útil para cualquier persona.*

(8) Pero que sea la Junta de Andalucía la que se lance al ruedo, asusta. Creíamos que los asuntos de interés nacional estaban por encima de la política de partidos. Vemos que no es así. O las cosas le van tan bien al señor Chaves que le sobra tiempo para dedicarse al contencioso de Gibraltar, o le van tan mal que tiene necesidad de **agarrarse a él como a un clavo ardiendo.** Aparte de una china en nuestro zapato, Gibraltar es también una coartada de nuestros políticos.

a) *Aprovechar cualquier medio, por desagradable que sea, para salir de un apuro o peligro.*
b) *Soportar pacientemente contrariedades, trabajos y humillaciones.*
c) *Electrocutarse.*

(9) La raíz del problema no es que los pilotos se pongan en huelga, a lo cual tienen derecho, por mucho que nos fastidie, sino que tengan poder para hacerle tanto daño al país. No sé quién puede **ponerle el cascabel al gato,** pero la solución...

a) *Poner una campanilla a un animal para saber dónde está.*
, b) *Depositar todas las ilusiones en un proyecto.*
c) *Atreverse a ejecutar una acción que se considera difícil o embarazosa.*

(10) «Hemos perdido la chispa y la alegría. Habrá que **hacer de tripas corazón** para intentar ganar en Barcelona para mantener el liderato...»

a) *Cocinar un guiso utilizando vísceras animales.*

b) *Esforzarse por disimular el miedo, el dolor o cualquier otra impresión y sobreponerse para hacer algo que resulta repugnante o difícil.*
c) *Obrar alguien según su propio albedrío y con total independencia.*

11
No sé cómo no se les **cae la cara de vergüenza** a los pilotos españoles al tomar esta serie de medidas, perjudicando a inocentes que pagan por un servicio que, en la mayoría de los casos, es defectuoso. Digo esto, ya que lo que más nos debería enfurecer a todos es que...

a) *Actuar con superioridad y menosprecio con respecto a alguien.*
b) *Estar alguien muy asustado por algo que puede ocurrir.*
c) *Sentirse alguien muy avergonzado.*

12
Kathleen Turner es por un lado una tradicional ama de casa y por otro una asesina. Con grandes toques de comedia, John Waters pone a la actriz rubia ante un papel que **le viene al pelo**: mata porque sí, incluso porque los zapatos de su víctima no le gustan, aunque en el fondo de sus acciones se encuentra un excesivo afán de proteger a su familia. Si se lo **toma a broma**, incluso se reirá.

a) *No considerar seriamente un asunto.*
b) *Venir algo a la medida justa, exacta y oportunamente.*
c) *Venir a la mente.*
d) *Ser algo poco oportuno.*

13
Huir de la ciudad se ha convertido, en las postrimerías del siglo XX, en una necesidad imperiosa que cada cual afronta y resuelve a su manera: unos **poniendo tierra por medio**;

a) *Alejarse de donde uno se encuentra cuando se prevén dificultades.*
b) *Realizar una parcelación agraria.*
c) *Intentar ocultar la verdad, enterrando cualquier vestigio de ella.*

14
Jean-Paul Belmondo es un millonario ligón al que su esposa sorprende con una de sus conquistas en casa. Para **salir del paso**

no se le ocurre mejor cosa que presentar a su
ligue como una hija hasta entonces secreta.

a) *Hacer alguien sólo lo indispensable para no ser castigado, regañado
o censurado.*
b) *Salir de un lugar que se consideraba incómodo.*
c) *No seguir el orden en un desfile militar, desentonar.*

(15) Hasta ahora, por aquello de que el fin
justificaba los medios, las organizaciones
habían hecho la vista gorda y no habían
levantado la voz. Su proliferación y el
temor a que todo se desmadre y no se respete el Código de Conducta sobre imáge-
nes y mensajes ha hecho que muchas ONG
reaccionen.

a) *Fingir que uno no ha visto algo que debería reprender o corregir.*
b) *Adular, halagar a alguien para obtener de él algún beneficio.*
c) *Ensañarse contra alguien que ha tenido un fracaso.*

(16) Quizá la audiencia aumente en cuanto la
prensa se **haga eco,** al igual que ha ocurrido en otros países —Francia, Suecia, Ale-
mania, Gran Bretaña, Australia, Japón,
Hungría, Noruega e Israel, entre otros— de
la polémica que ha suscitado la emisión de
algunos episodios.
La iglesia **pondrá el grito en el cielo,**
como ya lo hizo la Liga Católica para reli-
giosos y derechos civiles en Estados Uni-
dos, cuando vea cómo la protagonista lleva
el caso de una monja que demanda a su
congregación por haberla despedido tras
haber roto su voto de castidad.
Ally, que **no tiene pelos en la lengua,**
bromea diciendo que se supone que las
monjas no tienen...

a) *Considerar que algo es notable y digno de atención y reflexión.*
b) *Obrar alguien según su propio albedrío y con total independencia.*
c) *Escandalizarse, manifestar un enfado de forma violenta.*
d) *No tener reparos en decir lo que se piensa.*

(17) Sí, más vale una paz precaria que cualquier guerra. Además, si Milosevic vuelve

a las andadas, la ONU es la que debería
tomar cartas en el asunto.

a) Intervenir en un asunto alguien que tiene autoridad para ello.
b) Recoger el correo de todos los interesados en un asunto.
c) Maltratar o molestar mucho a alguien en cualquier concepto.

(18)
La censura no **pasó por alto** la ocasión
de **ponerse las botas.**

a) Obtener mucho beneficio en algún asunto.
b) Eludir, no considerar, no fijarse en algo.
c) Introducir los pies en unos zapatos que cubren los tobillos.
d) Considerar algo de un tamaño mayor al que realmente tiene.

(19)
Aunque no es hombre que ansíe la jubilación, antes de separarse de su esposa,
Murdoch parecía tener **atados todos los
cabos** de su sucesión. En caso de muerte o
de enfermedad que le incapacitara, estaba
previsto que Anna, quien ya forma parte del
Consejo de Administración, le sustituyera
en la presidencia mientras se decidía cuál
de sus hijos era el heredero más apto. El
colapso del matrimonio **dio al traste** con
esos planes.

a) Echar a perder, estropear un proyecto.
b) Atarse los cordones de los zapatos.
c) Donar los muebles viejos.
d) Relacionar datos o noticias de distintas procedencias.

(20)
Podemos observar que en los últimos
años los conductores madrileños han decidido **saltarse a la torera** el reglamento de
circulación y vemos coches aparcados en
doble fila en cualquier punto de la ciudad.

a) Ponerse a salvo ante la llegada del toro.
*b) No prestar atención a las normas y actuar libremente sin tenerlas en
cuenta y sin valorar las consecuencias.*
*c) Seguir las directrices marcadas, obedeciéndolas y haciendo frente a
las consecuencias.*

BLOQUE 2

1. A continuación te toca a ti leer la prensa. Localiza en un periódico el mayor número de expresiones que puedas; escríbelas, define su significado y después explícaselas a tus compañeros.

EXPRESIÓN   **SIGNIFICADO**

A. _____   _____

B. _____   _____

C. _____   _____

D. _____   _____

E. _____   _____

F. _____   _____

G. _____   _____

H. _____   _____

I. _____   _____

J. _____   _____

K. _____   _____

L. _____   _____

M. _____   _____

N. _____   _____

Ñ. _____   _____

2. Esta tarea es más fácil. Observa los anuncios de televisión y fíjate en las expresiones que se utilizan en publicidad. Después intenta usarlas tú mismo.

EXPRESIÓN	EJEMPLO
A. _____	_____
B. _____	_____
C. _____	_____
D. _____	_____
E. _____	_____
F. _____	_____
G. _____	_____
H. _____	_____
I. _____	_____
J. _____	_____

3. Mientras paseas por las calles de Madrid, observa la publicidad que te rodea. Selecciona los cinco anuncios que más te han llamado la atención e intenta explicar su significado:

ANUNCIO	EXPLICACIÓN
A. _____	_____
B. _____	_____
C. _____	_____
D. _____	_____
E. _____	_____

BLOQUE 3

Ahora que ya estás más familiarizado con estas expresiones, lo que debes hacer es escribir oraciones con las que nosotros te proponemos:

1. *Acabar como el rosario de la aurora* _____

2. *Andarse por las ramas* _____

3. *Arrimar el ascua a su sardina* _____

4. *Barrer para casa* _____

5. *Beber los vientos por alguien* _____

6. *Brillar por su ausencia* _____

7. *Buscarle tres pies al gato* _____

8. *Caérsele a alguien la baba* _____

9. *Caérsele a alguien la cara de vergüenza* _____

10. *Caérsele a alguien los anillos* _____

11. *Coger el toro por los cuernos* _____

12. *Cogerlas al vuelo* _____

13. *Creer a pies juntillas* _____

14. *Criar malvas* _____

15. *Cruzarse de brazos* _____

16. *Echar el ojo* _____

17. *Echar el resto* _____

18. *Echar en saco roto* _____

19. *Estar con el agua al cuello* _____

20. *Estar con el pie en el estribo* _____

21. *Estar con la mosca detrás de la oreja* _____

22. *Llegar y besar el santo* _____

23. *Pagar el pato* _____

24. *Pillarse los dedos* _____

25. *Pisar los talones* _____

26. *Poner los puntos sobre las íes* _____

27. *Poner pies en polvorosa* _____

28. *Poner por las nubes* _____

29. *Poner toda la carne en el asador* _____

30. *Romperse los cuernos* _____

31. *Ser la punta del iceberg* _____

32. *Ser ligero de cascos* _____

33. *Ser un pelota* _____

34. *Ser un rollo* _____

35. *Ser un veleta* _____

36. *Tirar de la manta* _____

37. *Tirar la casa por la ventana* _____

38. *Tirar la toalla* _____

39. *Tirar los tejos* _____

40. *Venir de perilla* _____

Compara tus oraciones con las de tus compañeros. Si tienes dudas en las construcciones, consulta el libro o pregunta a tu profesor.

BLOQUE 4

1. Escribe una breve redacción en la que utilices, al menos, diez de las expresiones que aparecen en esta obra. Para elegir las expresiones, cada alumno de la clase puede seleccionar una libremente, escribiéndola en un papel; después se juntan todas y ¡a escribir! (Ten en cuenta que cuanto más distintas sean, más divertido será el resultado.)

2. Prepara con varios de tus compañeros una pequeña escenificación en la que utilicéis diez expresiones de este libro.

Posiblemente, ya estés preparado para hablar casi como un español
¡Sal a la calle e inténtalo!

ÍNDICE DE EXPRESIONES VERBALES

Abrir la mano, 15
Aburrirse como una ostra, 15
Acabar como el rosario de la aurora, 15
Aflojar la mosca, 15
Agarrarse a un clavo ardiendo, 15
Aguantar carros y carretas, 16
Aguantar el chaparrón, 16
Aguar la fiesta, 16
Ahogarse en un vaso de agua, 16
Ahuecar el ala, 16
Ajustar las clavijas, 17
Ajustar las cuentas, 17
Andar a gatas, 17
Andar a la greña, 17
Andar a la pesca de algo, 18
Andar como Pedro por su casa, 18
Andar con algo entre manos, 18
Andar con pies de plomo, 18
Andar de cabeza, 19
Andar de cráneo, 19
Andar manga por hombro, 19
Andar metido en líos, 19
Andar(se) con ojo, 20
Andarse con rodeos, 20
Andarse con tiento, 20
Andarse por las ramas, 20
Apear(se) del burro, 20
Apretar las clavijas a alguien, 21
Aprobar por los pelos, 21
Armar jaleo, 21
Armarse la de San Quintín, 21
Armarse la marimorena, 22
Armarse un lío, 22
(No) arrendarle las ganancias a alguien, 22
Arrimar el ascua a su sardina, 22
Arrojar por la borda, 23

Atar cabos, 23
Atar los perros con longanizas, 23

Bailar el agua a alguien, 24
Bailar en la cuerda floja, 24
Bajar los humos, 24
Bajar(se) de las nubes, 24
Bajar(se) del burro, 24
Bajarse los pantalones, 25
Barrer para adentro, 25
Barrer para casa, 25
Beber como un cosaco, 25
Beber los vientos por alguien, 25
Brillar por su ausencia, 26
Buscar las cosquillas a alguien, 26
Buscar las vueltas a alguien, 26
Buscarle tres pies al gato, 26

No caber ni un alfiler, 27
Caer bien/mal, 27
Caer chuzos de punta, 27
Caer de pie, 28
Caer en desgracia, 28
Caer en la cuenta, 28
Caer en la red, 28
Caer en la tentación, 28
Caer en saco roto, 28
Caer enfermo, 29
No caer esa breva, 29
Caer fatal, 29
Caer gordo, 29
Caer por su (propio) peso, 29
Caérsele a alguien el alma a los pies, 30
Caérsele a alguien el pelo, 30
Caérsele a alguien la baba, 30
Caérsele a alguien la cara de vergüenza, 30

Caérsele a alguien la casa encima, 30
Caérsele a alguien los anillos, 31
Caerse de bruces, 31
Calentarse la cabeza, 31
Calentarse los cascos, 31
Cambiar de chaqueta, 31
Campar por sus respetos, 32
Cantar las cuarenta, 32
Cargar con el mochuelo, 32
Cargar con el muerto, 32
Cargar las tintas, 33
No casarse con nadie, 33
Casarse de penalti, 33
Cazarlas al vuelo, 33
(No) ceder (ni) un ápice, 33
Cerrar a cal y canto, 33
Cerrar el pico, 34
Cerrar filas, 34
Cerrarse en banda, 34
Chupar del bote, 34
Chuparse el dedo, 34
Chupar rueda, 35
Codearse con alguien, 35
Coger a alguien con las manos en la masa, 35
Coger a la primera, 35
Coger de nuevas, 36
Coger el hilo, 36
Coger el toro por los cuernos, 36
Coger el tren en marcha, 36
Coger *in fraganti*, 36
Coger onda, 36
Coger por banda, 37
Coger una perra, 37
Cogerlas al vuelo, 37
Cogerle el gusto a algo, 37
Colgar los trastos, 37
Comer a cuerpo de rey, 38
Comer a dos carrillos, 38
Comer como una fiera, 38
Comer como una lima, 38
Comer el coco a alguien, 38
Comer la moral, 39
Comer la sopa boba, 39
Comer(se) el tarro, 39
Comerse las uñas, 39
(No) comerse una rosca, 40
(No) comulgar con ruedas de molino, 40
Conocer de pe a pa, 40
Conocer el percal, 40
Contar con pelos y señales, 40
Correr como alma que lleva el diablo, 40

Correr con los gastos, 41
Correr el bulo, 41
Correr el riesgo, 41
Correr prisa, 41
Correrse una juerga, 41
Cortar el bacalao, 42
Cortar el rollo, 42
Cortar en seco, 42
Cortar por lo sano, 42
Cortarse la coleta, 42
(No) cortarse un pelo, 43
Costar trabajo, 43
Costar un ojo de la cara, 43
Costar un riñón, 43
Crecer como la espuma, 43
Crecer como un hongo/hongos, 44
Creer a pies juntillas, 44
Criar malvas, 44
Cruzarle la cara a alguien, 44
Cruzarse de brazos, 44
Cruzarse los cables, 44
Cubrir el expediente, 45
Cubrirse las espaldas, 45
Cumplir a rajatabla, 45
Curarse en salud, 45

Dar a (algún lugar), 46
Dar a luz, 46
(No) dar abasto, 46
Dar al traste con algo, 46
Dar alas, 46
Dar calabazas, 46
Dar cancha, 47
Dar carpetazo, 47
Dar carta blanca, 47
Dar cien mil vueltas a alguien en algo, 47
Dar cien patadas, 47
Dar ciento y raya, 48
Dar coba, 48
Dar cuartelillo, 48
Dar cuentas, 48
Dar de lado, 49
Dar de sí, 49
Dar duros a cuatro pesetas, 49
Dar ejemplo, 49
(No) dar el brazo a torcer, 49
Dar el do de pecho, 49
Dar el golpe, 50
Dar el pego, 50
Dar el pésame, 50
Dar en el blanco, 50
Dar en el clavo, 50

Dar en la diana, 51
Dar en la nariz, 51
Dar esquinazo, 51
Dar gato por liebre, 51
Dar gas, 51
No dar golpe, 52
Dar guerra, 52
Dar gusto, 52
Dar juego, 52
Dar la barrila, 52
Dar la boleta, 53
Dar la callada por respuesta, 53
Dar la campanada, 53
Dar la cara, 53
Dar la coña, 53
Dar la espalda, 54
Dar la gana a alguien, 54
Dar la lata, 54
Dar la mano, 54
Dar la mano y tomarse el brazo, 54
Dar la matraca, 55
Dar la murga, 55
Dar la nota, 55
Dar la paliza, 55
Dar la puntilla, 56
Dar la razón, 56
Dar la tabarra, 56
Darle la talla, 56
Dar la vara, 56
Dar la vena, 57
Dar la ventolera, 57
Dar la vuelta, 57
Dar la vuelta a la tortilla, 57
Dar las gracias, 57
Dar las horas, 58
Dar las luces, 58
Dar las tantas, 58
Dar las uvas, 58
Dar largas, 58
Dar lástima, 58
Dar lo mismo, 59
Dar mala espina, 59
Dar menos una piedra, 59
No dar ni clavo, 59
No dar ni golpe, 59
Dar palos de ciego, 60
Dar para el pelo, 60
Dar pasaporte, 60
Dar pie, 60
No dar pie con bola, 60
Dar plantón, 60
Dar (poca/mucha) importancia, 61

Dar por descontado, 61
Dar por hecho, 61
Dar por sentado, 61
Dar que hablar, 61
Dar que pensar, 62
Dar rienda suelta, 62
Dar rodeos, 62
Dar sablazos, 62
Dar sopas con honda, 62
Dar tiempo al tiempo, 63
Dar un baño a alguien, 63
Dar un bote, 63
Dar un braguetazo, 63
Dar un cheque en blanco, 63
Dar un corte, 63
Dar un margen de confianza, 64
No dar un palo al agua, 64
Dar un portazo, 64
Dar un telefonazo, 64
Dar un toque, 64
No dar una a derechas, 65
Dar una cabezada, 65
Dar una calada, 65
Dar una de cal y otra de arena, 65
Dar una paliza, 65
Dar voces, 66
Dar(le) corte a alguien, 66
Darle igual (a alguien), 66
Darle vueltas a algo, 66
Darse a valer, 66
Darse a la fuga, 67
Darse aires, 67
Darse bombo, 67
Darse con un canto en los dientes, 67
Darse cuenta, 68
Dar(se) de alta, 68
Dar(se) de baja, 68
Darse de cara con alguien/algo, 68
Darse de narices, 68
Darse el lote, 69
Darse importancia, 69
Darse la vuelta, 69
Darse pisto, 69
Darse por vencido, 69
Darse prisa, 70
Darse un aire, 70
Darse un batacazo, 70
Darse un morreo, 70
Darse un muerdo, 70
Dar(se) un tortazo, 71
Darse un tute, 71
Darse una paliza, 71

Darse una panzada, 71
Dar(se) una vuelta, 72
Dársela con queso, 72
Dárselas de listo, 72
(No) decir esta boca es mía, 72
No decir ni pío, 72
Defender a capa y espada, 73
Dejar a alguien en la estacada, 73
Dejar a alguien plantado, 73
Dejar a merced, 73
Dejar con el culo al aire, 73
(No) dejar de la mano, 73
Dejar en paz, 74
No dejar lugar a dudas, 74
Dejar mucho que desear, 74
No dejar ni a sol ni a sombra, 74
Dejar patidifuso, 74
Dejar por los suelos, 74
No dejar títere con cabeza, 74
Dejarse engañar, 75
Dejarse la piel (a tiras), 75
Dejarse llevar por la corriente, 75
Descubrir el Mediterráneo, 75
Despacharse uno a gusto, 75
Despedirse a la francesa, 75
Desternillarse de risa, 76
Devanarse los sesos, 76
Disfrutar de lo lindo, 76
No doler prendas, 76
Dorar la píldora, 76
Dormir a pierna suelta, 77
Dormir como un lirón, 77
Dormir como un tronco, 77
Dormir de un tirón, 77
Dormir la mona, 78
Dormirse en los laureles, 78

Echar a la calle, 79
Echar a suertes, 79
Echar balones fuera, 79
Echar chispas, 79
Echar con cajas destempladas, 80
Echar cuentas, 80
Echar cuento, 80
Echar de menos, 80
Echar el bofe, 80
Echar el gancho, 80
Echar el guante, 81
Echar el muerto, 81
Echar el ojo, 81
Echar el resto, 81
Echar en cara, 81

Echar en saco roto, 81
Echar flores, 82
Echar la casa por la ventana, 82
Echar la culpa, 82
Echar las campanas al vuelo, 82
Echar las cartas, 82
Echar leña al fuego, 83
Echar los hígados, 83
Echar mal de ojo, 83
Echar mano de algo/alguien, 83
Echar margaritas a los puercos, 83
Echar piropos, 83
Echar por la borda, 84
Echar por tierra, 84
Echar raíces, 84
Echar rayos y centellas, 84
Echar sapos y culebras, 84
Echar teatro, 85
Echar toda la carne en el asador, 85
Echar una bronca, 85
Echar una cabezada, 85
Echar una cana al aire, 86
Echar una mano, 86
Echar una mirada atrás, 86
Echar una ojeada, 86
Echar una regañina, 86
Echar un capote, 87
Echar un mano a mano, 87
Echar un polvo, 87
Echar un rapapolvo, 87
Echar un trago, 87
Echar un vistazo, 88
Echarle cara, 88
Echarle valor, 88
Echarse a perder, 88
Echarse atrás, 89
Echarse faroles, 89
Echarse la siesta, 89
Echarse una amiga/un amigo, 89
Empinar el codo, 89
Encoger(se) el corazón, 90
Engañar como a un chino, 90
Enmendar la plana a alguien, 90
Enseñar los dientes, 90
No entender ni jota, 90
Enterarse de lo que vale un peine, 90
Enterrar el hacha, 91
Entrar a saco, 91
No entrar ni salir en algo, 91
Entrar por el aro, 91
Escurrir el bulto, 91
Estar a años luz, 92

Estar a dos velas, 92
Estar a la altura, 92
Estar a la greña, 92
Estar a la orden al día, 93
Estar a la que salta, 93
Estar a las duras y a las maduras, 93
Estar a lo que caiga, 93
Estar a partir un piñón, 93
Estar a punto de, 93
Estar a rabiar, 94
Estar a régimen, 94
Estar a solas, 94
Estar a sus anchas, 94
Estar a verlas venir, 94
Estar achispado, 95
Estar agobiado, 95
Estar al caer, 95
Estar al cabo de la calle, 95
Estar al día, 95
Estar al habla, 96
Estar al loro, 96
Estar al margen, 96
Estar al pie del cañón, 96
Estar al quite, 96
Estar al tanto, 96
Estar alumbrado, 97
Estar buena/bueno, 97
Estar chalado, 97
Estar chapado a la antigua, 97
Estar chiflado, 97
Estar chupado, 98
Estar colado por alguien, 98
Estar colgado, 98
Estar como los chorros del oro, 98
Estar como para parar un tren, 98
Estar como pez en el agua, 99
Estar como sardinas en lata, 99
Estar como una balsa de aceite, 99
Estar como una cabra, 99
Estar como una chota, 100
Estar como una cuba, 100
Estar como una moto, 101
Estar como una regadera, 101
Estar como una seda, 101
Estar como una tapia, 101
Estar como un cencerro, 102
Estar como un flan, 102
Estar como un tren, 102
Estar con el agua al cuello, 102
Estar con el pie en el estribo, 103
Estar con la antena puesta, 103
Estar con la mosca detrás de la oreja, 103

Estar con la soga al cuello, 103
Estar cruzado de brazos, 103
Estar curado de espanto, 104
Estar de baja, 104
Estar de bote en bote, 104
Estar de brazos cruzados, 104
Estar de broma, 105
Estar de buen ver, 105
Estar de cachondeo, 105
Estar de capa caída, 105
Estar de cháchara, 105
Estar de enhorabuena, 106
Estar de mal humor, 106
Estar de mal talante, 106
Estar de mala leche, 106
Estar de mala uva, 107
Estar de malas pulgas, 107
Estar de miedo, 107
Estar de moda, 107
Estar de morros, 108
Estar de palique, 108
Estar de paso, 108
Estar de permiso, 108
Estar de puta madre, 108
Estar de rechupete, 109
Estar de suerte, 109
Estar de uñas, 109
Estar de vuelta de algo/de todo, 110
Estar dejado de la mano de Dios, 110
Estar donde Cristo dio las tres voces, 110
Estar donde Cristo perdió el gorro, 110
No estar el horno para bollos, 110
Estar empantanado, 110
Estar en alza, 111
Estar en apuros, 111
Estar en ascuas, 111
Estar en Babia, 111
Estar en contra, 111
Estar en cueros, 112
Estar en danza, 112
Estar en edad de merecer, 112
Estar en el ajo, 112
Estar en el candelero, 112
Estar en el quinto pino, 112
Estar en el séptimo cielo, 113
Estar en ello, 113
Estar en forma, 113
Estar en la brecha, 113
Estar en la inopia, 113
Estar en la luna, 114
Estar en las mismas, 114
Estar en las nubes, 114

Estar en las últimas, 114
Estar en los huesos, 114
Estar en mantillas, 115
Estar en medio como el jueves, 115
Estar en paro, 115
Estar en paz, 115
Estar en su salsa, 115
No estar en sus cabales, 115
Estar en vena, 116
Estar entre la espada y la pared, 116
Estar entre la vida y la muerte, 116
Estar entre Pinto y Valdemoro, 116
Estar espídico, 117
Estar forrado, 117
Estar frente a frente, 117
Estar frito, 117
Estar fuera de lugar, 117
Estar fuera de onda, 117
Estar hasta el gorro, 118
Estar hasta la coronilla, 118
Estar hasta las narices, 118
Estar hasta las trancas, 118
Estar hasta los cojones, 119
Estar hecha una foca, 119
Estar hecho de rabos de lagartija, 119
Estar hecho polvo, 119
Estar hecho trizas, 120
Estar hecho un brazo de mar, 120
Estar hecho un lío, 120
Estar hecho un sol, 120
Estar hecho una braga, 120
Estar hecho una sopa, 121
Estar hecho unos zorros, 121
Estar ido, 121
Estar jodido, 121
Estar limpio de polvo y paja, 121
Estar listo, 122
Estar loco de alegría, 122
Estar loco de atar, 122
Estar mano sobre mano, 122
Estar más claro que el agua, 122
Estar medio sordo, 122
Estar mosca, 123
Estar mosqueado, 123
Estar muerto de hambre, 123
Estar nadando en dinero, 123
Estar ojo avizor, 123
No estar para bromas, 124
Estar para el arrastre, 124
Estar para chuparse los dedos, 124
No estar para esos trotes, 124
Estar pasado de moda, 124

Estar pasado de vueltas, 125
Estar patas arriba, 125
Estar pedo, 125
Estar pegado, 125
Estar pendiente de un hilo, 125
Estar pez, 126
Estar pirado, 126
Estar por las nubes, 126
Estar por los suelos, 126
Estar pringado, 126
Estar que arde, 127
Estar que echa chispas, 127
Estar que se sube por las paredes, 127
Estar que trina, 127
Estar sembrado, 128
Estar sin blanca, 128
Estar tieso, 128
Estar tirado, 128
Estar todo el pescado vendido, 128
Estar traído por los pelos, 129
Estar verde, 129
Estar zumbado, 129
Estarle a uno bien empleado, 129
Estirar la pata, 129
Estrechar lazos, 129

Faltar el canto de un duro, 130
Faltar(le) un tornillo, 130
Freír a críticas, 130
Frotarse las manos, 130
Fumar como un carretero, 130
Fumar como una chimenea, 131

Ganar terreno, 132
Ganarse algo a pulso, 132
Ganarse la vida, 132
Ganarse una bronca, 132
Ganarse una regañina, 132
Gastar una broma, 133
Guardar como oro en paño, 133
Guardar la línea, 133
Guardar las distancias, 133
Guardarse un as/ases en la manga, 133
Guiñar el ojo, 134

Haber gato encerrado, 135
Haber moros en la costa, 135
Hablar a voz en grito, 135
Hablar como una cotorra, 135
Hablar en cristiano, 135
Hablar en plata, 136
Hablar pestes y maravillas, 136

Hablar por los codos, 136
Hacer agua, 136
Hacer algo a la carrera, 136
Hacer algo a pachas, 137
Hacer algo al tuntún, 137
Hacer algo como Dios le da a entender, 137
Hacer alguien una de las suyas, 137
Hacer añicos, 137
Hacer borrón y cuenta nueva, 138
Hacer buenas migas, 138
Hacer burla, 138
Hacer carrera, 138
Hacer caso, 138
Hacer caso omiso, 138
Hacer castillos en el aire, 139
Hacer cola, 139
Hacer de menos a alguien, 139
Hacer de rabiar, 139
Hacer de su capa un sayo, 139
Hacer de tripas corazón, 140
Hacer el agosto, 140
Hacer el canelo, 140
Hacer el ganso, 140
Hacer el indio, 140
Hacer el payaso, 141
Hacer el primo, 141
Hacer el tonto, 141
Hacer el vacío, 141
Hacer eses, 142
Hacer examen de conciencia, 142
Hacer frente, 142
Hacer gala, 142
Hacer gracia, 142
Hacer juego, 142
Hacer la calle, 143
Hacer la cama a alguien, 143
Hacer la carrera, 143
Hacer la corte, 143
Hacer la pascua, 143
Hacer la pelota, 143
Hacer la puñeta, 144
Hacer la rosca, 144
Hacer la vista gorda, 144
Hacer las paces, 144
Hacer leña del árbol caído, 145
Hacer los deberes, 145
Hacer manitas, 145
Hacer mella, 145
Hacer mutis por el foro, 145
No hacer nada a derechas, 145
Hacer novillos, 146

Hacer oídos sordos, 146
Hacer pellas, 146
Hacer pinitos, 146
Hacer polvo, 146
Hacer pucheros, 147
Hacer sábado, 147
Hacer sombra, 147
Hacer tabla rasa, 147
Hacer temblar los cimientos, 147
Hacer tilín, 147
Hacer trizas, 148
Hacer un buen/mal papel, 148
Hacer un día de perros, 148
Hacer un pan con unas tortas, 148
Hacer una faena, 148
Hacerse a la mar, 148
Hacerse a un lado, 149
Hacerse cargo, 149
Hacerse cuesta arriba, 149
Hacerse de nuevas, 149
Hacerse de rogar, 149
Hacerse eco de algo, 149
Hacerse el loco, 150
Hacerse el sordo, 150
Hacerse el sueco, 150
Hacerse el tonto, 150
Hacerse la boca agua, 150
Hacerse mala sangre, 151
Hacerse papilla, 151
Hacerse pupa, 151
Hacerse un lío, 151
Hilar muy fino, 151
Hincharse las narices, 151

Importar un bledo, 152
Importar un pepino, 152
Importar un pimiento, 152
Importar un rábano, 152
Ir a la carrera, 153
Ir a la compra, 153
Ir a la deriva, 153
No ir a la zaga, 153
Ir a lo suyo, 153
Ir a por uvas, 153
Ir a tiro hecho, 154
Ir a tope, 154
Ir al grano, 154
Ir al trote, 154
Ir algo a misa, 154
Ir con pies de plomo, 155
Ir contra corriente, 155
Ir dando tumbos, 155

Ir de aquí para allá, 155
Ir de cabeza, 155
Ir de compras, 156
Ir de cráneo, 156
Ir de culo, 156
Ir de Guatemala a guatepeor, 156
Ir de Herodes a Pilatos, 156
Ir de la Ceca a la Meca, 157
Ir de mal en peor, 157
Ir de marcha, 157
Ir de pesca, 157
Ir de picos pardos, 157
Ir de puerta en puerta, 158
Ir de punta en blanco, 158
Ir de tiros largos, 158
Ir de trapillo, 158
Ir de un lado a otro, 158
Ir hecho un Adán, 159
Ir hecho un adefesio, 159
Ir hecho un gitano, 159
Ir hecho un pincel, 159
Ir manga por hombro, 160
Ir muy puesto, 160
Ir pisando huevos, 160
Ir por delante en el marcador, 160
Ir que chuta, 160
Ir sobre ruedas, 161
Ir viento en popa, 161
Irse a freír espárragos, 161
Irse a hacer gárgaras, 161
Irse a paseo, 162
Irse a pique, 162
Irse a tomar viento, 162
Irse al carajo, 162
Irse al cuerno, 162
Irse al diablo, 163
Irse al garete, 163
Irse de la lengua, 163
Irse de rositas, 163
Irse el santo al cielo, 163
Irse la cabeza, 164
Irse la fuerza por la boca, 164
Irse por las ramas, 164
Irse por los cerros de Úbeda, 164

Jugar con dos barajas, 165
Jugar con fuego, 165
Jugar una mala pasada, 165
Jugarse el tipo, 165
Jugarse el todo por el todo, 166
Jugarse la vida, 166
Jugárselo todo a una carta, 166

Lavarse las manos, 167
Leer la cartilla a alguien, 167
Levantar ampollas, 167
(No) Levantar cabeza, 167
Levantar la liebre, 167
Levantarse con el pie derecho, 168
Levantarse con el pie izquierdo, 168
Liarse a mamporros, 168
Liarse la manta a la cabeza, 168
Llamar a capítulo, 168
Llamar al pan pan y al vino vino, 168
Llegar a mayores, 169
(No) llegar el dinero, 169
No llegar la camisa al cuerpo, 169
(No) llegar la sangre al río, 169
Llegar y besar el santo, 169
No llegarle a alguien a la suela del
    zapato, 169
Llevar a cabo, 170
Llevar a alguien al altar, 170
Llevar años a alguien, 170
Llevar de cabeza, 170
Llevar el agua a su molino, 170
Llevar la batuta, 170
Llevar la cabeza a alguien, 171
Llevar la corriente a alguien, 171
Llevar la contraria a alguien, 171
Llevar la voz cantante, 171
Llevar las riendas, 171
Llevar los pantalones, 172
Llevar todas las de perder, 172
Llevar una vida de perros, 172
Llevarlo claro, 172
Llevarlo crudo, 172
LLevarse a matar, 173
Llevarse al huerto a alguien, 173
Llevarse bien/mal con alguien, 173
Llevarse como el perro y el gato, 173
Llevarse de calle, 174
Llevarse el gato al agua, 174
Llevarse por delante, 174
Llevarse un chasco, 174
Llevarse un soponcio, 174
Llover a cántaros, 174
Llover sobre mojado, 175
Luchar a brazo partido, 175
Luchar con uñas y dientes, 175

Mandar a freír espárragos, 176
Mandar a hacer gárgaras, 176
Mandar a hacer puñetas, 176
Mandar a la porra, 176

Mandar a paseo, 177
Mandar a tomar por saco, 177
Mandar a tomar viento, 177
Mandar al carajo, 177
Mandar al cuerno, 178
Mantener el tipo, 178
Mantenerse en sus trece, 178
Marcar la diferencia, 178
Marchar viento en popa, 178
Marear la perdiz, 179
Matar dos pájaros de un tiro, 179
Matar el gusanillo, 179
Matar el tiempo, 179
Matar la gallina de los huevos de oro, 179
Matarlas callando, 179
Mentar a su santa madre, 180
Merecer la pena, 180
Meter baza, 180
Meter caña, 180
Meter cizaña, 180
Meter el hombro, 180
Meter en el mismo saco, 181
Meter en cintura, 181
Meter entre ceja y ceja, 181
Meter la pata, 181
Meter los codos, 181
Meter mano, 181
Meter prisa, 182
Meter un puro, 182
Meterse a alguien en el bolsillo, 182
Meterse a monja/cura, 182
Meterse alguien donde no le llaman, 182
Meterse con alguien, 182
Meterse en camisa de once varas, 183
Meterse en harina, 183
Meterse en un lío, 183
Mirar con lupa, 183
Mirar por encima del hombro, 183
Mojarse el culo, 183
Moler a palos, 183
Mondarse de risa, 184
Montar el número, 184
Morder el anzuelo, 184
Morder el polvo, 184
Morir con las botas puestas, 184
No mover ni un dedo, 185

Nacer de pie, 186
Nadar en la abundancia, 186
Nadar entre dos aguas, 186
Nadar y guardar la ropa, 186
Negarle a alguien el pan y la sal, 187

Oler a chamusquina, 188
Oler a cuerno quemado, 188
Oler que alimenta, 188

Pagar a escote, 189
Pagar a tocateja, 189
Pagar al contado, 189
Pagar con la misma moneda, 189
Pagar el pato, 189
Pagar en metálico, 190
Pagar justos por pecadores, 190
Pagar los platos rotos, 190
Parar el carro, 190
Parar los pies, 190
Parecer un libro abierto, 191
Partir el bacalao, 191
Partir el corazón, 191
Pasar a limpio, 191
Pasar apuros, 191
Pasar de castaño oscuro, 192
Pasar de mano en mano, 192
Pasar el rato, 192
Pasar la noche en blanco, 192
Pasar la noche en vela, 192
Pasar por alto, 193
Pasar por el aro, 193
Pasarlas canutas, 193
Pasarlas moradas, 193
Pasarlo bien, 193
Pasarlo bomba, 194
Pasarlo de miedo, 194
Pasarlo en grande, 194
Pasarse algo por la cabeza, 194
Pasarse de la raya, 194
Pasarse de listo, 195
Pasarse la patata caliente, 195
Pedir peras al olmo, 195
Pegar la hebra, 195
No pegar ni con cola, 195
No pegar ojo, 196
No pegar palo al agua, 196
No pegar sello, 196
Pegar un bote, 196
Pegar un corte, 196
Pegar un estirón, 197
Pegar una clavada, 197
Pegarse como una lapa, 197
Pegarse la gran vida, 197
Pegarse las sábanas, 197
Pegarse un atracón, 198
Pegarse un tortazo, 198
Pelar la pava, 198

Pensar en las musarañas, 199
Perder aceite, 199
Perder comba, 199
Perder el conocimiento, 199
Perder la cabeza, 200
Perder la chaveta, 200
Perder los estribos, 200
Perder los papeles, 200
No perderse ningún tren, 200
Permanecer de espaldas a algo, 201
Pillar de camino, 201
Pillar el toro, 201
Pillarse los dedos, 201
No pintar nada, 201
Pisar los talones, 201
Planchar la oreja, 202
Plantar cara, 202
No poder con el alma, 202
Poner a caldo, 202
Poner a huevo, 202
Poner a parir, 203
Poner alto el listón, 203
Poner como un pingo, 203
Poner como un trapo, 203
Poner de los nervios, 204
Poner de patitas en la calle, 204
Poner de vuelta y media, 204
Poner el cascabel al gato, 204
Poner el dedo en la llaga, 204
Poner el grito en el cielo, 205
Poner en bandeja, 205
Poner en claro, 205
Poner en cuarentena, 205
Poner en la calle, 205
Poner en limpio, 206
Poner en ridículo, 206
Poner en solfa, 206
Poner en tela de juicio, 206
Poner la mano en el fuego por alguien, 206
Poner las cartas boca arriba, 206
Poner los cuernos, 207
Poner los nervios de punta, 207
Poner los ojos como platos, 207
Poner los puntos sobre las íes, 207
Poner mala cara, 207
Poner pegas, 208
Poner peros, 208
Poner pies en polvorosa, 208
Poner por caso, 208
Poner por las nubes, 208
Poner remedio, 209

Poner tierra de por medio, 209
Poner toda la carne en el asador, 209
Poner todo de su parte, 209
Poner una pica en Flandes, 209
Poner una vela a Dios y otra al diablo, 210
Poner verde, 210
Poner(se) a cien, 210
Ponerse a dieta, 210
Ponerse a tiro, 210
Ponerse a tono, 211
Poner(se) al corriente, 211
Ponerse al frente, 211
Ponerse ciego, 211
Ponerse colorado, 211
Ponerse de acuerdo, 211
Ponerse de pie, 212
Ponerse de rodillas, 212
Ponerse el mundo por montera, 212
Ponerse en evidencia, 212
Ponerse entre ceja y ceja, 212
Ponerse gallito, 212
Ponerse hasta las cejas, 213
Ponerse hecho una furia, 213
Ponerse la carne de gallina, 213
Ponerse las botas, 213
Ponerse las pilas, 213
Poner(se) los pelos de punta, 214
Ponerse morado, 214
Poner(se) perdido, 214
Ponerse tibio, 214
Portarse bien/mal, 214
Prestarse a confusión, 215
Probar fortuna, 215

Quedar a la altura del betún, 216
Quedar bien/mal, 216
Quedar en agua de borrajas, 216
Quedar en el aire, 216
Quedar grande, 217
Quedar mucha tela por cortar, 217
Quedar que ni pintado, 217
Quedar un buen trecho por recorrer, 217
Quedarse a dos velas, 217
Quedarse a la luna de Valencia, 218
Quedarse como un fideo, 218
Quedarse con la boca abierta, 218
Quedarse con las ganas, 218
Quedarse corto, 218
Quedarse de una pieza, 218
Quedarse embarazada, 219
Quedarse en ayunas, 219
Quedarse en blanco, 219

Quedarse en los huesos, 219
Quedarse frío, 219
Quedarse frito, 219
Quedarse para vestir santos, 220
Quedarse roque, 220
Quedarse tan ancho, 220
Querer como a la niña de sus ojos, 220
(No) querer cuentas con alguien, 220
Quitar el sueño, 221
Quitar hierro, 221
(No) quitar ojo, 221
Quitarse la careta, 221

Rascarse el bolsillo, 222
Rascarse la barriga, 222
Recoger velas, 222
Reír a carcajadas, 222
Reírle a alguien las gracias, 222
Remorder la conciencia, 223
Remover cielo y tierra, 223
Rizar el rizo, 223
Romper a uno la cara, 223
Romper el fuego, 223
Romper el hielo, 223
Romper filas, 224
Romper una lanza por alguien, 224
No romper un plato, 224
Romperse los cuernos, 224

Saber a demonios, 225
Saber a gloria, 225
Saber a rayos, 225
Saber de buena tinta, 225
No saber de la misa (ni) la media/la
    mitad, 225
Saber de pe a pa, 226
Saber de sobra, 226
Saber una burrada, 226
Sacar a alguien de sus casillas, 226
Sacar a alguien las castañas del fuego, 226
Sacar a flote, 227
Sacar a relucir, 227
Sacar adelante, 227
Sacar buenas/malas notas, 227
Sacar de la chistera, 227
Sacar de quicio, 227
Sacar del tiesto, 228
Sacar fuerzas de flaqueza, 228
Sacar la cabeza a alguien, 228
Sacar la cara, 228
Sacar las palabras con sacacorchos, 228
Sacar los pies del tiesto, 228

No sacar nada en limpio, 229
Sacar partido de algo, 229
Sacar tajada, 229
Sacarse un dinero, 229
Sacarse una espina, 229
Salir a flote, 230
Salir a pedir de boca, 230
Salir adelante, 230
Salir al paso, 230
Salir clavado, 230
Salir como churros, 231
Salir como rosquillas, 231
Salir de las narices, 231
Salir del agujero, 231
Salir del apuro, 232
Salir del paso, 232
Salir disparado, 232
Salir el tiro por la culata, 232
Salir pitando, 232
Salir por peteneras, 233
Salir rana, 233
Salir redondo, 233
Salir zumbando, 233
Salirse con la suya, 233
Salirse del tiesto, 234
Salirse por la tangente, 234
Saltar a la vista, 234
Saltarse a la torera, 234
Saltarse el/un semáforo, 234
Seguir en la brecha, 234
Seguir en sus trece, 235
Seguir la corriente a alguien, 235
Sembrar el caos, 235
Sembrar pavor, 235
Sentar a cuerno quemado, 235
Sentar como un jarro de agua fría, 236
Sentar como un tiro, 236
Sentar (la) cabeza, 236
Sentarle bien/mal a alguien, 236
Sentirlo en el alma, 237
Ser arma de doble filo, 237
Ser cabeza de ratón, 237
Ser carne de cañón, 237
Ser clavado, 237
Ser cojonudo, 237
Ser cola de león, 238
Ser como dos gotas de agua, 238
Ser como la noche y el día, 238
Ser como para salir corriendo, 238
Ser corto de entendederas, 238
Ser corto de luces, 239
Ser coser y cantar, 239

Ser cuestión de práctica, 239
Ser culo de mal asiento, 239
Ser de armas tomar, 240
Ser de buena familia, 240
Ser de buena pasta, 240
Ser de color de rosa, 240
Ser de la cera de enfrente, 240
Ser de la otra acera, 241
Ser de perogrullo, 241
Ser de puta madre, 241
Ser del montón, 241
Ser duro de mollera, 241
Ser duro de oído, 242
Ser el acabose, 242
Ser el chocolate del loro, 242
Ser el cuento de nunca acabar, 242
Ser el dueño del cotarro, 242
Ser el mundo un pañuelo, 243
Ser el no va más, 243
Ser el ojo derecho de alguien, 243
Ser el pan nuestro de cada día, 243
Ser el último cartucho, 243
Ser el último mono, 243
Ser el vivo retrato de alguien, 244
Ser habas contadas, 244
Ser harina de otro costal, 244
Ser hombre de honor, 244
Ser hombre de palabra, 244
Ser la Biblia en verso, 245
Ser la guinda, 245
Ser la hostia, 245
Ser la monda, 245
Ser la punta del iceberg, 245
Ser ligero de cascos, 246
Ser más claro que el agua, 246
Ser más el ruido que las nueces, 246
Ser más feo que Picio, 246
Ser más listo que el hambre, 247
Ser más listo que Lepe, 247
Ser más papista que el Papa, 247
No ser moco de pavo, 247
Ser muermo, 247
Ser muy mirado, 248
Ser muy suyo, 248
No ser nada del otro jueves, 248
No ser ni chicha ni limoná, 248
Ser pájaro de mal agüero, 248
Ser pan comido, 248
Ser paño de lágrimas, 249
Ser para quitarse el sombrero, 249
No ser para tanto, 249
Ser persona de fiar, 249

Ser tonto de capirote, 249
Ser un as, 249
Ser un borde, 250
Ser un buen partido, 250
Ser un cabeza loca, 250
Ser un callejón sin salida, 250
Ser un capullo, 250
Ser un cara, 251
Ser (todo) un carácter, 251
Ser un caradura, 251
Ser un cero a la izquierda, 251
Ser un coladero, 252
Ser un coñazo, 252
Ser un creído, 252
Ser un deslenguado, 252
Ser un don nadie, 252
Ser un empollón, 253
Ser un enteradillo, 253
Ser un facha, 253
Ser un fantasma, 253
Ser un hacha, 253
Ser un hombre de pelo en pecho, 253
Ser un hueso, 254
Ser un lameculos, 254
Ser un mameluco, 254
Ser un manojo de nervios, 254
Ser un mirlo blanco, 254
Ser un muerto de hambre, 255
Ser un panolis, 255
Ser un pelagatos, 255
Ser un pelma, 255
Ser un pelota, 255
Ser un pendón, 256
Ser un personaje, 256
Ser un pulpo, 256
Ser un rollo, 256
Ser un tipo duro, 256
Ser un trepa, 257
Ser un veleta, 257
Ser un viva la vida, 257
Ser un viva la Virgen, 257
Ser una arpía, 257
Ser una cualquiera, 257
Ser una leonera, 258
Ser una mosquita muerta, 258
Ser una perita en dulce, 258
Ser una pocilga, 258
Ser una putada, 258
Ser uña y carne, 259
Soltar el rollo, 259
Soltar la mosca, 259
No soltar prenda, 259

(No) soltar un duro, 259
Soltarse el pelo, 260
Sonarse la nariz, 260
Subir como la espuma, 260
Subirse al carro, 260
Subirse los humos a la cabeza, 260
Sudar la gota gorda, 260
Sudar tinta, 261

Tender una mano, 262
Tener a raya, 262
Tener a uno entre los ojos, 262
No tener abuela, 262
Tener aires de grandeza, 262
No tener algo vuelta de hoja, 263
Tener buen saque, 263
Tener buena mano, 263
Tener buena/mala pinta, 263
Tener buenas salidas, 263
Tener cabeza de chorlito, 264
Tener cada ocurrencia, 264
Tener calado, 264
Tener (mucha) cara, 264
Tener cara de no haber roto nunca un plato, 264
Tener cara de pocos amigos, 265
Tener carnaza, 265
Tener celos, 265
Tener chorra, 265
Tener cosquillas, 265
Tener cubierto el riñón, 266
Tener cuenta, 266
Tener cuidado, 266
Tener de todo, 266
No tener dos dedos de frente, 266
Tener el colmillo retorcido, 266
Tener el mono, 267
Tener en cuenta, 267
Tener en el bote, 267
Tener en palmitas, 267
Tener en un puño, 267
Tener enchufe, 267
Tener envidia, 268
Tener hincha, 268
Tener huevos, 268
Tener humos, 268
Tener interés , 268
Tener la cabeza llena de pájaros, 269
Tener la fiesta en paz, 269
Tener la guardia y custodia, 269
Tener la lengua larga, 269
Tener la negra, 269

Tener la sartén por el mango, 270
Tener la vida en un hilo, 270
Tener lengua de víbora, 270
Tener lengua viperina, 270
Tener mal genio, 271
Tener mal perder, 271
Tener mala cabeza, 271
Tener mala leche, 271
Tener mala/buena pata, 271
Tener malas pulgas, 272
Tener manga ancha, 272
Tener manía, 272
Tener mano izquierda, 272
Tener marcha, 272
Tener más años que Matusalén, 272
Tener más conchas que un galápago, 273
Tener más cuento que Calleja, 273
Tener más vidas que un gato, 273
Tener miga, 273
Tener monos en la cara, 273
Tener muchas horas de vuelo, 273
Tener muchas ínfulas, 274
Tener muchas tablas, 274
Tener mucho cuento, 274
Tener mundo, 274
No tener ni la menor idea, 275
No tener ni pies ni cabeza, 275
Tener ojo clínico, 275
Tener palabra, 275
Tener pasta, 275
No tener pelos en la lengua, 275
Tener pluma, 276
Tener poca sal en la mollera, 276
Tener potra, 276
Tener prisa, 276
Tener querencia, 277
Tener razón, 277
Tener renombre, 277
Tener siete vidas, 277
Tener sin cuidado, 277
Tener sorbido el seso a alguien, 277
Tener su aquel, 278
Tener suerte, 278
Tener tacto, 278
Tener tensión, 278
Tener tirria, 278
Tener un algo, 279
Tener un corazón de oro, 279
Tener un día de perros, 279
Tener un lío, 279
Tener un lío de faldas, 279

No tener un pelo de tonto, 280
Tener un polvo, 280
Tener un problema de narices, 280
Tener un punto, 280
Tener un rollo, 280
Tener una agarrada con alguien, 281
Tener una copa de más, 281
Tener una curda de campeonato, 281
Tener una tajada, 281
Tener una trompa, 281
Tirar de la lengua, 282
Tirar de la manta, 282
Tirar la casa por la ventana, 282
Tirar la toalla, 282
Tirar los tejos, 282
Tirar piedras contra el propio tejado, 283
Tirar por el camino más corto, 283
Tirar por la borda, 283
Tirar por la calle de enmedio, 283
Tirarse pegotes, 283
Tocar bailar con la más fea, 284
Tocar la china, 284
Tocar la papeleta, 284
Tocarse las narices, 284
Tomar a broma, 284
Tomar a risa, 285
Tomar (algo o a alguien) por el pito del sereno, 285
Tomar cartas en el asunto, 285
Tomar el fresco, 285
Tomar el pelo, 285
Tomar el sol, 286
Tomar una decisión, 286
Tomarla con alguien, 286
Tomar(se) a cachondeo, 286
Tomar(se) a pecho, 286
Tomarse algo por la tremenda, 287
Tomarse confianzas, 287
Tomarse (algo) en serio, 287
Tomarse la libertad, 287
Trabajar como un chino, 287
Trabajar como un negro, 287
Traer a mal traer, 288
Traer al fresco, 288
Traer cola, 288
Traer cuenta, 288
Traer de cabeza, 288
Traer por la calle de la amargura, 289
Traer sin cuidado, 289

Traerse entre manos, 289
Tratar a patadas, 289
Tratar(se) de tú a tú, 289
Tumbarse a la bartola, 290

Valer la pena, 291
No valer para nada, 291
Valer un pimiento, 291
Valer un pepino, 291
Vender la moto, 292
No vender una escoba, 292
Venir a cuento, 292
Venir a la cabeza, 292
Venir al pelo, 292
Venir como anillo al dedo, 293
Venir como caído del cielo, 293
Venir con cuentos chinos, 293
Venir con gaitas, 293
Venir con monsergas, 294
Venir con un pan debajo del brazo, 294
Venir de miedo, 294
Venir de perilla, 294
Venir de perlas, 294
Venir en ayuda, 295
Venirse abajo, 295
Venirse algo encima, 295
Ver algo de color de rosa, 295
(No) ver con buenos ojos, 296
Ver la paja en el ojo ajeno, 296
Ver las estrellas, 296
Ver los cielos abiertos, 296
Ver los toros desde la barrera, 296
No ver más allá de sus narices, 296
No ver tres en un burro, 296
Vérselas y deseárselas para algo, 297
Vérsele a uno el plumero, 297
Vivir a costa de alguien, 297
Vivir a cuenta de alguien, 297
Vivir a cuerpo de rey, 297
Vivir a la de Dios es Cristo, 297
Vivir a todo tren, 298
Vivir como una reina, 298
Vivir del cuento, 298
Vivir el día a día, 298
Volver a la carga, 299
Volver la espalda, 299
Volver por buen camino, 299
Volver tarumba, 299
Volver(se) majareta, 299

ÍNDICE DE EXPRESIONES VERBALES EN INGLÉS

(Not) to approve – *(No) ver con buenos ojos*, 296

(Not) to be able to make ends meet – *(No) llegar el dinero*, 169

(Not) to be able to make it/afford it – *(No) llegar el dinero*, 169

(Not) to be able to manage/handle something – *(No) dar abasto*, 46

(Not) to be becoming to one – *Sentarle bien/mal a alguien*, 236

(Not) to be gullible – *(No) comulgar con ruedas de molino*, 40

(Not) to come to anything serious – *(No) llegar la sangre al río*, 169

(Not) to cope with – *(No) dar abasto*, 46

(Not) to dance to someone's tune – *(No) comulgar con ruedas de molino*, 40

(Not) to fall for something – *(No) comulgar con ruedas de molino*, 40

(Not) to get on one's feet again – *(No) Levantar cabeza*, 167

(Not) to have serious consequences – *(No) llegar la sangre al río*, 169

(Not) to hold something/anything back – *(No) cortarse un pelo*, 43

(Not) to say anything – *No decir ni pío*, 72

(Not) to spend any money – *(No) soltar un duro*, 259

(Not) to stop helping someone – *(No) dejar de la mano*, 73

(Not) to want anything to do with somebody – *(No) querer cuentas con alguien*, 220

A lot needs to be done – *Quedar mucha tela por cortar*, 217

Can't stand someone – *Caer gordo*, 29

Can't take eyes out of someone – *(No) quitar ojo*, 221

Hold it! – *Parar el carro*, 190

It never rains but it pours adversities/difficulties – *Llover sobre mojado*, 175

Needless to say – *Descubrir el Mediterráneo*, 75

Not need to say – *Descubrir el Mediterráneo*, 75

Not to be a small matter – *No ser moco de pavo*, 247

Not to be able to cope with – *No poder con el alma*, 202

Not to be able to deal with – *No poder con el alma*, 202

Not to be able to sleep – *No pegar ojo*, 196

Not to be all there – *No estar en sus cabales*, 115

Not to be at someone's else level – *No llegarle a alguien a la suela del zapato*, 169

Not to be fit to tie someone's shoelaces – *No llegarle a alguien a la suela del zapato*, 169

Not to be important – *No ser para tanto*, 249

Not to be in a good mood – *No estar para bromas*, 124

Not to be in fashion – *Estar pasado de moda*, 124

Not to be in one's right mind – *No estar en sus cabales*, 115
Not to be quite all there – *Estar chiflado*, 97
Not to be seen for dust – *Poner pies en polvorosa*, 208
Not to be so/that lucky – *(No) caer esa breva*, 29
Not to be surprised by anything – *Estar curado de espanto*, 104
Not to be worth the trouble/effort – *Valer un pepino*, 291
Not to bear – *Caer fatal*, 29
Not to budge an inch – *(No) ceder (ni) un ápice*, 33
Not to care – *Traer sin cuidado*, 289
Not to care a straw – *Importar un bledo*, 152
Not to care about – *No entrar ni salir en algo*, 91
Not to do anything well – *No hacer nada a derechas*, 145
Not to do enough – *Quedarse corto*, 218
Not to face something – *Permanecer de espaldas a algo*, 201
Not to follow a conversation – *Perder comba*, 199
Not to get involved – *Estar al margen*, 96
Not to give a hoot /damn about something – *No entrar ni salir en algo. Importar un bledo. Importar un pepino. Importar un pimiento. Importar un rábano*, 91, 152
Not to give a monkey's toss – *Importar un bledo*, 152
Not to give in – *(No) ceder (ni) un ápice*, 33
Not to give into – *Cerrarse en banda*, 34
Not to go for enough – *Quedarse corto*, 218
Not to have a clue – *No entender ni jota*, 90
Not to have knowledge about something – *Estar pez*, 126
Not to have the slightest idea – *No tener ni la menor idea*, 275
Not to have time left – *Pillar el toro*, 201
Not to have two brains to rub together – *Tener poca sal en la mollera*, 276
Not to keep up with the information – *Perder comba*, 199
Not to know head nor tail about something – *No saber de la misa (ni) la media/la mitad*, 225
Not to know what a thing is about – *No saber de la misa (ni) la media/la mitad*, 225
Not to leave someone in peace – *Dar la murga*, 55
Not to lift a finger – *No dar golpe. No dar ni clavo*, 52, 59
Not to make any sense – *No tener ni pies ni cabeza*, 275
Not to make ends meet – *Vérselas y deseárselas para algo*, 297
Not to match – *No pegar ni con cola*, 195
Not to mention anything – *Dar la callada por respuesta*, 53
Not to miss one's opportunity – *No perderse ningún tren*, 200
Not to move a finger – *No mover ni un dedo*, 185
Not to pay attention – *Hacer oídos sordos*, 146
Not to pone one's mouth – *(No) decir esta boca es mía*, 72
Not to pull one's weight – *(No) dar golpe*, 52
Not to say enough – *Quedarse corto*, 218
Not to score – *(No) comerse una rosca. Estar a dos velas*, 40, 92
Not to sleep a wink all night – *Pasar la noche en blanco. Pasar la noche en vela. No pegar ojo*, 192, 196
Not to stand someone – *Caer fatal*, 29
Not to stop chattering – *Pegar la hebra*, 195
Not to stop trembling – *No llegar la camisa al cuerpo*, 169
Not to take responsibilities – *Lavarse las manos*, 167
Not to take seriously anyone/anything – *Tomar a risa*, 285
Not to take things seriously – *Tomar a broma. Tomar(se) a cachondeo*, 284, 286
Not to take well – *Sentar a cuerno quemado*, 235
Not to understand a word – *Quedarse en ayunas*, 219
Not to understand anything – *No entender ni jota*, 90

The coast is not clear – *Haber moros en la costa*, 135
There's more than meets the eye – *Oler a chamusquina*, 188

There's something fishy here – *Oler a chamusquina. Oler a cuerno quemado. Oler que alimenta*, 188

To abandon – *Dejar a merced*, 73

To abuse someone – *Poner de vuelta y media*, 204

To accelerate – *Dar gas*, 51

To account for – *Dar cuentas*, 48

To achieve a triumph – *Poner una pica en Flandes*, 209

To achieve something with great difficulties – *Ganarse algo a pulso*, 132

To act – *Echar teatro*, 85

To act dumb – *Hacerse el tonto*, 150

To act freely – *Campar por sus respetos. Echarle cara*, 32, 88

To act funny – *Hacer el ganso*, 140

To act very carefully – *Hilar muy fino*, 151

To act well/bad – *Hacer un buen/mal papel*, 148

To act with courage – *Echarle cara*, 88

To add fuel to the fire – *Echar leña al fuego*, 83

To add oil to the fire – *Meter cizaña*, 180

To agree/desagree with one's stomach – *Caer bien/mal (la comida). Sentarle bien/mal a alguien*, 27, 236

To agree with – *Dar la razón*, 56

To all pay for one person's sins – *Pagar justos por pecadores*, 190

To allow oneself be deceived – *Dejarse engañar*, 75

To announce joyfully – *Echar las campanas al vuelo*, 82

To annoy – *Dar guerra. Dar la coña. Dar la lata. Dar la matraca. Dar la murga. Dar la paliza. Dar la tabarra. Dar la vara. Venir con monsergas*, 52, 53, 54, 55, 56, 294

To appeal – *Hacer tilín*, 147

To arm wrestling – *Echar un mano a mano*, 87

To arrest – *Echar el guante*, 81

To ask for help – *Ir de puerta en puerta*, 158

To ask for the impossible – *Pedir peras al olmo*, 195

To ask for the moon – *Pedir peras al olmo*, 195

To avoid danger or risk – *Escurrir el bulto*, 91

To back fire – *Salir el tiro por la culata*, 232

To back off – *Echarse atrás*, 89

To back out – *Echarse atrás. Recoger velas*, 89, 222

To backtrack – *Recoger velas*, 222

To bamboozle – *Comer el coco a alguien*, 38

To bang into – *Darse de narices. Darse un batacazo. Darse un tortazo*, 70, 71

To bare one's teeth (menacingly) – *Enseñar los dientes*, 90

To barely pass – *Aprobar por los pelos*, 21

To batter someone – *Dar una paliza*, 65

To be (still) wet behind the ears – *Estar verde*, 129

To be a bad loser – *Tener mal perder*, 271

To be a bag of bones – *Estar en los huesos*, 114

To be a bargain – *Estar tirado*, 128

To be a big a fish in a little pond – *Ser cabeza de ratón*, 237

To be a bird brain – *Tener cabeza de chorlito*, 264

To be a bird of ill omen – *Ser pájaro de mal agüero*, 248

To be a bitch (a situation/an action) – *Ser una putada*, 258

To be a blabbermouth – *Tener la lengua larga*, 269

To be a blow to the heart – *Sentar como un tiro*, 236

To be a bootlicker – *Ser un pelota*, 255

To be a bore – *Ser muermo. Ser un rollo*, 247, 256

To be a brown nose – *Ser un pelota*, 255

To be a cannon fodder – *Ser carne de cañón*, 237

To be a care free person – *Ser un viva la Virgen. Vivir a la de Dios es Cristo*, 257, 297

To be a character – *Ser un personaje*, 256

To be a chatterbox – *Hablar como una cotorra. Hablar por los codos*, 135, 136

To be a close shave – *Faltar el canto de un duro*, 130

To be a disappointment – *Salir rana*, 233

To be a dull person – *Ser un pelma*, 255

To be a dunce – *Estar pegado. Estar pez. Ser tonto de capirote*, 125, 126, 249

To be a fag – *Tener pluma*, 276

To be a fascist – *Ser un facha*, 253

To be a filthy place – *Ser una pocilga*, 258

To be a flamer – *Perder aceite. Ser de la otra acera*, 199, 241

To be a fool – *Ser un mameluco. Ser un panolis*, 254, 255

To be a fresh – *Ser un cara*, 251

To be a fruit – *Tener pluma*, 276

To be a genius – *Ser un as*, 249

To be a good catch in marriage – *Ser un buen partido*, 250

To be a hard act to follow – *Poner alto el listón*, 203

To be a harpy person – *Ser una arpía*, 257

To be a head taller than someone – *Llevar la cabeza a alguien*, 171

To be a hit – *Dar el golpe*, 50

To be a horse of a different color – *Ser harina de otro costal*, 244

To be a jerk – *Ser un borde. Ser un capullo*, 250

To be a knock out – *Estar como para parar un tren*, 98

To be a know it all – *Ser un enteradillo*, 253

To be a leech – *Chupar rueda*, 35

To be a looker – *Llevarse de calle*, 174

To be a lust – *Ser una cualquiera*, 257

To be a man of his word – *Ser hombre de palabra*, 244

To be a matter of practise – *Ser cuestión de práctica*, 239

To be a mere skeleton – *Quedarse en los huesos*, 219

To be a mess – *Andar manga por hombro. Ser una leonera*, 19, 258

To be a mouse head – *Ser cabeza de ratón*, 237

To be a narrow escape – *Faltar el canto de un duro*, 130

To be a near miss – *Faltar el canto de un duro*, 130

To be a nerd – *Ser un empollón*, 253

To be a never ending story – *Ser el cuento de nunca acabar*, 242

To be a nobody – *Ser un don nadie. Ser un muerto de hambre. Ser un pelagatos*, 252, 255

To be a nuisance – *Dar la barrila. Dar la lata. Dar la tabarra. Dar la vara*, 52, 54, 56

To be a pain in the ass – *Dar la coña. Dar la vara. Ser un coñazo*, 53, 56, 252

To be a pain in the neck – *Dar la vara. Ser un coñazo. Ser un pelma*, 56, 252, 255

To be a partypooper – *Aguar la fiesta*, 16

To be a pest – *Ser un coñazo. Ser un pelma*, 252, 255

To be a piece of cake – *Estar chupado. Estar tirado. Ser pan comido*, 98, 128, 248

To be a pigsty – *Ser una leonera. Ser una pocilga*, 258

To be a restless person – *Ser culo de mal asiento*, 239

To be a shoulder to cry on – *Ser paño de lágrimas*, 249

To be a showstopper – *Dar el golpe*, 50

To be a slut – *Ser un pendón*, 256

To be a small fish in a big pond – *Ser cola de león*, 238

To be a small world – *Ser el mundo un pañuelo*, 243

To be a social climber – *Ser un trepa*, 257

To be a stubborn – *Ser duro de mollera*, 241

To be a swat – *Ser un empollón*, 253

To be a total/complete success – *Salir redondo*, 233

To be a total mess – *Estar patas arriba*, 125

To be a toucher – *Ser un pulpo*, 256

To be a tough cookie – *Ser de armas tomar*, 240

To be a tough egg – *Ser un tipo duro*, 256

To be a tough problem to resolve – *No ser moco de pavo*, 247

To be a trustworthy person – *Ser persona de fiar*, 249

To be a two-edged sword – *Ser arma de doble filo*, 237

To be a very masculine man – *Ser un hombre de pelo en pecho*, 253

To be a virago – *Ser una arpía*, 257

To be a wet blanket – *Aguar la fiesta*, 16

To be a womaniser – *Ser un pendón*, 256

To be a wreck – *Estar hecho trizas. Estar por los suelos*, 120, 126

To be able to make it on time – *Coger el tren en marcha*, 36

To be about to – *Estar a punto de*, 93

To be about to arrive – *Estar al caer*, 95

To be about to come – *Estar al caer*, 95

To be about to show up – *Estar al caer*, 95

To be above board – *Estar limpio de polvo y paja*, 121

To be absent-minded – *Estar ido. Ir a por uvas. Pensar en las musarañas*, 121, 153, 199

To be active – *Estar en danza,* 112
To be after someone – *Hacer la corte,* 143
To be after something – *Andar a la pesca de algo,* 18
To be against – *Estar en contra,* 111
To be ahead in the game – *Ir por delante en el marcador,* 160
To be all over someone – *Ser un pulpo,* 256
To be all talk – *Tener más cuento que Calleja. Tener mucho cuento,* 273, 274
To be alone – *Estar a solas,* 94
To be already aware of something – *Estar de vuelta de algo/de todo,* 110
To be always ready to go – *Tener marcha,* 272
To be an ace – *Ser un as,* 249
To be an asskisser – *Ser un lameculos,* 254
To be an attractive person to marry – *Ser un buen partido,* 250
To be an average person – *Ser del montón,* 241
To be an extraordinary person – *Ser un mirlo blanco,* 254
To be an honest/honorable person – *Ser hombre de honor. Ser hombre de palabra,* 244
To be an honest and reliable person – *Ser de buena pasta,* 240
To be an insignificant/unimportant person – *Ser el último mono,* 243
To be an open book – *Parecer un libro abierto,* 191
To be an open person – *Parecer un libro abierto,* 191
To be angry – *Estar de morros. Estar que trina,* 108, 127
To be another ballgame – *Estar traído por los pelos,* 129
To be appealing – *Hacer tilín,* 147
To be as a mule – *Ser duro de mollera,* 241
To be as bright as a button – *Ser más listo que el hambre,* 247
To be as broad as it is long – *Dar lo mismo,* 59
To be as clear as crystal – *Ser más claro que el agua,* 246
To be as drunk as a barrel – *Tener una curda de campeonato,* 281
To be as easy as a pie – *Estar chupado. Estar tirado. Salir como rosquillas. Ser coser y cantar. Ser pan comido. Ser una perita dulce,* 98, 128, 231, 239, 248, 258
To be as easy as ABC – *Ser coser y cantar,* 239
To be as good as – *No ir a la zaga,* 153
To be as good as done – *Dar por hecho,* 61
To be as mad as a hatter – *Estar como una cabra. Estar como una regadera,* 99, 101
To be as old as Methusalem – *Tener más años que Matusalén,* 272
To be as old as the hills – *Tener más años que Matusalén,* 272
To be as smart as paint – *Ser más listo que el hambre,* 247
To be as thick as thieves – *Estar a partir un piñón,* 93
To be as thick as two planks – *No tener dos dedos de frente,* 266
To be as ugly as sin – *Ser más feo que Picio,* 246
To be ashamed of something – *Caérsele a alguien la cara de vergüenza,* 30
To be astute – *Tener mano izquierda,* 272
To be at ease with someone – *Tomarse confianzas,* 287
To be at loggerheads – *Estar a la greña,* 92
To be at odds and ends – *Andar a la greña. Estar a la greña,* 17, 92
To be at the back of beyond – *Estar donde Cristo dio las tres voces,* 110
To be at the end – *Estar para el arrastre,* 124
To be at the same level – *Tratar(se) de tú a tú,* 289
To be attracted to something – *Tener querencia,* 277
To be average – *Ser del montón,* 241
To be badly affected by something – *Sentar a cuerno quemado,* 235
To be batty – *Estar chalado. Estar chiflado,* 97
To be beneficial – *Tener cuenta,* 266
To be better safe than sorry – *Curarse en salud,* 45
To be better than nothing – *Dar menos una piedra,* 59
To be between a rock and a hard place – *Estar entre la espada y la pared,* 116
To be between life and death – *Estar entre la vida y la muerte,* 116

To be between the devil and the deep blue sea – *Estar entre la espada y la pared,* 116

To be big-headed – *Ser un creído,* 252

To be bored to death – *Aburrirse como una ostra,* 15

To be boring – *Ser muermo. Ser un rollo,* 247, 256

To be born with a silver spoon in one's mouth – *Nacer de pie,* 186

To be born yesterday – *Chuparse el dedo,* 34

To be bosom friends – *Ser uña y carne,* 259

To be brave – *Echarle valor,* 88

To be brave enough – *Ponerse el mundo por montera,* 212

To be broke – *Estar a dos velas. Estar sin blanca. Quedarse a dos velas,* 92, 128, 217

To be buddies – *Ser uña y carne,* 259

To be calm – *Estar como una seda,* 101

To be canny – *Tener el colmillo retorcido,* 266

To be careful – *Andarse con tiento. Tener cuidado,* 20, 266

To be cautious – *Tener más conchas que un galápago,* 273

To be cautious in an undertaking – *Nadar y guardar la ropa,* 186

To be chalk and cheese – *Ser como la noche y el día,* 238

To be cheeky – *Ser un cara. Ser un caradura,* 251

To be child's play – *Ser coser y cantar,* 239

To be chitchatting – *Estar de cháchara. Estar de palique,* 105, 108

To be chockfull – *Estar hasta las trancas,* 118

To be clueless – *Estar pegado. Estar pez,* 125, 126

To be comfortable – *Estar en su salsa,* 115

To be common and frequent – *Ser el pan nuestro de cada día,* 243

To be completely full (a place) – *Estar de bote en bote. Estar hasta las trancas,* 104, 118

To be completely innocent – *No romper un plato,* 224

To be conceited – *Ser un fantasma. Tener aires de grandeza. Tener humos,* 253, 262, 268

To be content – *Ir que chuta,* 160

To be convenient – *Venir al pelo. Venir como anillo al dedo,* 292, 293

To be convincingly attractive to others – *Llevarse de calle,* 174

To be cool – *Ser cojonudo,* 237

To be crazy – *Estar como una cabra. Estar como una regadera. Estar como un cencerro. Estar ido. Estar zumbado,* 99, 101, 102, 121, 129

To be crazy about somebody – *Beber los vientos por alguien. Querer como a la niña de sus ojos,* 25, 220

To be crunky – *Ser un borde,* 250

To be crushed – *Caérsele a alguien la casa encima. Venirse abajo.Venirse algo encima,* 30, 295

To be crystal clear – *Estar más claro que el agua. Ser más claro que el agua,* 122, 246

To be damn good – *Estar de puta madre,* 108

To be day-dreaming – *Estar en la luna,* 114

To be dead calm – *Estar como una balsa de aceite,* 99

To be dead tired – *Estar hecho polvo,* 119

To be deaf as a post – *Estar como una tapia,* 101

To be dealing with something – *Estar en ello,* 113

To be dedicated to do something – *Estar en la brecha,* 113

To be deeply asleep – *Estar frito,* 117

To be delicious – *Estar de rechupete,* 109

To be depressed – *Estar por los suelos,* 126

To be destroyed – *Estar hecho trizas. Venirse abajo,* 120, 295

To be disappointed – *Llevarse un chasco,* 174

To be discharged (a patient) from the hospital – *Dar(se) de alta,* 68

To be doing nothing – *Estar de brazos cruzados,* 104

To be done for – *Estar hecho una braga. Estar para el arrastre. No estar para esos trotes,* 120, 124

To be down – *Estar de capa caída,* 105

To be drop-dead gorgeous – *Estar como para parar un tren,* 98

To be drunk – *Estar como una cuba. Estar pedo. Tener una tajada. Tener una trompa,* 100, 125, 281

To be dumb – *Ser corto de entendederas.*
Ser corto de luces. *Tener poca sal en
la mollera*, 238, 239, 276
To be dumbfounded – *Quedarse frío*, 219
To be dying of hunger – *Estar muerto de
hambre*, 123
To be easily annoyed – *Tener malas
pulgas*, 272
To be easy going – *Dejarse llevar por la
corriente*, 75
To be easy on the eyes – *Llevarse de
calle*, 174
To be easy to get into – *Ser un coladero*,
252
To be easy-going – *Tener manga ancha*,
272
To be even – *Estar en paz*, 115
To be evident – *Ser de perogrullo*, 241
To be exactly what someone wanted/
needed – *Venir al pelo*, 292
To be excited – *Estar como una moto*, 101
To be exhausted – *Estar agobiado. Estar
hecho una braga. Estar hecho unos
zorros. No estar para esos trotes*, 95,
120, 121, 124
To be exhausted – *No poder con el
alma*, 202
To be experienced – *Estar curado de
espanto*, 104
To be extremely fat – *Estar hecha una
foca*, 119
To be extremely happy – *Estar loco de
alegría*, 122
To be eye candy – *Llevarse de calle*, 174
To be face to face – *Estar frente a frente*,
117
To be famished – *Estar muerto de
hambre*, 123
To be far away – *Estar a años luz*, 92
To be far from being ready – *Estar verde*,
129
To be fed up – *Estar frito. Estar hasta el
gorro. Estar hasta la coronilla. Estar
hasta las narices*, 117, 118
To be fickle – *Ser un veleta*, 257
To be filthy/nasty weather – *Hacer un
día de perros*, 148
To be filthy rich – *Nadar en la
abundancia*, 186
To be finger-licking good – *Estar de
rechupete. Estar para chuparse los
dedos*, 109, 124

To be finished – *Estar hecho unos
zorros. Estar para el arrastre*, 121, 124
To be flabbergasted – *Quedarse frío*, 129
To be flaky – *Ser un viva la vida*, 257
To be fool – *Ser tonto de capirote*, 249
To be fooled – *Caer en la red*, 28
To be fooling around – *Estar de
cachondeo*, 105
To be foolish – *Ser un panolis*, 255
To be forgetful – *Tener mala cabeza*, 271
To be fortunate – *Estar de enhorabuena*,
106
To be fresh – *Tener (mucha) cara*, 264
To be frightened – *No llegar la camisa
al cuerpo*, 169
To be frightening – *Ser como para salir
corriendo*, 238
To be frivolous – *Ser ligero de cascos.
Ser un cabeza loca*, 246, 250
To be from a good family – *Ser de buena
familia*, 240
To be frozen with surprise – *Quedarse
frío*, 219
To be fucked up – *Estar jodido*, 121
To be full of energy – *Tener marcha*, 272
To be full of ideas – *Tener cada
ocurrencia*, 264
To be full of oneself – *Ser un creído.
Tener humos*, 252, 268
To be fully aware – *Saber de sobra*, 226
To be fuming – *Echar rayos y centellas*, 84
To be funny – *Ser la monda*, 245
To be furious – *Echar rayos y centellas*, 84
To be fussy – *Ser muy mirado*, 248
To be gay – *Perder aceite. Ser de la cera
de enfrente. Ser de la otra acera*, 199,
240, 241
To be generous – *Abrir la mano. No doler
prendas. Tener manga ancha. Tener
un corazón de oro*, 15, 76, 272, 279
To be glad you are not in someone else's
shoes – *(No) arrendarle las
ganancias a alguien*, 22
To be good enough for – *Dar la talla*, 56
To be good for nothing – *No valer para
nada*, 291
To be good looking – *Estar de buen ver*,
105
To be gorgeous – *Estar como para parar
un tren. Estar como un tren*, 98, 102
To be grateful – *Darse con un canto en
los dientes*, 67

To be great – *Estar de puta madre. Ser cojonudo. Ser de puta madre. Ser la hostia. Ser un as*, 108, 237, 241, 245, 249
To be great doing something – *Ser un hacha*, 253
To be grind – *Ser un empollón*, 253
To be gullible – *Chuparse el dedo*, 34
To be half deaf – *Ser duro de oído*, 242
To be handsome – *Estar de miedo*, 107
To be happy as Larry – *Estar a sus anchas*, 94
To be hard of hearing – *Estar medio sordo*, 122
To be hard on somebody's heels – *Pisar los talones*, 201
To be hard to beat – *Poner alto el listón*, 203
To be hard to do – *Costar trabajo*, 43
To be hard to fool – *No tener un pelo de tonto*, 280
To be hauled on the carpet – *Ganarse una bronca*, 132
To be head and shoulders above someone – *Llevar la cabeza a alguien. Sacar la cabeza a alguien*, 171, 228
To be head over heels for – *Beber los vientos por alguien. Querer como a la niña de sus ojos*, 25, 220
To be hesitant – *Estar entre Pinto y Valdemoro*, 116
To be hideous – *Ser más feo que Picio*, 246
To be hopping mad – *Estar que se sube por las paredes*, 127
To be hyper – *Estar como una moto. Estar espídico*, 101, 117
To be identical – *Ser como dos gotas de agua*, 238
To be idle – *Cruzarse de brazos. No dar ni clavo. No dar ni golpe. Estar cruzado de brazos. Estar de brazos cruzados. Estar mano sobre mano. Rascarse la barriga. Tocarse las narices*, 44, 59, 103, 104, 122, 222, 284
To be in – *Ser el no va más*, 243
To be in a awkward situation – *Pasar apuros*, 191
To be in a bad mood – *Estar de mal humor. Estar de mal talante. Estar de mala leche. Estar de mala uva. Estar de malas pulgas. Estar de uñas*, 106, 107, 109

To be in a bad shape – *Estar por los suelos*, 126
To be in a bad temper – *Estar de mal humor*, 106
To be in a bad way – *Estar de capa caída*, 105
To be in a hot water – *Estar en apuros*, 111
To be in a hurry – *Tener prisa*, 276
To be in a joking mood – *Estar de broma*, 105
To be in a losing position – *Llevar todas las de perder*, 172
To be in a mess – *Andar metido en líos. Estar hecho un lío*, 19, 120
To be in a spot – *Estar en apuros*, 111
To be in command – *Llevar las riendas*, 171
To be in control – *Llevar las riendas*, 171
To be in embryo – *Estar en mantillas*, 115
To be in fashion – *Estar de moda*, 107
To be in good shape – *Estar en forma*, 113
To be in great risk/danger – *Estar con la soga al cuello*, 103
To be in it – *Estar en ello*, 113
To be in its infancy – *Estar en mantillas*, 115
To be in love with – *Estar colado por alguien*, 98
To be in one's element – *Estar como pez en el agua*, 99
To be in the balance – *Estar pendiente de un hilo*, 125
To be in the center of – *Estar en medio como el jueves*, 115
To be in the middle of – *Estar en medio como el jueves*, 115
To be in the middle of nowhere – *Estar donde Cristo dio las tres voces. Estar donde Cristo perdió el gorro. Estar en el quinto pino*, 110, 112
To be in the same situation – *Estar en las mismas*, 114
To be in trouble – *Caérsele a alguien el pelo. Estar en apuros*, 30, 111
To be indifferent about something – *Tener sin cuidado*, 277
To be insane – *Ser un cabeza loca*, 250
To be inspired – *Estar en vena. Estar sembrado*, 116, 128
To be interested in – *Tener interés*, 268
To be intimate friends with – *Estar a partir un piñón*, 93

To be involved – *Estar pringado*, 126
To be involved in – *Andar con algo entre manos.Traerse entre manos*, 18, 289
To be irresponsible – *No tener dos dedos de frente*, 266
To be jammy – *Estar de rechupete*, 109
To be jealous – *Tener celos. Tener envidia*, 265, 268
To be joking – *Estar de cachondeo*, 105
To be just passing through/by – *Estar de paso*, 108
To be just what someone wanted – *Venir de perlas*, 294
To be kidding – *Estar de cachondeo*, 105
To be left holding the bag – *Quedarse a la luna de Valencia*, 218
To be left on the shelf – *Quedarse para vestir santos*, 220
To be left out – *Estar al margen*, 96
To be legal – *Estar limpio de polvo y paja*, 121
To be lenient – *Abrir la mano*, 15
To be light years ahead of – *Estar a años luz*, 92
To be like a limp rag – *Estar hecho una braga*, 120
To be like a pigsty – *Andar manga por hombro. Estar empantanado*, 19, 110
To be like day and night – *Ser como la noche y el día*, 238
To be like two peas in a pod – *Ser como dos gotas de agua*, 238
To be lively – *Tener marcha*, 272
To be loaded – *Estar como una cuba. Estar pedo. Estar forrado. Estar nadando en dinero. Ponerse ciego. Ponerse tibio. Tener una curda de campeonato. Tener una tajada. Tener una trompa*, 100, 125, 211, 214, 281
To be loony – *Estar ido. Estar pirado. Estar zumbado*, 121, 129
To be lucky – *Caer de pie. Tener chorra. Tener potra. Tener suerte*, 28, 265, 276, 278
To be mad – *Estar de mala uva*, 107
To be mature enough to get marry – *Estar en edad de merecer*, 112
To be mean – *Tener mala leche*, 271
To be merry – *Estar alumbrado*, 97
To be messed up – *Estar patas arriba*, 125
To be messy – *Ir manga por hombro*, 160

To be messy and filthy – *Estar empantanado*, 110
To be miles from anywhere – *Estar donde Cristo dio las tres voces. Estar donde Cristo perdió el gorro. Estar en el quinto pino*, 110, 112
To be mixed up – *Estar hecho un lío. Tener un lío*, 120, 179
To be more than meets the eye – *Tener miga*, 273
To be much ado about nothing – *Ser más el ruido que las nueces*, 246
To be naive – *Chuparse el dedo*, 34
To be naked – *Estar en cueros*, 112
To be nasty – *Ser un capullo*, 250
To be neither one thing nor another – *No ser ni chicha ni limoná*, 248
To be nervous – *Estar como una moto. Estar en ascuas*, 101, 111
To be no room to swing a cat – *No caber ni un alfiler*, 27
To be nobody's friend – *(No) casarse con nadie*, 33
To be nosy – *Estar con la antena puesta*, 103
To be nothing but skins and bones – *Quedarse en los huesos*, 219
To be nothing special – *No ser nada del otro jueves*, 248
To be nothing to write home about – *No ser nada del otro jueves*, 248
To be nuts – *Estar chalado. Estar como una cabra. Estar como una chota. Estar como una regadera. Estar como un cencerro. Estar pirado*, 97, 99, 100, 101, 102, 126
To be obvious – *Caer por su (propio) peso. Saltar a la vista*, 29, 234
To be odd/peculiar – *Ser muy suyo*, 248
To be off one's head – *Ser un cabeza loca*, 250
To be off the wall – *Estar chalado*, 97
To be off work – *Estar de baja*, 104
To be OK with someone – *Dar lo mismo. Darle igual (a alguien)*, 59, 66
To be old enough to date – *Estar en edad de merecer*, 112
To be old fashioned – *Estar chapado a la antigua. Estar pasado de moda*, 97, 124
To be older than someone else – *Llevar años a alguien*, 170

To be on a diet – *Estar a régimen.*
Ponerse a dieta, 94, 210
To be on a lucky streak – *Estar en vena,* 116
To be on about something – *Dar la matraca,* 55
To be on bads terms – *Estar de mala uva,* 107
To be on cloud nine – *Estar en el séptimo cielo,* 113
To be on edge – *Estar en ascuas,* 111
To be on equal terms – *Codearse con alguien,* 35
To be on good/bad terms with (people) – *Quedar bien/mal,* 216
To be on leave – *Estar de permiso,* 108
To be on one's last legs – *Estar en las últimas,* 114
To be on one's toes – *Estar ojo avizor,* 123
To be on one's way – *Pillar de camino,* 201
To be on sick leave – *Dar(se) de baja. Estar de baja,* 68, 104
To be on the ball – *Estar al cabo de la calle. Estar al loro. Estar al tanto,* 95, 96
To be on the dole – *Estar en paro,* 115
To be on the downward path – *Estar de capa caída,* 105
To be on the edge – *Ser un manojo de nervios,* 254
To be on the go – *Estar en danza. Ir a la carrera. Ir a tope. Tener marcha,* 112, 153, 154, 272
To be on the line – *Estar al habla,* 96
To be on the rise – *Estar en alza,* 111
To be on the road to ruin – *Llevar todas las de perder,* 172
To be on the safe side – *Curarse en salud,* 45
To be on the streets – *Hacer la calle,* 143
To be on the up and up – *Estar en alza,* 111
To be one among thousands – *Ser del montón,* 241
To be one's lucky day/week, etc. – *Estar de suerte,* 109
To be one's turn – *Tocar la papeleta,* 284
To be oneself – *Quitarse la careta,* 221
To be open to confusion – *Prestarse a confusión,* 215
To be open-handed – *No doler prendas,* 76
To be open-mouthed – *Quedarse con la boca abierta,* 218

To be opportune at the right time – *Venir de perilla,* 294
To be order of the day – *Estar a la orden al día,* 93
To be out in the sticks – *Estar donde Cristo dio las tres voces,* 110
To be out of fashion – *Estar pasado de moda,* 124
To be out of favor – *Caer en desgracia,* 28
To be out of it – *Estar fuera de onda,* 117
To be out of line – *Pasarse de la raya,* 194
To be out of money – *Quedarse a dos velas,* 217
To be out of one's mind – *Estar loco de atar. Estar pasado de vueltas. Estar pirado. Estar zumbado,* 122, 125, 126, 129
To be out of one's mind with worry – *Andar de cabeza. Andar de cráneo,* 19
To be out of place – *Estar fuera de lugar,* 117
To be out of the ordinary – *Ser un hacha,* 253
To be out of this world – *Estar de puta madre. Ser de puta madre,* 108, 241
To be out of touch with – *Estar fuera de onda,* 117
To be overwhelmed – *Estar agobiado,* 95
To be overwhelmed with trouble – *Caérsele a alguien la casa encima. Venirse algo encima,* 30, 295
To be packed – *Estar de bote en bote. Estar hasta las trancas,* 104, 118
To be packed like sardines – *Estar como sardinas en lata,* 99
To be past that – *No estar para esos trotes,* 124
To be penniless – *Estar a dos velas. Estar sin blanca. Estar tieso. Quedarse a dos velas,* 92, 128, 217
To be perfect – *Venir de perlas,* 294
To be physically very attractive – *Estar buena/bueno,* 97
To be pissed – *Estar pedo,* 125
To be pissed with something – *Estar hasta los cojones,* 119
To be potty – *Estar chiflado,* 97
To be prepared for – *Dar la talla,* 56
To be proud/happy about what has been done/said – *Quedarse tan ancho,* 220
To be quick tempered – *Tener mal genio,* 271

To be quite a character – *Ser (todo) un carácter,* 251
To be quite clear – *Ser habas contadas,* 244
To be ready – *Estar listo,* 122
To be ready for anything – *Estar a lo que caiga,* 93
To be ready to defend someone – *Estar al quite,* 96
To be ready to do something – *Estar con el pie en el estribo,* 103
To be ready to take advantage of an opportunity – *Estar a lo que caiga. Estar a verlas venir,* 93, 94
To be remarkable – *Tener buenas salidas,* 263
To be reserved – *Tener más conchas que un galápago,* 273
To be right – *Tener razón,* 277
To be rocketing – *Estar por las nubes,* 126
To be rolling in dough – *Nadar en la abundancia,* 186
To be rolling in money – *Estar nadando en dinero,* 123
To be rough and tough – *Ser de armas tomar,* 240
To be round the bend – *Estar como una chota,* 100
To be rubbish – *Venir con gaitas,* 293
To be rude – *Ser un borde,* 250
To be ruined – *Irse a pique,* 162
To be scolded – *Ganarse una regañina,* 132
To be screwy – *Estar pirado,* 126
To be self-evident – *Caer por su (propio) peso,* 29
To be sensational – *Dar el golpe,* 50
To be sexy – *Tener un polvo,* 280
To be shaky – *Estar como un flan,* 102
To be shameless – *Tener (mucha) cara,* 264
To be sharp – *Ser más listo que el hambre. Ser más listo que Lepe,* 247
To be sick of – *Estar frito. Estar hasta el gorro,* 117, 118
To be six of one and half a dozen of the other – *Dar lo mismo,* 59
To be skinny (a person) – *Estar chupado,* 98
To be sky-high (prices) – *Estar por las nubes,* 126
To be smart – *Ser más listo que el hambre. Ser más listo que Lepe. No tener un pelo de tonto,* 147, 280

To be snappy – *Ser un borde,* 250
To be soaking wet – *Estar hecho una sopa,* 121
To be soft in the head – *Estar chiflado,* 97
To be someone/something very complex – *Ser la Biblia en verso,* 245
To be someone hands down – *Dar cien mil vueltas a alguien,* 47
To be someone hard – *Ser un hueso,* 254
To be someone tough – *Ser un hombre de pelo en pecho. Ser un hueso,* 253, 254
To be someone's favorite – *Ser el ojo derecho de alguien,* 243
To be something fantastic/wonderful – *Ser de color de rosa,* 240
To be something going on – *Haber gato encerrado,* 135
To be something very interesting – *Estar de miedo,* 107
To be sparkling clean – *Estar como los chorros del oro,* 98
To be special – *Tener su aquel. Tener un algo,* 278, 279
To be sponging on somebody – *Dar sablazos,* 62
To be starving – *Estar muerto de hambre,* 123
To be stressed out – *Estar agobiado,* 95
To be stuck on someone – *Beber los vientos por alguien. Estar colado por alguien,* 25, 98
To be stunned – *Estar colgado. Quedarse de una pieza,* 98, 218
To be stupefied – *Estar colgado,* 98
To be stupid – *Ser un mameluco,* 254
To be surprised – *Coger de nuevas. Quedarse con la boca abierta,* 36, 218
To be tactful – *Tener tacto,* 278
To be taken aback – *Coger de nuevas,* 36
To be taken in – *Caer en la red,* 28
To be taller than someone – *Sacar la cabeza a alguien,* 228
To be tasty – *Estar para chuparse los dedos,* 124
To be tense – *Estar espídico. Estar que arde,* 117, 127
To be the apple of someone's eye – *Ser el ojo derecho de alguien,* 243
To be the best – *Ser el acabose,* 242
To be the boss (in the family) – *Llevar los pantalones,* 172

To be the center of all eyes – *Dar la campanada*, 53

To be the end – *Ser el acabose*, 242

To be the final touch – *Ser la guinda*, 245

To be the greatest in a situation – *Ser el acabose*, 242

To be the high point – *Ser la guinda*, 245

To be the issue – *Venir a cuento*, 292

To be the last draw/chance – *Ser el último cartucho*, 243

To be the last straw – *Llover sobre mojado*, 175

To be the latest in fashion – *Ser el no va más*, 243

To be the latest thing – *Estar de moda*, 107

To be the least important person – *Ser un cero a la izquierda*, 251

To be the living/spitting image of – *Salir clavado. Ser clavado. Ser el vivo retrato de alguien*, 230, 237, 244

To be the name on everyone's lips – *Estar en el candelero*, 112

To be the one who does it – *Poner el cascabel al gato*, 204

To be the tip of the iceberg – *Ser la guinda. Ser la punta del iceberg*, 245

To be the truth – *Ir algo a misa*, 154

To be the way it is – *No tener algo vuelta de hoja*, 263

To be the wrong time/moment to ask for something – *No estar el horno para bollos*, 110

To be the wrong time/moment to do something – *No estar el horno para bollos*, 110

To be ticklish – *Tener cosquillas*, 265

To be tiddly – *Tener una copa de más*, 281

To be tight-fisted – *(No) soltar un duro*, 259

To be tipsy – *Estar achispado. Estar alumbrado. Tener un punto*, 95, 97, 280

To be to a dead end – *Ser un callejón sin salida*, 250

To be told off – *Ganarse una regañina*, 132

To be too big on someone – *Quedar grande*, 217

To be too clever by half – *Pasarse de listo*, 195

To be too familiar with someone – *Tomarse confianzas*, 287

To be too much for one to cope with – *Hacerse cuesta arriba*, 149

To be too old for that – *No estar para esos trotes*, 124

To be totally at home – *Estar como pez en el agua*, 99

To be totally fed up – *Estar hasta los cojones*, 119

To be totally involved in one's work – *Estar al pie del cañón*, 96

To be touch and go – *Faltar el canto de un duro*, 130

To be touchy – *Tener malas pulgas*, 272

To be twisted – *Ser una arpía*, 257

To be two-faced – *Cambiar de chaqueta*, 31

To be unable to make head nor tail of something – *No tener ni pies ni cabeza*, 275

To be undeniable – *Ir algo a misa*, 154

To be unemployed – *Estar en paro*, 115

To be unfaithful to – *Poner los cuernos*, 207

To be unimportant/insignificant – *Ser el chocolate del loro*, 242

To be unique – *Ser un personaje*, 256

To be unrefined – *Ser un mameluco*, 254

To be up to – *Estar a la altura*, 92

To be up to date – *Estar al día*, 95

To be up to one's old tricks – *Hacer alguien una de las suyas*, 137

To be up to the neck – *Estar con el agua al cuello*, 102

To be urgent – *Correr prisa*, 41

To be useful – *Dar juego*, 52

To be useless – *Valer un pimiento*, 291

To be utterly abandoned/forsaken – *Estar dejado de la mano de Dios*, 110

To be very attractive – *Estar como para parar un tren*, 98

To be very cheap – *Estar tirado*, 128

To be very high – *Estar por las nubes*, 126

To be very lenient – *Tener manga ancha*, 272

To be very popular – *Estar en el candelero*, 112

To be very proper – *Ser un mirlo blanco*, 254

To be very useful – *Venir de miedo*, 294

To be very worried – *Tener en un puño*, 267

To be wall-to-wall – *No caber ni un alfiler*, 27

To be way ahead of – *Dar cien mil vueltas a alguien en algo. Dar ciento y raya*, 47, 48

To be weak in the head – *Estar chiflado*, 97

To be wealthy – *Estar forrado*, 117

To be well known – *Tener renombre*, 277

To be well-heeled – *Tener cubierto el riñón*, 266

To be well-off – *Tener cubierto el riñón*, 266

To be whore – *Ser una cualquiera*, 257

To be wicked – *Tener el colmillo retorcido*, 266

To be witty – *Tener buenas salidas. Tener cada ocurrencia*, 263, 264

To be worn out – *Estar hecho polvo. Estar hecho una braga. Estar hecho unos zorros*, 119, 120, 121

To be worth it – *Merecer la pena. Traer cuenta*, 180, 266

To be worthless – *Ser un cero a la izquierda. Valer un pimiento*, 251, 291

To be worthwhile – *Traer cuenta. Valer la pena*, 266, 291

To be wound up – *Poner(se) a cien*, 210

To be wrapped up in one's own thoughts – *Estar en Babia. Estar en la inopia. Estar en las nubes*, 111, 113, 114

To bear in mind – *Tener en cuenta*, 267

To bear someone a grudge – *Tener hincha*, 268

To bear upon – *Meter caña*, 180

To beat around the bush – *Andarse con rodeos. Andarse por las ramas. Dar rodeos. Marear la perdiz*, 20, 62, 179

To beat one's brains out – *Calentarse la cabeza. Calentarse los cascos*, 31

To beat somebody – *Dar un baño a alguien. Dar una paliza*, 63, 65

To beat someone hands down – *Dar ciento y raya*, 48

To beat someone up – *Moler a palos*, 183

To become a member – *Dar(se) de alta*, 68

To become a nun/a priest – *Meterse a monja/cura*, 182

To become a prostitute – *Hacer la calle*, 143

To become aggressive/quarrelsome – *Ponerse gallito*, 212

To become close friends – *Estrechar lazos*, 129

To become cruel to/towards – *Hacer leña del árbol caído*, 145

To become furious – *Ponerse hecho una furia*, 213

To become horny – *Poner(se) a cien*, 210

To become informed – *Poner(se) al corriente*, 211

To become involved – *Meterse en harina*, 183

To become late – *Dar las uvas*, 58

To become more at ease – *Soltarse el pelo*, 260

To become obstinated – *Cerrarse en banda*, 34

To become sick – *Caer enfermo*, 39

To become very skinny – *Quedarse como un fideo*, 218

To begin a new relationship – *Echarse una amiga/un amigo*, 89

To begin from zero – *Hacer borrón y cuenta nueva*, 138

To begin to like somebody – *Hacer tilín*, 147

To behave well/badly – *Portarse bien/mal*, 214

To bell the cat – *Poner el cascabel al gato*, 204

To belt someone – *Romper a uno la cara*, 223

To bend one's elbow too much – *Empinar el codo*, 89

To bet everything one has – *Jugarse el todo por el todo*, 166

To bit one's nails – *Comerse las uñas*, 39

To bite the dust – *Morder el polvo*, 184

To blame it on somebody else – *Echar el muerto. Echar la culpa*, 81, 82

To blow a fuse – *Cruzarse los cables. Ponerse gallito*, 44, 212

To blow favorably – *Marchar viento en popa*, 178

To blow hot and cold – *Dar una de cal y otra de arena. Ser un veleta*, 65, 257

To blow one's nose – *Sonarse la nariz*, 260

To blow one's own trumpet – *No tener abuela*, 262

To blow the lid (off) – *Levantar la liebre*, 167

To blow up – *Hincharse las narices*, 151

To bluff – *Tirarse pegotes,* 283
To blurt out – *Irse de la lengua,* 163
To blush – *Ponerse colorado,* 211
To boast – *Echarse faroles,* 89
To boil with anger – *Estar a rabiar. Estar que arde. Estar que echa chispas. Estar que se sube por las paredes. Estar que trina,* 94, 127
To bore someone – *Dar la tabarra,* 56
To bore the parts off someone – *Dar la paliza,* 55
To boss the show – *Llevar la batuta. Llevar la voz cantante,* 170, 171
To bother someone – *Dar la barrila. Dar la paliza. Dar la tabarra. Venir con monsergas,* 52, 55, 56, 294
To brag – *Irse la fuerza por la boca,* 164
To brag about of being clever – *Dárselas de listo,* 72
To brainwash somebody – *Comer el coco a alguien. Comer la moral. Comer(se) el tarro. Tener sorbido el seso a alguien,* 38, 39, 277
To break one's heart – *Encoger(se) el corazón. Partir el corazón,* 90, 191
To break ranks – *Romper filas,* 224
To break the ice – *Romper el fuego. Romper el hielo,* 223
To break the rules – *Saltarse a la torera,* 234
To break to pieces – *Hacer añicos. Hacer polvo. Hacerse papilla,* 137, 146, 151
To breathe the fire – *Estar que echa chispas,* 127
To bring home the price – *Llevarse el gato al agua,* 174
To bring others up to date – *Poner(se) al corriente,* 211
To bring pressure – *Meter caña,* 180
To bring somebody to heel – *Meter en cintura,* 181
To bring the light – *Venir con un pan debajo del brazo,* 294
To bring the luck – *Venir con un pan debajo del brazo,* 294
To bring to a halt – *Cortar en seco,* 42
To bring to task – *Llamar a capítulo,* 168
To brown nose – *Dar coba,* 48
To build castles in the air – *Hacer castillos en el aire,* 139
To bump – *Pegarse un tortazo,* 198

To bump into someone or something – *Darse de cara con alguien/algo,* 68
To burn one's fingers – *Pillarse los dedos,* 201
To burst out laughing – *Reír a carcajadas,* 222
To bury the hatchet – *Enterrar el hacha. Hacer las paces,* 91, 144
To bust one's brains – *Romperse los cuernos,* 224
To butt in – *Meter baza,* 180
To butter somebody up – *Bailar el agua a alguien. Dar coba. Dorar la píldora. Hacer la pelota. Hacer la rosca,* 24, 48, 76, 143, 144
To buy a pig in a poke – *Dar gato por liebre. Dársela con queso,* 51, 72
To calculate the cost of something – *Echar cuentas,* 80
To call a spade a spade – *Llamar al pan pan y al vino vino,* 168
To call into question – *Poner en tela de juicio,* 206
To call somebody names – *Poner verde,* 210
To call the tune – *Llevar la batuta. Llevar la voz cantante. Partir el bacalao,* 170, 171, 191
To call to account – *Llamar a capítulo,* 168
To calm things down – *Quitar hierro,* 221
To care less – *Traer al fresco. Traer sin cuidado,* 288, 289
To carry out – *Llevar a cabo,* 170
To carry out to the letter – *Cumplir a rajatabla,* 45
To carry the can – *Pagar el pato,* 189
To carry the monkey on one's back – *Tener el mono,* 267
To cast a cloud over – *Dar al traste con algo,* 46
To cast pearls before swine – *Echar margaritas a los puercos,* 83
To cast something in a person's teeth – *Echar en cara,* 81
To catch – *Echar el guante,* 81
To catch on quickly – *Coger a la primera. Cogerlas al vuelo,* 35, 37
To catch somebody in the act – *Coger a alguien con las manos en la masa. Coger in fraganti,* 35, 36
To catch somebody red-handed – *Coger a alguien con las manos en la masa. Coger in fraganti,* 35, 36

To cause a scene – *Armar jaleo*, 21

To cause a sensation – *Dar la campanada*, 53

To cause difficulties – *Dar guerra*, 52

To cause discomfort/pain – *Levantar ampollas*, 167

To cause suffering and hardship – *Traer por la calle de la amargura*, 289

To cause suspition/apprehension – *Dar mala espina*, 59

To change sides – *Cambiar de chaqueta*, 31

To chat – *Estar de cháchara*, 105

To cheat on – *Poner los cuernos*, 207

To choose to ignore – *Pasar por alto*, 193

To clarify – *Poner en claro*, 205

To clean up – *Hacer sábado*, 147

To clear one's conscience – *Hacer examen de conciencia*, 142

To climb down – *Apear(se) del burro*, 20

To cling to somebody like a leech – *Pegarse como una lapa*, 197

To close ranks – *Cerrar filas*, 34

To close tightly – *Cerrar a cal y canto*, 33

To clutch at a straw – *Agarrarse a un clavo ardiendo*, 15

To cold-shoulder – *Hacer el vacío*, 141

To collide – *Pegarse un tortazo*, 198

To come back from the brink – *Salir del agujero*, 231

To come down off one's high horse – *Apear(se) del burro. Bajar(se) del burro*, 20, 24

To come down to earth – *Bajar(se) de las nubes*, 24

To come like a gift from the Gods – *Venir como caído del cielo*, 293

To come out of a jam – *Salir del apuro*, 232

To come out of the abyss – *Salir del agujero*, 231

To come out winning – *Tener cuenta*, 266

To come to a halt – *Cortar en seco*, 42

To come to blows – *Liarse a mamporros*, 168

To come to heel – *Entrar por el aro*, 91

To come to help – *Venir en ayuda*, 295

To come to mind – *Pasarse algo por la cabeza. Venir a la cabeza*, 194, 292

To come to the aid of – *Venir en ayuda*, 295

To complain bitterly aloud – *Poner el grito en el cielo*, 205

To consider a matter closed – *Dar carpetazo*, 47

To conspicuous by (one's) absence – *Brillar por su ausencia*, 26

To contemplate – *Comer(se) el tarro*, 39

To contradict someone – *Llevar la contraria a alguien*, 171

To convince someone – *Llevarse al huerto a alguien*, 173

To cook somebody's goose – *Hacer la pascua*, 143

To coordinate clothing – *Hacer la calle*, 143

To cost an arm and a leg – *Costar un ojo de la cara. Costar un riñón*, 43

To cost the earth – *Costar un ojo de la cara. Costar un riñón*, 43

To cotton on quickly – *Cogerlas al vuelo*, 37

To cotton on to – *Coger el hilo*, 36

To cough up – *Aflojar la mosca. Rascarse el bolsillo*, 15, 222

To count for nothing – *No pintar nada*, 201

To court – *Hacer la corte. Pelar la pava*, 143, 198

To cover one's back – *Cubrirse las espaldas*, 45

To crash – *Pegarse un tortazo*, 198

To crash into – *Llevarse por delante*, 174

To crawl – *Andar a gatas*, 17

To create chaos/disorder – *Sembrar el caos*, 235

To criticize – *Poner como un trapo*, 203

To cut classes – *Hacer novillos. Hacer pellas*, 146

To cut it out – *Cortar por lo sano. Tener la fiesta en paz*, 42, 269

To cut someone down to size – *Dar un corte. Pegar un corte*, 63, 196

To cut someone off – *Dar un corte*, 63

To cut the crackle – *Cortar el rollo*, 42

To cut the crap – *Cortar el rollo*, 42

To cut up rough – *Ponerse gallito*, 212

To day dream – *Pensar en las musarañas*, 199

To deceive someone – *Dársela con queso. Engañar como a un chino*, 72, 90

To declare (a patient) cured – *Dar(se) de alta*, 68

To defend one's belief all the way – *Defender a capa y espada*, 73

To defend... to the hilt/to the death – *Defender a capa y espada*, 73

To deny someone the basics – *Negarle a alguien el pan y la sal*, 187

To deserve a punishment – *Estarle a uno bien empleado*, 129

To destroy – *No dejar títere con cabeza. Echar por tierra*, 74

To devote a lot of time/space – *Hacerse eco de algo*, 149

To die in hardness – *Morir con las botas puestas*, 184

To die laughing – *Mondarse de risa*, 184

To die with one's boots on – *Morir con las botas puestas*, 184

To dig one's heels in – *Cerrarse en banda. Seguir en sus trece*, 34, 235

To dim flash the lights – *Dar las luces*, 58

To disappear – *Irse al garete*, 163

To disappoint – *Salir rana*, 233

To discuss very subtly – *Hilar muy fino*, 151

To dislike – *Caer fatal. Caer gordo*, 29

To dismiss someone – *Irse al carajo*, 162

To ditch someone – *Dejar a alguien en la estacada*, 73

To do a major – *Hacer la carrera*, 143

To do every possible thing – *Estar todo el pescado vendido*, 128

To do homework – *Hacer los deberes*, 145

To do nothing – *Cruzarse de brazos. No dar golpe. No dar ni clavo. No dar ni golpe. No dar un palo al agua. Estar cruzado de brazos. No mover ni un dedo. No pegar palo al agua. No pegar sello. Rascarse la barriga. Tocarse las narices*, 44, 52, 59, 64, 103, 185, 196, 222, 284

To do nothing right, correctly – *No dar pie con bola. No dar una a derechas*, 60, 65

To do one's best – *Poner todo de su parte*, 209

To do one's utmost – *Echar el resto*, 81

To do something carelessly – *Hacer algo como Dios le da a entender*, 137

To do something in a careless manner – *Hacer algo al tuntún*, 137

To do something quickly – *Hacer algo a la carrera*, 136

To do something without paying attention – *Hacer algo al tuntún*, 137

To do the minimum – *Cubrir el expediente*, 45

To do the week's shopping/a big shop – *Ir a la compra*, 153

To do well/bad – *Hacer un buen/mal papel*, 148

To dodge – *Dar esquinazo*, 51

To doff the cassock – *Colgar los trastos*, 37

To drag one's feet – *Ir pisando huevos*, 160

To draw attention – *Dar la nota*, 55

To draw lots/straws – *Echar a suertes*, 79

To draw out – *Sacar las palabras con sacacorchos*, 228

To dress carelessly – *Ir hecho un Adán*, 159

To dress casual – *Ir de trapillo*, 158

To dress formally – *Ir de tiros largos*, 158

To dress in full armor – *Estar hecho un brazo de mar. Ir de punta en blanco*, 120, 158

To dress neatly – *Ir hecho un pincel*, 159

To dress nice and neat – *Ir hecho un pincel*, 159

To dress properly – *Ir muy puesto*, 160

To dress slovenly – *Ir hecho un Adán*, 159

To dress stylish – *Ir hecho un pincel*, 159

To dress ungroomed – *Ir hecho un gitano*, 159

To dress untidily – *Ir hecho un Adán. Ir hecho un gitano*, 159

To dress up – *Estar hecho un brazo de mar. Ir de punta en blanco. Ir de tiros largos*, 120, 158

To dress weirdly – *Ir hecho un adefesio*, 159

To dress with taste or style – *Ir muy puesto*, 160

To drift – *Ir a la deriva*, 153

To drift with the tide – *Llevar la corriente a alguien*, 171

To drink like a fish – *Beber como un cosaco*, 25

To drive someone crazy – *Sacar a alguien de sus casillas. Sacar de quicio. Volver tarumba*, 226, 227, 299

To drive someone mad – *Volver tarumba*, 299

To drool – *Caérsele a alguien la baba*, 30

To earn one's living – *Ganarse la vida*, 132

To earn some extra money – *Sacarse un dinero*, 229

To ease one's conscience – *Hacer examen de conciencia,* 142

To easily get (understand) something – *Coger a la primera,* 35

To easily make/produce a large amount of something – *Salir como churros. Salir como rosquillas,* 231

To eat gourmet food – *Comer a cuerpo de rey,* 38

To eat humble pie – *Bajarse los pantalones,* 25

To eat like a horse – *Comer a dos carrillos. Comer como una fiera. Tener buen saque,* 38, 263

To eat like a king – *Comer a cuerpo de rey,* 38

To eat like a pig – *Comer a dos carrillos. Comer como una fiera,* 38

To eat like it was going out of fashion – *Comer como una lima,* 38

To embarrass – *Dar(le) corte a alguien,* 66

To encourage someone – *Dar alas,* 46

To end up in a quarrel – *Llegar a mayores,* 169

To end up in tears – *Acabar como el rosario de la aurora,* 15

To enjoy greatly – *Disfrutar de lo lindo,* 76

To enjoy oneself – *Pasarlo bien,* 193

To escape – *Darse a la fuga,* 67

To exaggerate – *Echar cuento. Echar teatro. Tomarse algo por la tremenda,* 80, 85, 287

To examine closely – *Mirar con lupa,* 183

To exert pressure on someone – *Meter caña,* 180

To explain – *Poner en claro,* 205

To expose to ridicule – *Poner en ridículo,* 206

To express one's condolences – *Dar el pésame,* 50

To face – *Dar a (algún lugar),* 46

To face it (somebody or something) – *Dar la cara,* 53

To face something or somebody – *Hacer frente,* 142

To face up to – *Plantar cara,* 202

To fail – *Hacer agua,* 136

To fall asleep – *Echar una cabezada,* 85

To fall flat on one's face – *Caerse de bruces,* 31

To fall for – *Caer en la red,* 28

To fall from grace – *Caer en desgracia,* 28

To fall into temptation – *Caer en la tentación,* 28

To fall on deaf ears – *Caer en saco roto. Hacer caso omiso,* 28, 138

To fall sound asleep – *Quedarse frito. Quedarse roque,* 219, 220

To fan the flames – *Echar leña al fuego,* 83

To fantasise – *Tirarse pegotes,* 283

To favor – *Darse un aire,* 70

To feather one's nest – *Hacer el agosto. Ponerse las botas,* 140, 213

To feather one's nest on the quiet – *Matarlas callando,* 179

To feather one's own nest – *Barrer para adentro,* 25

To feel as if someone owns the place – *Andar como Pedro por su casa,* 18

To feel as if someone was born here – *Andar como Pedro por su casa,* 18

To feel at ease – *Andar como Pedro por su casa. Estar a sus anchas. Estar como pez en el agua,* 18, 94, 99

To feel at home – *Estar en su salsa,* 115

To feel bad/awful – *Sentar como un tiro,* 236

To feel badly affected by something – *Sentar a cuerno quemado,* 235

To feel comfortable – *Andar como Pedro por su casa. Estar a sus anchas,* 18, 94

To feel deeply affected – *Sentar como un jarro de agua fría,* 236

To feel deeply sorry about something – *Sentirlo en el alma,* 237

To feel like doing something – *Dar la gana a alguien. Salir de las narices,* 54, 231

To feel like doing something crazy – *Dar la vena. Dar la ventolera,* 57

To feel like shit – *Estar hecho una braga,* 120

To feel one's heart sink – *Caérsele a alguien el alma a los pies,* 30

To feel sorry for – *Dar lástima,* 58

To fight as if one's life depend on it – *Luchar a brazo partido,* 175

To fight like a dog – *Luchar con uñas y dientes,* 175

To fight like cat and dog – *Llevarse como el perro y el gato,* 173

To fight tooth and nail – *Dejarse la piel (a tiras). Luchar a brazo partido. Luchar con uñas y dientes*, 75, 175

To find a friend – *Echarse una amiga/un amigo*, 89

To find a way out – *Escurrir el bulto*, 91

To find an easy way out – *Ver los cielos abiertos*, 296

To finish off – *Dar la puntilla*, 56

To fire someone – *Echar a la calle. Poner en la calle*, 79, 205

To firmly believe – *Creer a pies juntillas*, 44

To fish around for – *Andar a la pesca de algo*, 18

To fish out – *Andar a la pesca de algo*, 18

To fit big – *Quedar grande*, 217

To fit it – *Ponerse a tono*, 211

To fit well /to fit bad – *Caer bien/mal (la ropa). Quedar bien/mal. Sentarle bien/mal a alguien*, 27, 216, 236

To flash the lights – *Dar las luces*, 58

To flatter someone – *Echar flores. Echar piropos*, 82, 83

To flee – *Ahuecar el ala. Salir zumbando*, 16, 233

To flirt – *Pelar la pava*, 198

To fly off at a tangent – *Salir por peteneras*, 233

To fly off the handle – *Perder los estribos*, 200

To follow – *Coger onda*, 36

To fool around – *Hacer el ganso. Hacer el indio. Hacer el payaso. Hacer el tonto*, 140, 141

To foot the bill – *Correr con los gastos*, 41

To force someone to pay attention – *Coger por banda*, 37

To forget – *Echar en saco roto*, 81

To forget what one was about to say or to do – *Irse el santo al cielo*, 163

To fork out – *Soltar la mosca*, 259

To fume with anger – *Echar chispas*, 79

To gain by – *Sacar tajada*, 229

To gain ground – *Ganar terreno*, 132

To gape – *Poner los ojos como platos*, 207

To get a bad deal – *Hacer un pan con unas tortas*, 148

To get a closer relationship – *Estrechar lazos*, 129

To get a degree – *Hacer la carrera*, 143

To get a girlfriend/boyfriend – *Echarse una amiga/un amigo*, 89

To get a hold of – *Echar mano de algo/alguien*, 83

To get a nasty shock – *Llevarse un chasco*, 174

To get a taste for – *Cogerle el gusto a algo*, 37

To get along really badly – *Llevarse a matar*, 173

To get along well/bad with – *Llevarse bien/mal con alguien*, 173

To get along with – *Hacer buenas migas*, 138

To get an unpleasant surprise – *Llevarse un soponcio*, 174

To get angry – *Hincharse las narices. Poner(se) a cien*, 151, 210

To get angry with – *Poner de los nervios*, 204

To get annoyed – *Hincharse las narices*, 151

To get annoyed at something – *Dar cien patadas*, 47

To get annoyed with – *Dar cien patadas*, 47

To get at each other – *Andar a la greña*, 17

To get at someone – *Meterse con alguien*, 182

To get away with it – *Salirse con la suya*, 233

To get blood from a stone – *Pedir peras al olmo*, 195

To get by – *Salir del paso*, 232

To get by unnoticed – *Cubrir el expediente*, 45

To get confused – *Armarse un lío*, 22

To get drunk – *Empinar el codo. Ponerse ciego. Ponerse tibio*, 89, 211, 214

To get entangeld in trouble – *Meterse en camisa de once varas*, 183

To get even – *Pagar con la misma moneda*, 189

To get full – *Ponerse hasta las cejas*, 213

To get good/bad grades – *Sacar buenas/malas notas*, 227

To get goosebumps – *Ponerse la carne de gallina. Poner(se) los pelos de punta*, 213, 214

To get horny – *Poner(se) a cien*, 210

To get hot under the collar – *Estar con la mosca detrás de la oreja*, 103

To get hurt – *Hacerse pupa*, 151
To get in tune – *Ponerse a tono*, 211
To get into a fight – *Llegar a mayores*, 169
To get into a fix/jam – *Hacerse un lío*, 151
To get into deep water – *Meterse en camisa de once varas*, 183
To get into something – *Meter mano*, 181
To get into trouble – *Meterse en un lío*, 183
To get involved – *Mojarse el culo*, 183
To get irritated – *Hacer la puñeta. Hacerse mala sangre*, 144, 151
To get it – *Caérsele a alguien el pelo. Enterarse de lo que vale un peine*, 30, 90
To get late – *Dar las tantas. Dar las uvas*, 58
To get lost – *Irse a paseo. Irse al carajo. Irse al cuerno*, 162
To get lucky – *Echar un polvo*, 87
To get mad – *Poner(se) a cien*, 210
To get messy – *Poner(se) perdido*, 214
To get mixed up – *Armarse un lío. Meterse en camisa de once varas*, 183
To get nothing done – *No vender una escoba*, 292
To get nothing out of the situation – *No sacar nada en limpio*, 229
To get off free – *Irse de rositas*, 163
To get on (well) – *Hacer buenas migas*, 138
To get on one's nerves – *Poner los nervios de punta. Sacar de quicio*, 207, 227
To get on ones's knees – *Ponerse de rodillas*, 212
To get on the gravy train – *Chupar del bote. Comer la sopa boba*, 34, 39
To get on well/bad with – *Llevarse bien/mal con alguien*, 173
To get one's act together – *Ponerse las pilas*, 213
To get one's feet wet – *Mojarse el culo*, 183
To get one's goat – *Sacar de quicio*, 227
To get out of bed on the right side – *Levantarse con el pie derecho*, 168
To get out of difficulties – *Salir a flote*, 230
To get pissed – *Estar de mala leche*, 106
To get pissed off – *Estar de mala leche*, 106
To get pregnant – *Quedarse embarazada*, 219

To get rid of – *Dar esquinazo*, 51
To get sick – *Caer enfermo*, 29
To get some extra money – *Sacarse un dinero*, 229
To get some fresh air – *Tomar el fresco*, 285
To get someone down – *Comer la moral*, 39
To get someone's back up – *Dar cien patadas*, 47
To get someone's goat – *Caer gordo*, 29
To get something – *Cazarlas al vuelo*, 33
To get something by one's own merit – *Ganarse algo a pulso*, 132
To get something very easy (as easy as a pie) – *Llegar y besar el santo*, 169
To get started on – *Meter mano*, 181
To get stuffed – *Mandar a tomar por saco*, 177
To get the boot – *Echar a la calle. Poner de patitas en la calle*, 79, 204
To get the point – *Caer en la cuenta*, 28
To get the thread of (a conversation) – *Coger el hilo*, 36
To get the wind of something – *Coger onda*, 36
To get the worst part – *Tocar bailar con la más fea*, 284
To get things out of context – *Sacar del tiesto*, 228
To get things under control – *Quitar hierro*, 221
To get tied up with nobody – *No casarse con nadie*, 33
To get tipsy – *Ponerse a tono*, 211
To get to a dead end – *Quedar en agua de borrajas. Ser un callejón sin salida*, 216, 250
To get to the point – *Ir al grano*, 154
To get up on the wrong side of the bed – *Levantarse con el pie izquierdo*, 168
To get vexed – *Hacer la puñeta*, 144
To get working on – *Meter mano*, 181
To give a blanck check – *Dar carta blanca. Dar un cheque en blanco*, 47, 63
To give a hand – *Tender una mano*, 262
To give a helping hand – *Echar una mano*, 86
To give a lecture in a boring/monotonous way – *Soltar el rollo*, 259
To give an example – *Poner por caso*, 208

364 / TO GIVE AN EXPLANATION OF

To give an explanation of – *Dar cuentas*, 48

To give an inch and to take a yard – *Dar la mano y tomarse el brazo*, 54

To give birth – *Dar a luz*, 46

To give free rein to – *Dar rienda suelta*, 62

To give grudgingly – *Soltar la mosca*, 259

To give in – *Bajarse los pantalones. Pasar por el aro*, 25, 193

To give into temptation – *Caer en la tentación*, 28

To give it to someone on a silver plate – *Poner a huevo. Poner en bandeja*, 202, 205

To give of one's best – *Dar el do de pecho*, 49

To give on to – *Dar a (algún lugar)*, 46

To give one food for thought – *Dar que pensar*, 62

To give oneself airs – *Tener aires de grandeza*, 262

To give oneself away – *Ponerse en evidencia*, 212

To give permission – *Dar cuartelillo*, 48

To give pleasure – *Dar gusto*, 52

To give rise – *Dar pie*, 60

To give somebody a call – *Dar un toque*, 64

To give somebody a good dressing down – *Echar una regañina*, 86

To give somebody a hand – *Echar un capote*, 87

To give somebody a piece of one's mind – *Cantar las cuarenta*, 32

To give somebody a ring – *Dar un telefonazo. Dar un toque*, 64

To give somebody the benefit of the doubt – *Dar un margen de confianza*, 64

To give somebody the boot – *Poner en la calle*, 205

To give somebody the bum's rush – *Dar la boleta. Poner de patitas en la calle*, 53, 204

To give somebody the cold shoulder – *Dar de lado*, 49

To give somebody the gate – *Dar la boleta. Dar pasaporte*, 53, 60

To give somebody the sack – *Dar la boleta. Dar pasaporte*, 53, 60

To give someone a break – *Dar cancha*, 47

To give someone a dressing down – *Poner como un pingo*, 203

To give someone a free rein – *Dar carta blanca*, 47

To give someone a hard time – *Dar la murga*, 55

To give someone a talking to/a lecture/a telling off – *Ajustar las clavijas*, 17

To give someone carte blanche – *Dar carta blanca*, 47

To give someone crap/shit – *Venir con monsergas*, 294

To give someone some leeway – *Dar cuartelillo*, 48

To give someone something for nothing – *Dar duros a cuatro pesetas*, 49

To give the evil eye – *Echar mal de ojo*, 83

To give things away at a loss – *Dar duros a cuatro pesetas*, 49

To give up – *Darse por vencido.Tirar la toalla*, 69, 282

To give up a habit or hobby – *Colgar los trastos. Cortarse la coleta*, 37, 42

To give vent to one's indignation – *Dar rienda suelta*, 62

To glance – *Echar el ojo*, 81

To glance at – *Echar una ojeada*, 86

To go against the grain – *Costar trabajo. Hacerse cuesta arriba*, 43, 149

To go all out – *Darse un tute*, 71

To go away – *Ahuecar el ala. Irse al garete*, 16, 163

To go back on track – *Volver por buen camino*, 299

To go bad – *Echarse a perder*, 88

To go bananas – *Volver tarumba*, 299

To go blank – *Irse la cabeza. Quedarse en blanco*, 164, 219

To go cold – *Quedarse de una pieza*, 218

To go crazy – *Andar de cabeza. Andar de cráneo. Ir de cabeza. Ir de cráneo. Ir de culo*, 19, 155, 156

To go directly to do something – *Ir a tiro hecho*, 154

To go down hill – *Ir de cráneo*, 155

To go down in people's eye – *Caérsele a alguien los anillos*, 31

To go Dutch – *Pagar a escote*, 189

To go fast – *Dar gas*, 51

To go favorable – *Ir viento en popa*, 161

To go fishing – *Ir de pesca*, 157

To go flat out – *Darse una paliza*, 71

To go for a walk – *Dar(se) una vuelta*, 72
To go for help – *Ir de puerta en puerta*, 185
To go from bad to worse – *Ir de cráneo. Ir de Guatemala a guatepeor. Ir de Herodes a Pilatos. Ir de mal en peor*, 156, 157
To go from door to door – *Ir de puerta en puerta*, 158
To go from hand to hand – *Pasar de mano en mano*, 192
To go from here to there – *Ir de aquí para allá*, 155
To go from one place to another – *Ir de un lado a otro*, 158
To go from pillar to post – *Ir de la Ceca a la Meca*, 157
To go from strenght to strenght – *Marchar viento en popa*, 178
To go grocery shopping – *Ir a la compra*, 153
To go in the right direction – *Salir a flote*, 230
To go it alone – *Campar por sus respetos*, 32
To go jump in the lake – *Irse a freír espárragos. Irse a hacer gárgaras. Irse a tomar viento*, 161, 162
To go nuts – *Volver(se) majareta*, 299
To go off at a tangent – *Salirse por la tangente*, 234
To go off the deep end – *Perder los estribos*, 200
To go off without saying a word – *Despedirse a la francesa*, 75
To go on about something – *Dar la matraca*, 55
To go on all fours – *Andar a gatas*, 17
To go one's way – *Tirar por la calle de enmedio*, 283
To go out of one's mind – *Perder la chaveta*, 200
To go out of the frying pan into the fire – *Ir de Guatemala a guatepeor. Ir de Herodes a Pilatos*, 156
To go out of the prowl – *Ir de pesca*, 157
To go out on the town – *Ir de picos pardos*, 157
To go out to have fun – *Ir de marcha*, 157
To go really well – *Ir viento en popa*, 161
To go shopping – *Ir de compras*, 156

To go soft – *Caérsele a alguien la baba*, 30
To go straight up – *Subir como la espuma*, 260
To go the whole hog – *Liarse la manta a la cabeza*, 168
To go through hell and high water – *Dejarse la piel (a tiras)*, 75
To go to get something without hesitation – *Ir a tiro hecho*, 154
To go to hell – *Irse al carajo. Irse al cuerno. Irse al diablo*, 162, 163
To go to one's head – *Subirse los humos a la cabeza*, 260
To go to the flow – *Llevar la corriente a alguien*, 171
To go too far – *Pasar de castaño oscuro. Sacar los pies del tiesto. Salirse del tiesto*, 192, 228, 234
To go too far in one's behavior – *Pasarse de la raya*, 194
To go up in smoke – *Irse al garete*, 163
To go up the ladder in a job – *Hacer carrera*, 143
To go very well – *Marchar viento en popa*, 178
To go well – *Ir sobre ruedas*, 161
To go with the crowd – *Dejarse llevar por la corriente*, 75
To gobble – *Comer a dos carrillos*, 38
To goggle – *Poner los ojos como platos*, 207
To gorge oneself – *Pegarse un atracón*, 198
To gossip – *Correr el bulo*, 41
To grab a bite to eat – *Matar el gusanillo*, 179
To grasp – *Coger el hilo*, 36
To grasp (understand) things quickly – *Cogerlas al vuelo*, 37
To grasp at straws – *Agarrarse a un clavo ardiendo*, 15
To grimace – *Poner mala cara*, 207
To grind someone into the dust – *Dar un baño a alguien*, 63
To grovel – *Bajarse los pantalones*, 25
To grow fast – *Pegar un estirón*, 197
To grow quickly – *Crecer como la espuma. Crecer como un hongo/hongos*, 43, 44
To grow rapidly – *Subir como la espuma*, 260
To grumble at – *Ajustar las clavijas*, 17

To hand in one's notice – *Colgar los trastos*, 37

To hand it to someone on a silver plate – *Poner a huevo. Poner en bandeja*, 202, 205

To handle (manage) something – *Andar con algo entre manos. Traerse entre manos*, 18, 289

To hang by a thread – *Estar pendiente de un hilo*, 125

To hang up one's gloves – *Cortarse la coleta*, 42

To happen frequently or daily – *Estar a la orden del día*, 93

To harass – *No dejar ni a sol ni a sombra*, 74

To harm – *Hacer mella*, 145

To hate each other's guts – *Llevarse a matar*, 173

To hate someone – *Tener hincha. Tener tirria*, 268, 278

To haul somebody over the coals – *Echar un rapapolvo*, 87

To have a bad taste – *Saber a demonios. Saber a rayos*, 225

To have a bad vision – *No ver tres en un burro*, 296

To have a big/serious problem – *Tener un problema de narices*, 280

To have a big night – *Correrse una juerga*, 41

To have a bone to pick with someone – *Ajustar las cuentas*, 17

To have a chip on one's shoulder – *Estar con la mosca detrás de la oreja. Estar mosca. Estar mosqueado*, 103, 123

To have a closed expression – *Tener cara de pocos amigos*, 265

To have a cow – *Armar jaleo*, 21

To have a drink – *Echar un trago*, 87

To have a fight with someone – *Tener una agarrada con alguien*, 281

To have a filthy mouth – *Ser un deslenguado*, 252

To have a golden heart – *Tener un corazón de oro*, 279

To have a good bearing and appearance – *Estar de buen ver. Ir de punta en blanco*, 105, 158

To have a good time – *Pasarlo bien*, 193

To have a great time – *Disfrutar de lo lindo*, 76

To have a grudge against someone – *Tener hincha. Tener tirria*, 268, 278

To have a hard time – *Llevarlo crudo. Pasarlas canutas. Pasarlas moradas*, 172, 193

To have a heated argument – *Andar a la greña. Estar a la greña*, 17, 92

To have a horrible day – *Tener un día de perros*, 279

To have a hunch – *Dar en la nariz*, 51

To have a jag on – *Estar pedo*, 125

To have a link with – *Tener querencia*, 277

To have a long face – *Tener cara de pocos amigos*, 265

To have a long way to go – *Quedar un buen trecho por recorrer*, 217

To have a lot of experience – *Tener muchas horas de vuelo. Tener mundo*, 273, 274

To have a lot of spunk – *Ser de armas tomar*, 240

To have a morbid attraction – *Tener carnaza*, 265

To have a nasty day – *Tener un día de perros*, 279

To have a nerve – *Ser un cara. Ser un caradura*, 251

To have a puff – *Dar una calada*, 65

To have a rough time – *Pasarlas canutas. Pasarlas moradas*, 193

To have a screw loose – *Faltar(le) un tornillo*, 130

To have a shotgun wedding – *Casarse de penalti*, 33

To have a special talent – *Tener buena mano*, 263

To have a stroke of luck – *No caer esa breva*, 29

To have a thing going on – *Tener un rollo*, 280

To have a trag – *Dar una calada*, 65

To have a vicious/evil/poisonous tongue – *Tener lengua de víbora. Tener lengua viperina*, 270

To have a way – *Tener buena mano*, 263

To have a wonderful/great time – *Pasarlo bomba. Pasarlo en grande*, 194

To have an ace/something up one's sleeve – *Guardarse un as/ases en la manga*, 133

To have an affair – *Tener un lío. Tener un lío de faldas*, 279

To have an aswer for everything – *Tener buenas salidas*, 263
To have an awesome time – *Pasarlo de miedo*, 194
To have an effect on a person – *Hacer mella*, 145
To have an empty head – *Tener cabeza de chorlito*, 264
To have an eye for – *Tener ojo clínico*, 275
To have an eye on – *Echar el ojo*, 81
To have an innocent face/look – *Tener cara de no haber roto nunca un plato*, 264
To have an ugly day – *Tener un día de perros*, 279
To have ants in one's pants – *Estar hecho de rabos de lagartija. Ser culo de mal asiento*, 119, 239
To have bad/good luck – *Tener mala/buena pata*, 271
To have bad luck – *Tener la negra. Tocar bailar con la más fea. Tocar la china*, 269, 284
To have balls – *Tener huevos*, 268
To have bats in the belfry – *Tener la cabeza llena de pájaros*, 269
To have beans – *Tener pasta*, 275
To have been trough something – *Estar de vuelta de algo/de todo*, 110
To have bread – *Tener pasta*, 275
To have connections – *Tener enchufe*, 267
To have contacts – *Tener enchufe*, 267
To have custody – *Tener la guardia y custodia*, 269
To have difficulties – *Vérselas y deseárselas para algo*, 297
To have dough – *Tener pasta*, 275
To have enough with something – *Ir que chuta*, 160
To have experience – *Tener muchas tablas*, 274
To have first hand information – *Saber de buena tinta*, 225
To have forty winks – *Dar una cabezada*, 65
To have fun – *Pasarlo bien*, 193
To have good luck – *Tener potra*, 276
To have guts – *Tener huevos*, 268
To have hairs on one's chest – *Ser un hombre de pelo en pecho*, 253
To have high blood pressure – *Tener tensión*, 278

To have it all – *Tener de todo*, 266
To have it difficult – *Llevarlo claro*, 172
To have it easy – *Llevarlo claro*, 172
To have it in for someone – *Tener a uno entre los ojos. Tener manía.tomarla con alguien*, 262, 272, 286
To have it up to here with something – *Estar hasta las narices*, 118
To have lost of one's marbles – *Faltar(le) un tornillo*, 130
To have money – *Estar forrado. Tener pasta*, 117, 275
To have nine lives like a cat – *Tener más vidas que un gato. Tener siete vidas*, 273, 277
To have no money – *Estar tieso*, 128
To have no relevance – *Estar traído por los pelos*, 129
To have one's (own) way – *Salirse con la suya*, 233
To have one's back/against the wall – *Estar entre la espada y la pared*, 116
To have one's conscience prick one – *Remorder la conciencia*, 223
To have one's head in the clouds – *Tener la cabeza llena de pájaros*, 269
To have one's life hang by a thread – *Estar entre la vida y la muerte. Tener la vida en un hilo*, 116, 270
To have one's life in danger – *Tener la vida en un hilo*, 270
To have one's work cut out – *Pasar apuros*, 191
To have one's world cave in – *Caérsele a alguien el alma a los pies*, 30
To have peace – *Tener la fiesta en paz*, 269
To have problems – *Llevarlo crudo*, 172
To have remorse – *Remorder la conciencia*, 223
To have some plan in mind – *Andar con algo entre manos*, 18
To have somebody on the carpet – *Leer la cartilla a alguien*, 167
To have someone eating out of one's hand – *Meterse a alguien en el bolsillo*, 182
To have someone on one's side – *Tener en el bote*, 267
To have someone under control – *Tener en un puño*, 267

To have something fixed in one's head – *Meter entre ceja y ceja. Ponerse entre ceja y ceja*, 181, 212

To have something to celebrate – *Estar de enhorabuena*, 106

To have the blame pinned on one – *Pagar los platos rotos*, 190

To have the bottom drop out of one's world – *Caérsele a alguien la casa encima*, 30

To have the level – *Estar a la altura*, 92

To have the monkey on one's back – *Tener el mono*, 267

To have the reins – *Llevar las riendas*, 171

To have the upper hand – *Cortar el bacalao. Partir el bacalao. Tener la sartén por el mango*, 42, 191, 270

To have them under one's thumb – *Tener a raya*, 262

To have things under control – *Ser el dueño del cotarro*, 242

To have to get married – *Casarse de penalti*, 33

To have two heads – *Tener monos en la cara*, 273

To have wandering hands – *Ser un pulpo*, 256

To hear about it – *Dar para el pelo*, 60

To hear from someone – *Meter un puro*, 182

To help someone – *Echar una mano*, 86

To hit a roof – *Armarse la marimorena*, 22

To hit it off – *Hacer buenas migas*, 138

To hit someone – *Dar(se) un tortazo. Llevarse por delante*, 71, 174

To hit someone like a brick – *Sentar como un jarro de agua fría*, 236

To hit the bulls-eye – *Dar en el blanco*, 50

To hit the nail on the head – *Dar en el clavo*, 50

To hit the roof – *Echar rayos y centellas*, 84

To hit the sack – *Planchar la oreja*, 202

To hit the target – *Dar en el blanco. Dar en el clavo. Dar en la diana*, 50, 51

To hobnob with – *Codearse con alguien*, 35

To hold hands – *Hacer manitas*, 145

To hook someone – *Echar el gancho*, 80

To hound – *No dejar ni a sol ni a sombra*, 74

To humour somebody – *Seguir la corriente a alguien*, 235

To hurry up – *Darse prisa*, 70

To ignore entirely – *Hacer tabla rasa*, 147

To initiate a new relationship – *Echarse una amiga/un amigo*, 89

To injure (reputation, career) – *Hacer mella*, 145

To insist on the same issue – *Volver a la carga*, 299

To insult someone – *Mentar a su santa madre. Poner a parir. Poner a caldo. Poner como un trapo. Poner de vuelta y media*, 180, 203, 204

To interfere in everything – *Meter baza*, 180

To intervene – *Tomar cartas en el asunto*, 285

To irritate – *Dar la lata*, 54

To join an organization – *Dar(se) de alta*, 68

To join the club – *Subirse al carro*, 260

To jump the lights – *Saltarse el/un semáforo*, 234

To jump up – *Dar un bote. Pegar un bote*, 63, 196

To keep an ace/something up one's sleeve – *Guardarse un as/ases en la manga*, 133

To keep an eye open – *Andar(se) con ojo*, 20

To keep in a good shape – *Guardar la línea*, 133

To keep in mind – *Tener en cuenta*, 267

To keep information aside – *Guardarse un as/ases en la manga*, 133

To keep on working/doing something – *Seguir en la brecha*, 234

To keep one's chin up – *Mantener el tipo*, 178

To keep one's distance – *Guardar las distancias*, 133

To keep one's mouth shot – *(No) decir esta boca es mía. No decir ni pío. No soltar prenda*, 72, 259

To keep one's word – *Ser hombre de honor. Ser hombre de palabra*, 244

To keep one's work – *Tener palabra*, 275

To keep oneself under control – *Mantener el tipo*, 178

To keep quiet – *Dar la callada por respuesta*, 53

To keep someone awake at night – *Quitar el sueño,* 221

To keep things under control – *Ser el dueño del cotarro,* 242

To keep up with someone or something – *No ir a la zaga,* 153

To keep within bounds/limits – *Tener a raya,* 262

To kick out someone – *Echar a la calle,* 79

To kick over the traces – *Sacar los pies del tiesto. Salirse del tiesto,* 228, 234

To kick somebody out – *Dar la boleta. Dar pasaporte. Poner de patitas en la calle,* 53, 60, 204

To kick the bucket – *Estirar la pata,* 129

To kick up a row – *Armarse la marimorena,* 22

To kill the goose that lays the golden eggs – *Matar la gallina de los huevos de oro,* 179

To kill time – *Matar el tiempo,* 179

To kill two birds with one stone – *Matar dos pájaros de un tiro,* 179

To kill yourself – *Darse una paliza,* 71

To kiss up – *Dar coba,* 48

To kneel – *Ponerse de rodillas,* 212

To know a lot about something – *Saber una burrada,* 226

To know already – *Estar de vuelta de algo/de todo,* 110

To know from A to Z – *Conocer de pe a pa. Saber de pe a pa,* 40

To know in detail – *Saber de pe a pa,* 226

To know inside and out – *Conocer de pe a pa. Saber de pe a pa,* 40, 226

To know only too well – *Saber de sobra,* 226

To know perfectly – *Saber de pe a pa,* 226

To know somebody's ways – *Tener calado,* 264

To know something (straight) from the horse's mouth – *Saber de buena tinta,* 225

To know the ropes – *Conocer el percal,* 40

To know what is going on – *Conocer el percal,* 40

To lack modesty – *No tener abuela,* 262

To land on one's feet – *Caer de pie,* 28

To lay on (thick) – *Cargar las tintas,* 33

To lay one's cards on the table – *Poner las cartas boca arriba,* 206

To lay oneself open to something – *Ponerse a tiro,* 210

To lead a dog's life – *Llevar una vida de perros,* 172

To lead somebody up the garden path – *Dar sopas con honda,* 62

To lead someone to the altar – *Llevar a alguien al altar,* 170

To leave much to be desired – *Dejar mucho que desear,* 74

To leave no room for – *No dejar lugar a dudas,* 74

To leave no stone unturned – *Remover cielo y tierra,* 223

To leave somebody alone – *Dejar en paz,* 74

To leave somebody in bad shape – *Dejar por los suelos,* 74

To leave someone astounded – *Dejar patidifuso,* 74

To leave someone open mouthed – *Dejar patidifuso,* 74

To leave someone stunned – *Dejar patidifuso,* 74

To leave someone with egg on his/her face – *Dejar con el culo al aire,* 73

To leave something in the air – *Quedar en el aire,* 216

To leave something pending – *Quedar en el aire,* 216

To leave something undecided – *Quedar en el aire,* 216

To leave without saying a word – *Despedirse a la francesa,* 75

To lend somebody a hand – *Echar un capote,* 87

To let one's hair down – *Echar una cana al aire. Sacar los pies del tiesto. Salirse del tiesto. Soltarse el pelo,* 86, 228, 234, 260

To let one's mind wander – *Ir a por uvas,* 153

To let oneself be deceived – *Dejarse engañar,* 75

To let oneself go – *Soltarse el pelo,* 260

To let somebody down – *Dejar a alguien en la estacada,* 73

To let someone breathe – *Dar cancha,* 47

To let someone off the hook – *Dar cuartelillo,* 48

To let something slip – *Irse de la lengua,* 163

To let the cat out of the bag – *Tirar de la manta,* 282

To lie down and do nothing – *Tumbarse a la bartola,* 290

To like a clam – *Tener más conchas que un galápago,* 273

To like someone/not to like someone – *Caer bien/mal (una persona),* 27

To live a day at a time – *Vivir el día a día,* 298

To live an easy/a great life – *Pegarse la gran vida,* 197

To live at someoneelse's expenses – *Vivir a costa de alguien. Vivir a cuenta de alguien,* 297

To live beyond one's means – *Vivir del cuento,* 298

To live for the present – *Vivir el día a día,* 298

To live greatly – *Vivir a todo tren,* 298

To live like a king – *Vivir a cuerpo de rey,* 297

To live like a queen – *Vivir como una reina,* 298

To live off someone – *Vivir a costa de alguien,* 297

To live off the fat of the land – *Atar los perros con longanizas,* 23

To live the good life – *Vivir a todo tren,* 298

To live the life of Riley – *No dar golpe. No dar un palo al agua. No pegar palo al agua. No pegar sello,* 52, 64, 196

To loathe someone – *Tener a uno entre los ojos,* 262

To look a mess – *Ir hecho un Adán. Ir hecho un gitano,* 159

To look after/out for number one – *Arrimar el ascua a su sardina,* 22

To look after one's own interest – *Ir a lo suyo,* 153

To look after oneself – *Arrimar el ascua a su sardina. Barrer para adentro. Barrer para casa,* 22, 25

To look after something as if it were pure gold – *Guardar como oro en paño,* 133

To look appealling/unappealling – *Tener buena/mala pinta,* 263

To look around – *Echar un vistazo,* 88

To look as if butter wouldn't melt in one's mouth – *Ser una mosquita muerta. Tener cara de no haber roto nunca un plato,* 258, 264

To look attractive/unattractive – *Tener buena/mala pinta,* 263

To look back – *Echar una mirada atrás,* 86

To look cool – *Quedar que ni pintado,* 217

To look cute – *Estar hecho un sol,* 120

To look down one's nose at/on somebody – *Mirar por encima del hombro,* 183

To look exactly like another person – *Ser el vivo retrato de alguien,* 244

To look fishy to someone – *Dar mala espina,* 59

To look just like – *Salir clavado. Ser clavado,* 230, 237

To look like – *Darse un aire,* 70

To look like a cow – *Estar hecha una foca,* 119

To look like a scarecrow – *Ir hecho un adefesio,* 159

To look like real thing – *Dar el pego,* 50

To look odd – *Tener monos en la cara,* 273

To look out on – *Dar a (algún lugar),* 46

To look radiant – *Estar hecho un sol,* 120

To look real – *Dar el pego,* 50

To look sharp – *Quedar que ni pintado,* 217

To look smart – *Ir hecho un pincel. Ir muy puesto,* 160

To look the other way – *Hacer la vista gorda,* 144

To look well/bad on one (clothes) – *Caer bien/mal (la ropa). Sentarle bien/mal a alguien (la ropa),* 27, 236

To loop the loop – *Rizar el rizo,* 223

To loosen up – *Soltarse el pelo,* 260

To lose a lot of weight – *Quedarse como un fideo,* 218

To lose consciousness – *Irse la cabeza. Perder el conocimiento,* 164, 199

To lose face – *Caérsele a alguien los anillos,* 31

To lose one's head – *Perder la cabeza. Perder la chaveta,* 200

To lose one's reputation – *Caérsele a alguien los anillos,* 31

To lose one's social standing – *Caérsele a alguien los anillos,* 31
To lose one's temper – *Perder los estribos,* 200
To lose sleep over – *Calentarse los cascos. Quitar el sueño,* 31, 221
To lose the place – *Ir de cráneo,* 156
To lose track – *Perder los papeles,* 200
To lump in the same sack – *Meter en el mismo saco,* 181
To make a bad deal – *Hacer un pan con unas tortas,* 148
To make a bad move – *Tirar piedras contra el propio tejado,* 283
To make a big deal about something – *Dar (poca/mucha) importancia,* 61
To make a big thing out of nothing – *Echar cuento,* 80
To make a blunder – *Meter la pata,* 181
To make a decision – *Tomar una decisión,* 286
To make a difference – *Marcar la diferencia,* 178
To make a face – *Poner mala cara,* 207
To make a final copy – *Pasar a limpio. Poner en limpio,* 191, 206
To make a fool of oneself – *Hacer el canelo. Ponerse en evidencia,* 140, 212
To make a fortune – *Hacer el agosto. Ponerse las botas,* 140, 213
To make a fuss – *Armar jaleo,* 21
To make a go of – *Sacar adelante,* 227
To make a good/bad impression – *Quedar bien/mal,* 216
To make a Herculean effort – *Dar el do de pecho,* 49
To make a line – *Hacer cola,* 139
To make a living – *Ganarse la vida,* 132
To make a mountain out of a molehill – *Ahogarse en un vaso de agua,* 16
To make a pass – *Tirar los tejos,* 282
To make a pile – *Hacer el agosto. Ponerse las botas,* 140, 213
To make a row – *Dar voces,* 66
To make a scene – *Montar el número,* 184
To make a success of – *Sacar adelante,* 227
To make a supreme effort to achieve something – *Dar el do de pecho,* 49
To make a very bad impression – *Quedar a la altura del betún,* 216

To make an extra effort – *Sacar fuerzas de flaqueza,* 228
To make an impact – *Traer cola,* 288
To make fun of – *Hacer burla. Tomar a risa,* 138, 285
To make light of – *Dar (poca/mucha) importancia,* 61
To make love – *Echar un polvo,* 87
To make money fast – *Hacer el agosto,* 140
To make no bones about something – *Contar con pelos y señales. No tener pelos en la lengua,* 40, 275
To make one mistake after another – *(No) dar pie con bola. No dar una a derechas,* 60, 65
To make one's hair stand on end – *Poner(se) los pelos de punta,* 214
To make oneself of worth – *Darse a valer,* 66
To make out – *Darse el lote. Darse un morreo. Darse un muerdo. Darse una paliza. Pegarse un atracón,* 70, 71, 198
To make people talk – *Dar que hablar,* 61
To make progress – *Ganar terreno,* 132
To make someone irritated – *Poner de los nervios,* 204
To make someone laugh – *Hacer gracia,* 142
To make someone mad – *Hacer de rabiar. Hacerse mala sangre,* 139, 151
To make someone sick – *Dar cien patadas. Hacer la puñeta,* 47, 144
To make someone talk – *Tirar de la lengua,* 282
To make someone to fall in love with you – *Tener sorbido el seso a alguien,* 277
To make someone worry about something – *Traer a mal traer. Traer de cabeza,* 288
To make something feeling well/bad to someone – *Sentarle bien/mal a alguien,* 236
To make the most of – *Sacar partido de algo,* 229
To make the mouth water – *Hacerse la boca agua,* 150
To make things worse – *Echar leña al fuego. Hacer leña del árbol caído,* 83, 145
To make up a story – *Sacar de la chistera,* 227

To make up after a quarrel – *Hacer las paces,* 144

To make way – *Hacerse a un lado,* 149

To manage – *Salir del paso,* 232

To marry a rich woman – *Dar un braguetazo,* 63

To match – *Hacer juego,* 142

To meddle in everything – *Meter baza,* 180

To mess someone up – *Hacer la pascua,* 143

To miss – *Echar de menos,* 80

To mock – *Hacer burla,* 138

To move heaven and earth – *Remover cielo y tierra,* 223

To muddle – *Marear la perdiz,* 179

To neck – *Darse un morreo. Darse un muerdo,* 70

To never be off duty – *Estar al pie del cañón,* 96

To nod off – *Dar una cabezada,* 65

To not see beyond one's own horizons/back yard – *No ver más allá de sus narices,* 296

To notice – *Darse cuenta,* 68

To obey – *Hacer caso,* 138

To occur to someone – *Pasarse algo por la cabeza,* 194

To offer help – *Tender una mano,* 262

To open a can of worms – *Levantar la liebre,* 167

To open one's eyes wide – *Poner los ojos como platos,* 207

To oppose – *Llevar la contraria a alguien,* 171

To ostracize – *Hacer el vacío,* 141

To out-Herod Herod – *Ser más papista que el Papa,* 247

To outshine – *Hacer sombra,* 147

To over drink – *Empinar el codo,* 89

To over react – *Echar teatro,* 85

To over spend – *Echar la casa por la ventana. Tirar la casa por la ventana,* 82, 282

To overlook – *Pasar por alto,* 193

To overshadow – *Hacer sombra,* 147

To oversleep – *Pegarse las sábanas,* 197

To overstep the mark – *Pasarse de listo,* 195

To paddle one's own canoe – *Hacer de su capa un sayo,* 139

To paint the town red – *Correrse una juerga. Echar una cana al aire. Ir de marcha,* 41, 86, 157

To pass by the skin of one's teeth – *Aprobar por los pelos,* 21

To pass out – *Perder el conocimiento,* 199

To pass over a hot potato – *Pasarse la patata caliente,* 195

To pass the buck – *Echar balones fuera,* 79

To pat oneself on the back – *Frotarse las manos,* 130

To pay cash – *Pagar a tocateja. Pagar al contado. Pagar en metálico,* 189, 190

To pay attention – *Hacer caso,* 138

To pay for it – *Cargar con el muerto,* 32

To pay on the nail – *Pagar a tocateja,* 89

To pay the fiddler – *Pagar los platos rotos,* 190

To pay the pipper – *Pagar los platos rotos,* 190

To perform – *Llevar a cabo,* 170

To perform a break through – *Poner una pica en Flandes,* 209

To perform a great feat – *Poner una pica en Flandes,* 209

To persuade someone – *Llevarse al huerto a alguien,* 173

To pester – *Dar la lata. Dar la murga,* 54, 55

To pick a quarrel – *Meterse con alguien,* 182

To pick holes in – *Poner pegas,* 208

To pillage – *Entrar a saco,* 91

To pin something on somebody – *Echar el muerto. Pagar el pato,* 81, 189

To piss someone off – *Hacer la puñeta,* 144

To pitch in – *Meter el hombro,* 180

To place within bounds/limits – *Tener a raya,* 262

To play a dirty trick on somebody – *Hacer una faena. Jugar una mala pasada,* 148, 165

To play a trick on somebody – *Gastar una broma,* 133

To play deaf – *Hacerse el sordo. Hacerse el sueco,* 150

To play dumb – *Hacerse el loco. Hacerse el sueco,* 150

To play hard to get – *Hacerse de rogar,* 149

To play hooky – *Hacer novillos. Hacer pellas,* 146

To play the fool – *Hacer el primo. Hacer el tonto,* 141

To play the innocent – *Hacerse de nuevas*, 149

To play the last card – *Jugarse el todo por el todo*, 166

To play the roll (well/badly) – *Hacer un buen/mal papel*, 148

To play with fire – *Jugar con fuego*, 165

To pluck up one's courage – *Hacer de tripas corazón*, 140

To pour oil in the flames – *Meter cizaña*, 180

To pour one's heart into something – *Dar el do de pecho*, 49

To pout – *Hacer pucheros*, 147

To praise – *Echar flores*, 82

To praise oneself – *Darse bombo. Darse pisto*, 67, 69

To praise to the skies – *Poner por las nubes*, 208

To pretend not to know – *Hacerse de nuevas*, 149

To pretend not to understand – *Hacerse el sueco. Hacerse el tonto*, 150

To pretend to be unaware of – *Hacer tabla rasa*, 147

To proclaime joyfully – *Echar las campanas al vuelo*, 82

To profit (gain) by – *Sacar partido de algo*, 229

To protect one's belief all the way – *Defender a capa y espada*, 73

To protect oneself – *Ver los toros desde la barrera*, 296

To pull all the stops out – *Echar los hígados*, 83

To pull out a thorn – *Sacarse una espina*, 229

To pull somebody's leg – *Tomar el pelo*, 285

To pull someone of the fire – *Sacar a alguien las castañas del fuego*, 226

To pull the blanket – *Tirar de la manta*, 282

To pull through – *Sacar adelante. Salir a flote*, 227, 230

To pull to pieces – *Hacer trizas*, 148

To push oneself – *Echar el bofe*, 80

To push someone – *Meter prisa*, 182

To push up the daisies – *Criar malvas*, 44

To put all one's eggs in one basket – *Echar toda la carne en el asador. Jugárselo todo a una carta. Poner toda la carne en el asador*, 85

To put down roots – *Echar raíces*, 84

To put in doubt – *Poner en solfa*, 206

To put in one's oar – *Meter baza*, 180

To put in quarantine – *Poner en cuarentena*, 205

To put on airs – *Darse aires. Tener muchas ínfulas*, 67, 274

To put one's heart into something – *Dar el do de pecho*, 49

To put one's back into it – *Echar los hígados*, 83

To put one's cards on the table – *Poner las cartas boca arriba*, 206

To put one's finger on a sore spot – *Poner el dedo en la llaga*, 204

To put one's foot in it – *Meter la pata*, 181

To put one's hand in the fire for someone – *Poner la mano en el fuego por alguien*, 206

To put someone/something off – *Dar largas*, 58

To put someone down – *Hacer de menos a alguien*, 139

To put something/someone on its feet again – *Sacar a flote*, 227

To put something on the back burner – *Poner en cuarentena*, 205

To put the brakes on someone – *Parar los pies*, 190

To put the cat among the pigeons – *Montar el número*, 184

To put the screws on – *Apretar las clavijas a alguien*, 21

To put up with it – *Aguantar carros y carretas*, 16

To question the truth of something – *Poner en cuarentena*, 205

To queue – *Hacer cola*, 139

To rack one's brains – *Devanarse los sesos*, 76

To rain buckets – *Caer chuzos de punta. Llover a cántaros*, 27, 174

To rain cats and dogs – *Caer chuzos de punta. Llover a cántaros*, 27, 174

To raise a stink – *Armar jaleo. Armarse la de San Quintín*, 21

To raise hell – *Armar jaleo. Armarse la de San Quintín. Armarse la marimorena. Armarse un lío*, 21, 22

To raise objections – *Poner peros,* 208
To raise one's hat to somebody – *Ser para quitarse el sombrero,* 249
To raise the devil – *Armar jaleo. Armarse la de San Quintín,* 21
To raise the roof – *Poner el grito en el cielo,* 205
To reach an agreement – *Ponerse de acuerdo,* 211
To read one's cards – *Echar las cartas,* 82
To read the riot act – *Leer la cartilla a alguien,* 167
To realize – *Darse cuenta,* 68
To really care less – *Tener sin cuidado,* 277
To recognize one's mistake – *Apear(se) del burro,* 20
To recopy – *Pasar a limpio. Poner en limpio,* 191, 206
To reflect on – *Comer(se) el tarro,* 39
To refuse to budge – *Mantenerse en sus trece,* 178
To remain an old maid – *Quedarse para vestir santos,* 220
To remain silent – *Dar la callada por respuesta,* 53
To remain spinster – *Quedarse para vestir santos,* 220
To remedy – *Poner remedio,* 209
To remember – *Tener en cuenta. Venir a la cabeza,* 267, 292
To reprimand severely – *Leer la cartilla a alguien,* 167
To resemble – *Darse un aire,* 70
To rest on one's laurels – *Dormirse en los laureles,* 78
To retract – *Echarse atrás,* 89
To reveal a secret – *Levantar la liebre,* 167
To rile – *Dar cien patadas,* 47
To rip someone off – *Dar sablazos. Pegar una clavada,* 62, 197
To risk everything on one's stake – *Echar toda la carne en el asador,* 85
To risk one's life – *Jugarse el tipo. Jugarse la vida,* 165, 166
To risk ones's neck – *Jugarse el tipo. Jugarse la vida,* 165, 166
To roast somebody – *Freír a críticas,* 130
To rub elbows with – *Codearse con alguien,* 35
To rub it in – *Echar en cara,* 81
To rub one's hands together – *Frotarse las manos,* 130

To rub somebody the wrong way – *Caer gordo,* 29
To rub somebody up the wrong way – *Meter mano,* 181
To ruin – *Dar al traste con algo. Echar por tierra. Echarse a perder,* 46, 84, 88
To run away – *Ahuecar el ala. Darse a la fuga,* 16, 67
To run circles around – *Dar cien mil vueltas a alguien en algo. Dar ciento y raya,* 47, 48
To run for it – *Salir pitando,* 232
To run into someone or something – *Darse de cara con alguien/algo,* 68
To run like a bat out of hell – *Correr como alma que lleva el diablo,* 40
To run out of time – *Pillar el toro,* 201
To run slap into – *Darse de narices,* 68
To run the gauntlet – *Correr el riesgo,* 41
To run the risk – *Correr el riesgo,* 41
To sack – *Entrar a saco. Poner en la calle,* 91, 205
To sail – *Hacerse a la mar,* 148
To satisfy a need – *Sacarse una espina,* 229
To save someone's skin – *Sacar a alguien las castañas del fuego,* 226
To say it like it is – *No tener pelos en la lengua,* 275
To say nonsense – *Venir con gaitas,* 293
To say whatever comes into ones' head – *Irse la fuerza por la boca,* 164
To scold – *Ajustar las clavijas,* 17
To score – *Dar en la diana,* 51
To scrape through – *Aprobar por los pelos,* 21
To screw – *Echar un polvo,* 87
To screw up one's face to cry – *Hacer pucheros,* 147
To see everyonelses defects but not one's own – *Ver la paja en el ojo ajeno,* 296
To see stars – *Ver las estrellas,* 296
To see through someone – *Vérsele a uno el plumero,* 297
To seem rosy – *Ver algo de color de rosa,* 295
To sell oneself – *Darse a valer,* 66
To send about one's business – *Mandar a hacer gárgaras. Mandar a la porra,* 176
To send one's condolences – *Dar el pésame,* 50

To send someone packing – *Mandar a hacer gárgaras. Mandar a la porra*, 176

To send someone to Coventry – *Dar de lado*, 49

To send someone to get lost – *Mandar a paseo. Mandar a tomar viento*, 177

To send someone to hell – *Mandar a freír espárragos*, 176

To set an example – *Dar ejemplo*, 49

To set back and let others do the work – *Chupar rueda*, 35

To set off – *Hacerse a la mar*, 148

To set sail – *Hacerse a la mar*, 148

To set someone on the right path – *Enmendar la plana a alguien*, 90

To set someone thinking – *Dar que pensar*, 62

To set the bells ringing – *Echar las campanas al vuelo*, 82

To set the cat among the pigeons – *Montar el número*, 184

To set the town on fire – *Dar el golpe*, 50

To set tongues wagging – *Dar que hablar*, 61

To settle down – *Echar raíces. Sentar (la) cabeza*, 84, 236

To settle one's own affairs – *Hacer de su capa un sayo*, 139

To shake hands – *Dar la mano*, 54

To shake to the foundations – *Hacer temblar los cimientos*, 147

To shake up – *Hacer temblar los cimientos*, 147

To shatter – *Hacer añicos. Hacer trizas*, 137, 148

To shit in your own back yard – *Tirar piedras contra el propio tejado*, 283

To shoot in the dark – *Dar palos de ciego*, 60

To shoot up – *Pegar un estirón. Subir como la espuma*, 197, 260

To shout – *Dar voces*, 66

To show off – *Hacer gala*, 142

To show one's bad temper – *Estar de uñas*, 109

To show one's true colours – *Quitarse la careta*, 221

To show somebody the door – *Dar la boleta*, 53

To show somebody the gate – *Poner de patitas en la calle*, 204

To shut one's mouth – *Cerrar el pico*, 34

To shut one's trap – *Cerrar el pico*, 34

To side track – *Salirse por la tangente*, 234

To side with – *Dar la razón*, 56

To sink – *Hacer agua. Irse a pique*, 136, 162

To sit and scratch oneself – *Rascarse la barriga*, 222

To sit on the fence – *Jugar con dos barajas. Nadar entre dos aguas. Poner una vela a Dios y otra al diablo*, 165, 186, 210

To slam into – *Darse un batacazo. Dar(se) un tortazo*, 70, 71

To slam the door – *Dar un portazo*, 64

To slap someone – *Cruzarle la cara a alguien. Dar(se) un tortazo*, 44, 71

To slap someone's face – *Romper a uno la cara*, 223

To slaver at the mouth – *Caérsele a alguien la baba*, 30

To sleep at a strecht – *Dormir de un tirón*, 77

To sleep deeply – *Dormir como un lirón*, 77

To sleep in one session – *Dormir de un tirón*, 77

To sleep it off (a hangover) – *Dormir la mona*, 78

To sleep like a log – *Dormir como un lirón. Dormir como un tronco*, 77

To sleep like a top – *Dormir como un lirón. Dormir como un tronco*, 77

To sleep right through – *Dormir de un tirón*, 77

To sleep soundly – *Dormir a pierna suelta*, 77

To slip away – *Hacer mutis por el foro*, 145

To slow someone down – *Parar los pies*, 190

To smash – *Hacer añicos. Hacer polvo. Hacer trizas. Hacerse papilla*, 137, 146, 148, 151

To smell a rat – *Oler a chamusquina. Oler a cuerno quemado. Oler que alimenta*, 188

To smell yummy – *Oler que alimenta*, 188

To smoke like a chimney – *Fumar como un carretero. Fumar como una chimenea*, 130, 131

To sneak out – *Hacer mutis por el foro,* 145

To soar – *Subir como la espuma,* 260

To softer the blow – *Dorar la píldora,* 76

To soft-soap somebody – *Bailar el agua a alguien. Dar coba. Hacer la pelota. Hacer la rosca. Reírle a alguien las gracias,* 24, 48, 143, 144, 222

To solve – *Poner remedio,* 209

To speak clearly – *Hablar en cristiano,* 135

To speak ill of or well of – *Hablar pestes y maravillas,* 136

To speak in an easy way to be understood – *Hablar en cristiano,* 135

To speak one's mind – *Despacharse uno a gusto,* 75

To speak out loud – *Hablar a voz en grito,* 135

To speak up – *Hablar a voz en grito,* 135

To speed – *Dar gas,* 51

To spend every cent you have – *Echar la casa por la ventana,* 82

To spend money unwillingly – *Rascarse el bolsillo,* 222

To spend the time – *Pasar el rato,* 192

To spend with excess – *Tirar la casa por la ventana,* 282

To split hairs – *Buscarle tres pies al gato,* 26

To split one's sides with laughter – *Desternillarse de risa. Mondarse de risa,* 76, 184

To split the work – *Hacer algo a pachas,* 137

To spoil – *Dar al traste con algo. Echarse a perder,* 46, 88

To spoil someone – *Tener en palmitas,* 267

To sponge on someone – *Chupar del bote. Comer la sopa boba. Dar sablazos,* 34, 39, 62

To spread fear – *Sembrar pavor,* 235

To spread like wildlife – *Crecer como la espuma. Crecer como un hongo/hongos,* 43, 44

To spread the rumor – *Correr el bulo,* 41

To stagger – *Hacer eses. Ir dando tumbos,* 142, 155

To stake all – *Echar el resto,* 81

To stand back – *Cruzarse de brazos,* 44

To stand firm im one's convictions – *Mantenerse en sus trece,* 178

To stand someone up – *Dar plantón. Dejar a alguien en la estacada. Dejar a alguien plantado,* 60, 73

To stand there with one's arms crossed – *Estar cruzado de brazos,* 103

To stand up – *Ponerse de pie,* 212

To stand up for – *Sacar la cara,* 228

To start from a scratch – *Hacer borrón y cuenta nueva,* 138

To start from square one – *Hacer borrón y cuenta nueva,* 138

To start off – *Romper el fuego,* 223

To start with a clean slate – *Hacer borrón y cuenta nueva,* 138

To stave off one's hunger – *Matar el gusanillo,* 179

To stay away from someone/something – *Poner tierra de por medio,* 209

To stay on the sidelines – *Ver los toros desde la barrera,* 296

To stay out of something – *Estar al margen,* 96

To step aside – *Hacerse a un lado,* 149

To step on eggs – *Ir pisando huevos,* 160

To stick a knife/dagger into – *Dar la puntilla,* 56

To stick one's neck out for – *Romper una lanza por alguien. Sacar la cara,* 224, 228

To stick one's nose in – *Meter baza,* 180

To stick one's nose in where one is not wanted – *Meterse alguien donde no le llaman,* 182

To stick out a mile – *Saltar a la vista,* 234

To stick out like a sore thumb – *Caer por su (propio) peso,* 29

To stick to one's guns – *(No) ceder (ni) un ápice. (No) dar el brazo a torcer. Mantenerse en sus trece. Seguir en sus trece,* 33, 49, 178, 235

To stick to somebody like a leech – *Pegarse como una lapa,* 197

To still feel like doing something – *Quedarse con las ganas,* 218

To stop being a member – *Dar(se) de baja,* 68

To stop doing/saying something – *Parar el carro,* 190

To stop doing something – *Poner tierra de por medio,* 209

To stop in midstream – *Parar el carro,* 190

To stop seeing someone – *Poner tierra de por medio*, 209
To strech – *Dar de sí*, 49
To strike – *Llevarse por delante*, 174
To strike the clock – *Dar las horas*, 58
To strike the hour – *Dar las horas*, 58
To strive to get – *Echar los hígados*, 83
To study with intensity – *Meter los codos*, 181
To stuff oneself – *Darse el lote. Pegarse un atracón. Ponerse hasta las cejas. Ponerse morado*, 69, 198, 213, 214
To suit well/bad – *Caer bien /mal (la ropa)*, 27
To suit someone perfectly – *Venir como anillo al dedo*, 293
To sunbathe – *Tomar el sol*, 286
To swallow the bait – *Morder el anzuelo*, 184
To sway – *Hacer eses. Ir dando tumbos*, 142, 155
To sweat blood – *Sudar la gota gorda. Sudar tinta. Trabajar como un chino*, 260, 261, 287
To swim against the tide – *Ir contra corriente*, 155
To swim with the tide – *Bailar en la cuerda floja*, 24
To swing both ways – *Tener pluma*, 276
To take a chance – *Bailar en la cuerda floja*, 24
To take a look – *Echar una ojeada. Echar un vistazo*, 86, 88
To take a nap – *Dar una cabezada. Echar una cabezada. Echarse la siesta*, 65, 85, 89
To take a short cut – *Tirar por el camino más corto*, 283
To take advantage of – *Sacar partido de algo*, 229
To take advantage of a situation – *Subirse al carro*, 260
To take after – *Darse un aire. Salir clavado*, 70, 230
To take against somebody – *Tomarla con alguien*, 286
To take charge of – *Hacerse cargo. Ponerse al frente*, 149, 211
To take for granted – *Dar por descontado. Dar por hecho. Dar por sentado*, 61

To take French leave – *Despedirse a la francesa*, 75
To take it lying down – *Aguantar carros y carretas. Aguantar el chaparrón*, 16
To take it on the chin – *Aguantar el chaparrón*, 16
To take like a man – *Aguantar el chaparrón*, 16
To take measures – *Cubrirse las espaldas*, 45
To take off – *Ahuecar el ala. Darse a la fuga. Salir disparado*, 16, 67, 232
To take one's courage in both hands – *Hacer de tripas corazón*, 140
To take one's first steps – *Hacer pinitos*, 146
To take one's life in one's hands – *Jugarse el tipo. Jugarse la vida*, 165, 166
To take part – *Estar pringado*, 126
To take pot luck – *Probar fortuna*, 215
To take precautions against – *Cubrirse las espaldas*, 45
To take pride in – *Hacer gala*, 142
To take somebody down a peg or two – *Bajar los humos*, 24
To take somebody for a ride – *Dársela con queso*, 72
To take someone to bed – *Llevarse al huerto a alguien*, 173
To take something/someone as a joke – *Tomar (algo o a alguien) por el pito del sereno*, 285
To take something to heart – *Tomar(se) a pecho*, 286
To take the blame – *Cargar con el mochuelo. Cargar con el muerto. Pagar los platos rotos*, 32, 190
To take the bull by the horns – *Coger el toro por los cuernos*, 36
To take the heat out of the discussion – *Quitar hierro*, 221
To take the liberty of – *Tomarse la libertad*, 287
To take the lid off – *Sacar a relucir*, 227
To take the lumps with the good – *Estar a las duras y a las maduras*, 93
To take the risk – *Correr el riesgo*, 41
To take the rough with the smooth – *Estar a las duras y a las maduras*, 93
To take things as a joke – *Tomar a broma. Tomar(se) a cachondeo*, 284, 286

To take things seriously – *Tomar(se) a pecho. Tomarse algo por la tremenda. Tomarse (algo) en serio,* 286, 287
To take to one's heels – *Ahuecar el ala. Salir disparado. Salir pitando. Salir zumbando,* 16, 232
To talk a lot – *Tener mucho cuento,* 274
To talk a lot of hot air – *Irse la fuerza por la boca,* 164
To talk a mile a minute – *Hablar por los codos,* 136
To talk abusively – *Echar sapos y culebras,* 84
To talk big – *Echarse faroles,* 89
To talk nonsense – *Venir con cuentos chinos,* 293
To talk non-stop – *Hablar como una cotorra. Hablar por los codos,* 135, 136
To talk one's head off – *Hablar por los codos,* 136
To talk someone into something – *Comer el coco a alguien,* 38
To talk straight – *Poner los puntos sobre las íes,* 207
To talk very subtly – *Hilar muy fino,* 151
To taste delicious – *Saber a gloria,* 225
To taste good – *Estar buena/bueno,* 97
To taste like hell – *Saber a demonios. Saber a rayos,* 225
To taste revolting – *Saber a demonios,* 225
To taste very well – *Saber a gloria,* 225
To tear someone to shreds – *Poner a parir,* 203
To tear someone's heart out – *Caérsele a alguien el alma a los pies,* 30
To tear to pieces – *Hacer añicos. Hacer polvo. Hacer trizas. Hacerse papilla,* 137, 146, 148, 151
To tease someone – *Buscar las cosquillas a alguien. Hacer de rabiar,* 26, 139
To tell it as it is – *Contar con pelos y señales. Hablar en plata. Llamar al pan pan y al vino vino. Poner los puntos sobre las íes,* 40, 136, 168, 207
To tell somebody off – *Despacharse uno a gusto. Echar una bronca,* 75, 85
To tell somebody to fuck off – *Mandar a hacer puñetas. Mandar a tomar por saco,* 176, 177
To tell somebody to hurry up – *Meter prisa,* 182

To tell someone some home truths – *Cantar las cuarenta,* 32
To tell someone straight – *Contar con pelos y señales,* 40
To tell someone to go jump in the lake – *Mandar a freír espárragos,* 176
To tell someone to go to hell – *Mandar al carajo. Mandar al cuerno,* 177, 178
To tell someone to take a hike – *Mandar al carajo,* 177
To thank one's lucky stars – *Darse con un canto en los dientes,* 67
To thank someone – *Dar las gracias,* 57
To think over and over – *Darle vueltas a algo,* 66
To throw a tantrum – *Coger una perra,* 37
To throw away – *Tirar por la borda,* 283
To throw in the towel – *Tirar la toalla,* 282
To throw one's weight around/about – *Darse importancia,* 69
To throw overboard – *Arrojar por la borda. Echar por la borda,* 23, 84
To throw someone out on one's ear – *Echar con cajas destempladas,* 80
To throw something in a person's teeth – *Echar en cara,* 81
To throw up – *Colgar los trastos,* 37
To thud – *Darse un batacazo. Dar(se) un tortazo,* 70, 71
To tie up loose ends/threads – *Atar cabos,* 23
To toady to somebody – *Hacer la pelota,* 143
To touch a sore spot – *Buscar las vueltas a alguien. Poner el dedo en la llaga,* 26, 204
To touch someone for a loan – *Dar sablazos,* 62
To touch someone up – *Meter mano,* 181
To treat alike – *Meter en el mismo saco,* 181
To treat an issue carefully – *Hilar muy fino,* 151
To treat badly – *Tratar a patadas,* 289
To trick someone – *Dársela con queso. Engañar como a un chino. Vender la moto,* 72, 90, 292
To trouble – *Dar guerra,* 52
To trust someone all the way – *Poner la mano en el fuego por alguien,* 206
To try one's luck – *Probar fortuna,* 215

To turn a deaf ear – *Hacer caso omiso*, 138
To turn around – *Dar la vuelta*, 57
To turn heads – *Llevarse de calle*, 174
To turn one's back – *Dar la espalda.
Permanecer de espaldas a algo. Volver
la espalda*, 54, 201, 299
To turn out all right/well – *Salir a pedir
de boca*, 230
To turn out perfectly – *Salir redondo*, 233
To turn over – *Darse la vuelta*, 69
To turn somebody down – *Dar
calabazas*, 46
To turn someone on – *Tener un polvo*,
280
To turn something to one's advantage –
*Arrimar el ascua a su sardina. Llevar
el agua a su molino*, 22, 170
To turn things around – *Dar la vuelta a
la tortilla*, 57
To underestimate – *Hacer de menos a
alguien*, 139
To understand something – *Cazarlas al
vuelo. Coger a la primera. Coger
onda*, 33, 35, 36
To unite against adversity – *Cerrar filas*,
34
To unmask oneself – *Quitarse la careta*,
221
To upset – *No dejar títere con cabeza*, 74
To upset the applecart – *Tirar por la
borda*, 283
To vanish – *Venirse abajo*, 295
To verbally abuse somebody – *Poner
verde*, 210
To wait and see – *Dar tiempo al tiempo*,
63
To wait in line – *Hacer cola*, 139
To wait in the wings – *Estar a la que
salta*, 93
To walk on eggshells – *Andar con pies
de plomo. Ir con pies de plomo*, 18, 155
To walk on thin ice – *Ir a tope*, 154
To walk out on somebody – *Dejar a
alguien plantado*, 73
To walk slowly – *Ir pisando huevos*, 160
To wander off the point – *Irse por las
ramas. Irse por los cerros de Úbeda*, 164
To want to be coaxed – *Hacerse de
rogar*, 149

To wash one's hands – *Lavarse las
manos*, 167
To waste time – *Matar el tiempo*, 179
To watch closely – *Mirar con lupa*, 183
To watch one's step – *Andar con pies de
plomo. Andarse con tiento*, 18, 20
To watch out – *Andar(se) con ojo. Tener
cuidado*, 20, 266
To waylay – *Salir adelante. Salir al paso*,
230
To wear a ridiculous costume/dress – *Ir
hecho un adefesio*, 159
To wear oneself out with hard work –
*Darse un tute. Darse una paliza.
Darse una panzada. Pegarse un
atracón*, 71, 198
To wear the pants/troussers – *Llevar los
pantalones*, 172
To weave – *Hacer eses*, 142
To win out – *Dar un baño a alguien*, 63
To win someone's favor/support –
Meterse a alguien en el bolsillo, 182
To win the day – *Llevarse el gato al
agua*, 174
To wind them up – *Buscar las cosquillas
a alguien*, 26
To wink – *Guiñar el ojo*, 134
To wolf down – *Comer a dos carrillos*,
38
To woo (said) of lovers – *Pelar la pava*,
198
To work day and night – *Romperse los
cuernos*, 224
To work hard – *Trabajar como un
chino. Trabajar como un negro*, 287
To work like a dog – *Trabajar como un
negro*, 287
To work like a slave – *Trabajar como un
negro*, 287
To work one's last nerve – *Sacar de
quicio*, 227
To work oneself hard – *Echar el bofe*, 80
To work secretly against someone –
Hacer la cama a alguien, 143
To worry about – *Llevar de cabeza*, 170
To wreck – *Echar por tierra. Hacerse
papilla*, 84, 151
To write/type it out again – *Poner en
limpio*, 206

ÍNDICE DE OTRAS
EXPRESIONES EN INGLÉS

1. Expresiones preposicionales

a hell of... – *de aúpa, de órdago, de padre y muy señor mío,* 306, 307
a hole in the wall – *de mala muerte, de tres al cuarto,* 306, 307
a punching strike – *a guantazo limpio,* 303
absolutely not – *en absoluto,* 308
actually – *en realidad,* 308
after – *en pos de,* 308
after all – *al fin y al cabo,* 304
against – *en contra,* 308
against all odds – *contra viento y marea,* 306
against my will – *en contra de mi voluntad,* 308
against one's will – *a la fuerza,* 303
ahead of – *al frente de,* 304
all in one breath – *de carrerilla,* 306
along the road – *a lo largo,* 304
anyhow – *de cualquier forma/manera,* 306
anyway – *de cualquier forma/manera,* 306
around the middle – *a mediados,* 304
askance – *de reojo, de soslayo, por el rabillo del ojo,* 307, 310
at a guess – *a ojo de buen cubero,* 304
at about – *a eso de,* 303
at first – *a las primeras de cambio, de primeras,* 303, 307
at full speed – *a toda pastilla, a todo gas,* 304
at hand – *a mano, al alcance de la mano,* 304
at last – *por fin,* 310
at least – *al menos, por lo menos,* 304, 310
at one stroke – *de un plumazo,* 307

at random – *al azar,* 304
at the beginning – *al principio,* 304
at the drop of a hat – *de mil amores,* 307
at the end – *al final,* 304
at the top of one's voice – *a grito pelado,* 303

back to front – *al revés,* 304
based on facts – *con conocimiento de causa,* 305
because you say so – *por tu cara bonita,* 310
beyond all doubt – *sin duda alguna,* 311
blindly – *a ciegas,* 303
bomb-proof – *a prueba de bombas,* 304
by all means – *por supuesto,* 310
by chance – *por casualidad,* 310
by dint of – *a fuerza de,* 303
by fair means or foul – *por las buenas o por las malas,* 310
by fits and starts – *a tontas y a locas,* 304
by force – *a la fuerza, por narices,* 303, 310
by forced marches – *a marchas forzadas,* 304
by heart – *de memoria,* 306
by no means – *de ninguna manera,* 307
by plane – *por avión,* 309
by the same token – *por la misma regla de tres,* 310
by the skin of one's teeth – *por los pelos,* 310

carelessly – *a salto de mata,* 304
casual – *para andar por casa,* 309
come hell or high water – *contra viento y marea,* 306
comfortable – *para andar por casa,* 309
completely – *por completo,* 310

deliberately – *a sabiendas, de mala fe,*
304, 306
desperately – *a la desesperada,* 303
dry – *a secas,* 304

edgewise – *de lado,* 306
either way – *por pitos o flautas,* 310
endless – *sin fin,* 311
enough and to spare – *de sobra,* 307
evidently – *a todas luces, por lo visto,*
304, 310
excessively – *a base de bien,* 303

finally – *al fin, en fin, por fin, por
último,* 304, 308, 310
first and foremost – *ante todo,* 304
first come, first served – *por orden de
llegada,* 310
first hand – *de primera mano,* 307
first thing he knows – *sin comerlo ni
beberlo,* 311
foolishly – *a lo tonto a lo tonto,* 304
for example – *por ejemplo,* 310
for God's sake – *por el amor de Dios,* 310
for life – *de por vida,* 307
for now – *por ahora, por lo pronto,* 309, 310
for one reason or another – *por hache o
por be,* 310
for sure – *a ciencia cierta,* 303
for the sake of God – *por Dios,* 310
for the time being – *por ahora,* 309
forever and ever – *para los restos, por los
siglos de los siglos,* 309, 310
fortunately – *por fortuna,* 310
from bad to worse – *de mal en peor,* 306
from beginning to end – *de cabo a rabo,* 306
from now on – *a partir de ahora,* 304
from the beginning – *desde el principio,* 307
from time to time – *de vez en cuando,* 307

generally – *en general, por lo general,*
308, 310
God willing – *a la buena de Dios,* 303
gropingly – *a tientas,* 304

headed by – *al mando de,* 304
however – *sin embargo,* 311
if that weren't enough – *para mayor
inri,* 309
in a blink of the eye – *en menos que
canta un gallo,* 308
in a crazy way – *a lo loco,* 304

in a jiffy – *en un periquete,* 308
in a low voice – *a media voz,* 304
in a squatting position – *en cuclillas,* 308
in a torrent – *a borbotones,* 303
in a trice – *en un pis pas, en un santiamén,
en un soplo, en un tris tras,* 308
in any case – *de cualquier forma/
manera, de todos modos,* 306, 307
in bold strokes – *a grandes rasgos,* 303
in brief – *en resumidas cuentas,* 308
in broad day light – *en pleno día,* 308
in charge of – *al frente de,* 304
in excess – *de más, para dar y tomar,*
306, 309
in favor – *a favor,* 303
in for a penny – *de perdidos al río,* 307
in for a pound – *de perdidos al río,* 307
in front – *de frente,* 306
in general – *en general,* 308
in great quantity – *a manta, a punta
pala, por un tubo,* 304, 310
in pursuit of – *en pos de,* 308
in reality – *en realidad,* 308
in style – *por todo lo alto,* 310
in such a case – *en tal caso,* 308
in the first place – *en primer lugar,* 308
in the long run – *a la larga,* 303
in the middle of nowhere – *en el quinto
pino,* 308
in the prime of life – *en la flor de la
vida,* 308
in the twinkling of an eye – *en menos
que canta un gallo, en un abrir y
cerrar de ojos, en un dos por tres,* 308
in time – *a tiempo,* 304
inside and out – *por dentro y por fuera,* 310
inside out – *al revés,* 304
it takes all sorts to make a world – *de
todo hay en la viña del Señor,* 307
it's no use crying over spilt milk – *a lo
hecho, pecho,* 303

jokingly – *de broma, en broma,* 306, 310
just in case – *por si acaso, por si las
moscas,* 310
just perfect – *sin faltar ni una coma,* 311

knowingly – *a sabiendas,* 304

like it or not – *de grado o por fuerza,* 306
low quality – *de pacotilla,* 307
luckily – *por chiripa, por suerte,* 310

may be – *por lo visto*, 310
more than enough – *de sobra*, 307

naked – *en cueros*, 308
never – *en mi vida*, 308
never ending – *sin fin*, 311
nevertheless – *sin embargo*, 311
no doubt – *sin duda*, 311
no matter what – *ni a tiros*, 304
no way – *ni a tiros, de ninguna
   manera, en absoluto*, 304, 307, 308
not in your life – *ni a la de tres*, 303

of course – *desde luego, por supuesto*,
   307, 310
often – *a menudo*, 304
on a shoestring – *con cuatro perras*, 305
on foot – *a pie firme*, 304
on his own – *por mi/su cuenta*, 310
on me – *por mi/su cuenta*, 310
on my account – *por mi/su cuenta*, 310
on my own – *por mi/su cuenta*, 310
on no account – *bajo ningún concepto*, 305
on one's feet – *de pie*, 307
on purpose – *de mala fe*, 306
on tap – *a mano*, 304
on the contrary – *al contrario*, 304
on the house – *por cuenta de la casa*, 310
on the other hand – *en cambio*, 308
on the quiet – *a la chita callando*, 303
on the sly – *a hurtadillas*, 303
on the surface – *a flor de piel*, 303
on tiptoe – *de puntillas*, 307
on your knees – *de rodillas*, 307
once and for all – *de una vez por todas*,
   307
once in a blue moon – *de higos a
   brevas, de pascuas a ramos, de tarde
   en tarde, de uvas a peras*, 306, 307
once in a while – *de higos a brevas*, 306
one way or the other – *por pitos o
   flautas*, 310
out of sorts – *de capa caída*, 306
out of the corner of one's eye – *de reojo,
   por el rabillo del ojo*, 307, 310
over my dead body – *por encima de mi
   cadáver*, 310
over night – *de la noche a la mañana*, 306
people say – *de oídas*, 307
per person – *por barba, por cabeza*, 309, 310
plain – *a secas*, 304
please – *por favor*, 310

point-blank – *a bocajarro, a
   quemarropa*, 303, 304
probably – *a lo mejor*, 304

right in front of... – *en mis propias
   narices*, 308

see you later – *hasta luego*, 309
seriously – *en serio*, 308
sideways – *de lado*, 306
sideways – *por el rabillo del ojo*, 310
simultaneously – *al alimón*, 303
slowly – *a paso de tortuga*, 304
something like that – *por el estilo*, 310
sometimes – *a veces*, 304
straight – *a palo seco*, 304
suddenly – *de buenas a primeras, de
   golpe y porrazo, de primeras, de
   repente*, 306, 307

that's why – *por eso*, 310
the other way around – *al revés*, 304
the way I see it – *con el corazón en la
   mano*, 305
therefore – *por eso, por lo tanto*, 310
third time lucky – *a la tercera va la
   vencida*, 303
this is a great time to... – *a buenas
   horas, mangas verdes*, 303
through thick and thin – *contra viento y
   marea*, 306
to beat the big drum – *a bombo y
   platillo*, 303
to right and left – *a diestro y siniestro*, 303
to tell the truth – *a decir verdad*, 303
to the contrary – *al revés*, 304
to the left – *a la izquierda*, 303
to the letter – *al pie de la letra*, 304
to the right – *a la derecha*, 303
to the utmost – *a más no poder*, 304

under the counter – *bajo cuerda*, 305
unfortunately – *por desgracia*, 310
until no more is needed nor desired –
   hasta la saciedad, 309
unwillingly – *a disgusto, a regañadientes*,
   303, 304
upside down – *al revés*, 304

very late at night – *a las tantas*, 303

when I was a child – *de niño/a*, 307

Bibliografía

Barrios, Manuel, *Repertorio de modismos andaluces*, Cádiz, Universidad, 1991.

Beltrán, M.ª Jesús y Yáñez Tortosa, Ester, *Modismos en su salsa*, Madrid, Arco-Libros, 1998.

Castillo, Carlos y Bond, Otto F., *The University of Chicago Dictionary Spanish-English, English-Spanish*, New York, Simon and Schuster, 1987.

Domínguez González, Pablo, Morera Pérez, Marcial y Ortega Ojeda, Gonzalo, *El español idiomático y modismos del español*, Barcelona, Ariel, 1988.

Doval, Gregorio, *Del hecho al dicho*, Madrid, Eds. del Prado, colecc. Palabras Mayores, 1995.

Escamilla, Rafael, *Origen y significado de las más usuales frases hechas de la lengua castellana,* Madrid, Grupo Libro, 1996.

Luján, Néstor, *Cuento de cuentos*, Barcelona, Folio, 1992.

Merino, José y Merino, Ana, *Catálogo de expresiones para la traducción inversa*, Madrid, Anglo-Didáctica, 1991.

Pérez-Rioja, José Antonio, *Modismos del español*, Salamanca, Cervantes, 1997.

RAE, *Diccionario de la Lengua Española*, Madrid, Espasa-Calpe, 1984.

Sánchez Benedito, Francisco, *Diccionario bilingüe de modismos*, Madrid, Alhambra Longman, 1994.

Simon and Schuster's International Dictionary: English-Spanish, Spanish-English, Nueva York, Simon and Schuster.

Torrents Dels Prats, Alfonso, *Diccionario de modismos ingleses y norteamericanos*, Barcelona, Juventud, 1997.

Varela, Fernando y Kubarth, Hugo, *Diccionario fraseológico del español moderno*, Madrid, Gredos, 1994.

whether you like it or not – *por las buenas o por las malas*, 310

wide open – *de par en par*, 307

willingly – *de buen grado*, 306

willingly or by force – *de grado o por fuerza*, 306

with all one's heart – *de corazón*, 306

with great difficulty – *a trancas y barrancas*, 304

with great pain – *con gran dolor del corazón*, 305

with one's back to – *de espaldas*, 306

with one's tongue in one's cheek – *con la boca pequeña*, 305

with utmost difficulty – *a duras penas*, 303

within reaching hand – *al alcance de la mano*, 304

within sight distance – *al alcance de la vista*, 304

without a purpose – *sin ton ni son*, 311

without having anything to do with it – *sin comerlo ni beberlo*, 311

without paying – *de gorra*, 306

without rhyme or reason – *sin ton ni son*, 311

without saying a word – *sin decir esta boca es mía*, 311

without taking precautions – *sin encomendarse ni a Dios ni al diablo*, 311

without thinking – *a tontas y a locas*, 304

wonderfully – *a las mil maravillas*, 303

2. Otros dichos populares

a bunch – *un mogollón, un montón*, 316

a french kiss – *un beso de película*, 316

a lot – *un mogollón*, 316

a pile – *un montón*, 316

as big as a house – *como una casa*, 315

as if nothing had happened – *como si tal cosa*, 315

as needed – *sobre la marcha*, 315

as usual – *como de costumbre*, 315

be aware of – *¡ojo con...!*, 315

crocodile tears – *lágrimas de cocodrilo*, 315

don't exaggerate – *menos lobos*, 315

every Jack has his Jill – *cada oveja con su pareja*, 315

extremmely big – *como una catedral*, 315

faking it – *como quien no quiere la cosa*, 315

far from it – *ni mucho menos*, 315

from time to time – *cada dos por tres*, 315

gorgeous, great, out of this world – *como la copa de un pino*, 315

gossip – *dimes y diretes*, 315

great – *como la copa de un pino*, 315

head or tails – *cara o cruz*, 315

I'm strictly neutral – *ni quito ni pongo*, 315

immensely big – *como una casa*, 315

it is a good thing that... – *menos mal que...*, 315

lean years – *época de vacas flacas*, 315

let byones be bygones – *pelillos a la mar*, 315

neither fish nor fowl – *ni fu ni fa*, 315

neither one thing nor another – *ni fu ni fa*, 315

neither too much nor too little – *ni tanto ni tan calvo*, 315

not in the least – *ni mucho menos*, 315

out of this world – *como la copa de un pino*, 315

outragous – *tela marinera*, 316

over and over – *erre que erre*, 315

run-of-the-mill – *corriente y moliente*, 315

shortly – *dentro de nada*, 315

that's the way it is – *sota, caballo y rey*, 315

the way it should be – *como Dios manda*, 315

to cost the earth – *un huevo (costar)*, 316

to cut no ice – *ni pincha ni corta*, 315

to stand out – *punta de lanza*, 315

very + adj., exceedingly + adj – *la mar de + adjetivo*, 315

watch out – *¡ojo con...!*, 315

way back – *los tiempos de la maricastaña*, 315

without paying any attention – *como quien oye llover*, 315